LE CIMETIÈRE DU DIABLE

Anonyme

Le Cimetière du Diable

TRADUIT DE L'ANGLAIS PAR DINIZ GALHOS

SONATINE ÉDITIONS

Titre original :

THE DEVIL'S GRAVEYARD

Cher lecteur,

Il n'est jamais bon d'avoir des idées toutes faites.

En particulier, il n'est jamais bon d'avoir des idées toutes faites sur des choses qui peuvent être dangereuses, ou ne pas l'être.

Parce que, à coup sûr, elles le sont.

ANONYME.

1

Puuutain ! C'est clair, rien ne vaut les bonnes grosses cylindrées. Et cette saloperie a un sacré monstre sous le capot...

Johnny Parks réalisait enfin le rêve de toute une vie. Lancé à plus de 160 km/h sur une autoroute déserte, par un agréable matin qui plus est, il se sentait grisé comme jamais. Le fait qu'il se trouve au volant d'une voiture de police, à la poursuite de la Pontiac Firebird noire d'un tueur en série tristement célèbre, ne faisait qu'aviver son excitation.

L'émetteur-récepteur crachota, et la voix du chef se fit entendre haut et fort, pour la troisième fois en à peine deux minutes.

« Je répète, à toutes les unités, repliez-vous. Ne poursuivez pas le fugitif dans le Cimetière du Diable ! C'est un ordre, nom de Dieu ! À vous ! »

Neil Silverman, le coéquipier de Johnny, assis à la place du passager, tourna le bouton du volume jusqu'à ce que les voix des autres policiers obéissant aux ordres se taisent complètement. Les deux officiers échangèrent un sourire et un acquiescement. Ils passèrent à cet instant précis devant un énorme panneau

9

planté sur le bord de la route, et sur lequel on pouvait lire :

BIENVENUE AU CIMETIÈRE DU DIABLE

Dans son rétroviseur, Johnny aperçut les sept autres voitures de patrouille s'immobiliser derrière eux pour faire demi-tour. *Bande de putain de peureux.* Son heure de gloire était arrivée. Enfin, leur heure de gloire, à Neil et à lui. Ni l'un ni l'autre n'auraient dû se retrouver mêlés à une course-poursuite aussi sensible, mais, ce matin même, le nombre de policiers tués avait été si important qu'ils avaient été appelés à la rescousse. Les deux hommes avaient une petite vingtaine d'années, et cela faisait à peine six mois qu'ils étaient sortis de l'Académie, leur diplôme en poche. Neil était le meilleur tireur de sa promotion, et il était promis à un bel avenir dans la police. De son côté, Johnny s'estimait chanceux de conduire la voiture où se trouvait le tireur d'élite. Il tenait là sa chance de se faire un nom. S'il y avait bien quelqu'un capable d'abattre le conducteur de la Firebird, pas de doute, c'était son pote Neil. Raison pour laquelle Johnny tenait tant à prolonger encore un peu la poursuite, même si cela allait à l'encontre des ordres du chef.

Ébloui par les rayons crus du soleil du désert, Johnny s'efforçait tant bien que mal de maintenir sa trajectoire en gagnant centimètre après centimètre sur la Firebird. Sur cette route recouverte de sable et de gravier, il lui fallait rivaliser de talent pour tenter d'intercepter le désaxé qui avait déjà envoyé sur le bas-côté au moins trois véhicules.

Si Neil était le jeune tireur le plus talentueux de la patrouille, Johnny, pour sa part, se considérait comme le meilleur conducteur. Adolescent, il avait été un vrai fanatique de stock-car : il s'était entraîné des heures durant sur la piste sablonneuse conçue spécialement pour lui à côté de la ferme de son père, et avait remporté de nombreuses courses sur le circuit de son lieu de naissance. C'était ses talents de conducteur qui lui avaient permis de gagner le cœur de sa fiancée, Carrie-Anne, *cheerleader* en chef du lycée. Elle devait accoucher de leur premier enfant ces prochains jours. Si Johnny parvenait à remporter les lauriers de la gloire en tant que membre du binôme ayant réussi à interpeller le Bourbon Kid, son enfant pourrait se vanter dès sa naissance d'avoir un père hors du commun.

« Vas-y, Johnny ! Impossible de trouver un bon angle de tir, comme ça ! hurla Neil en pointant son revolver à travers la vitre ouverte. Rapproche-toi encore ! »

Johnny appuya sur l'accélérateur et tâcha d'amener l'avant de leur voiture au même niveau que l'arrière de la Firebird.

« Tu vises les pneus ? cria-t-il au-dessus des rugissements du moteur et du vent qui s'engouffrait par la vitre ouverte.

— Nan. Le conducteur.

— T'es pas censé viser les pneus ? »

Neil détacha son regard du véhicule noir qui se trouvait devant eux pour toiser son coéquipier : « Écoute, si je touche ce mec, on deviendra des putains de légendes vivantes, Johnny. T'imagines un peu ? Tu pourras raconter à ton gamin comment t'auras mis hors d'état de nuire le plus gros tueur en série de toute l'histoire ! »

Tout en gardant un œil sur la route, Johnny lança un large sourire à son coéquipier.

« Ça serait super cool.

— Je vois déjà ça d'ici. On inaugurera des supermarchés, on fera des pubs pour des après-rasage, la totale, quoi !

— Ça me plairait bien, ça, un nouvel après-rasage.

— Eh ben, assure-toi que cette bagnole reste en place, parce que je suis sur le point de faire de tous ces rêves une réalité.

— Par contre, est-ce que tu pourrais juste le blesser ? Hein ? Tu peux ? »

Neil hocha la tête, exaspéré. « Et qu'est-ce que tu voudrais que je foute, bordel ? Que je lui perce juste le nez ? Je suis peut-être bon, mais pas à ce point. Personne ne l'est. » Il se pencha un peu plus par la fenêtre en ajoutant : « Rappelle-toi que ce salopard a tué au moins une dizaine des nôtres, ce matin. Des types bien. Qui avaient une famille. *Bonne fête d'Halloween, le croque-mitaine est là !* »

Le fait que c'était Halloween n'avait pas échappé à Johnny. Les gens du coin (ou plus précisément, le très peu de gens qui vivaient dans le coin) ne s'avisaient jamais de mettre un pied dans le Cimetière du Diable, et surtout pas durant Halloween. Dans les bars et les restaurants, on entendait sans cesse les mêmes rumeurs, à propos de ce qui s'y passait chaque 31 octobre. On racontait que des bus entiers d'imbéciles heureux s'y rendaient chaque année, et qu'on ne les revoyait plus jamais. La plupart des gens croyaient à ces histoires. C'était le vilain petit secret du patelin.

Johnny avait d'ores et déjà dépassé le panneau qui indiquait leur entrée en terrain dangereux. Il était déjà très idiot de se lancer à tombeau ouvert à la poursuite du tueur en série plus connu sous le nom de « Bourbon Kid », mais lui donner la chasse jusqu'au Cimetière du Diable, le jour d'Halloween… c'était aussi stupidement téméraire que de faire du saut à l'élastique sans élastique.

« OK, Neil, j'ai compris. Dépêche-toi de buter ce fils de pute. Et cassons-nous au plus vite.

— Ça roule. »

La route traçait tout droit, infinie jusqu'à l'horizon, chatoyant comme un mirage dans la chaleur du petit matin. Aussi loin que pouvait porter le regard, on ne distinguait pas le moindre édifice, pas le moindre véhicule. Neil se pencha à nouveau par la vitre ouverte et braqua son revolver en direction de la vitre teintée du conducteur de la Firebird. Dans les rafales de vent, ses cheveux habituellement coiffés à la perfection se hérissaient sur sa tête.

« Dis bonjour à papa, espèce d'enfant de putain », murmura-t-il.

Une milliseconde avant que Neil ouvre le feu, le conducteur de la Firebird freina sec, et les deux véhicules se retrouvèrent à la même hauteur. Neil avait déjà appuyé sur la détente. La balle siffla devant la voiture noire, manquant sa cible. Johnny eut le réflexe de freiner à son tour, mais avant qu'il ait pu se rendre compte de ce qui se passait, la vitre du conducteur de la Firebird s'abaissa. Le double canon scié d'un fusil apparut alors. Pointé sur les deux policiers. Johnny ouvrit la bouche pour crier à Neil de baisser la tête, mais…

BOUM !

Tout arriva si vite que Johnny n'eut même pas le temps de cligner de l'œil, encore moins de mettre en garde son coéquipier. La décharge de plombs déchira la majeure partie de la tête de Neil, qui éclaboussa le visage de Johnny. Sang, cheveux et bouts de cervelle giclèrent dans sa bouche au moment même où il parvint à glapir un « Oh ! merde ». Horrifié, Johnny perdit le contrôle de son véhicule. La Firebird fit une embardée, percutant violemment de son aile avant la voiture de patrouille. Johnny freina de nouveau de toutes ses forces, mais il était trop tard. Le volant se mit à tourner à toute vitesse entre ses mains, comme possédé. Du coin de l'œil, Johnny aperçut la Firebird enchaîner trois ou quatre dérapages avant de rétablir sa trajectoire, et filer tout droit sur l'autoroute. Dans des crissements de pneus, le véhicule de patrouille quitta la route pour se retrouver dans le désert rocailleux. Percutant un rocher, la voiture s'éleva dans les airs et se retourna, projetant le corps sans vie de Neil hors de son siège.

Au beau milieu du vol plané, Johnny se retrouva la tête à l'envers. Instinctivement, il se recroquevilla en se penchant de côté, et saisit la partie la plus basse de son siège, pour la tirer à lui de toutes ses forces. C'était le premier geste qu'on lui avait appris à faire en cas de retournement dans une course. Si le toit de la voiture s'écrasait au sol, il fallait s'éloigner autant que possible de la zone d'impact en s'accrochant de son mieux à son siège. Le fracas du toit percutant le sol caillouteux retentit presque aussitôt. Le métal froissé ne manqua sa tête que de 2 centimètres tout au plus. La voiture fit trois tonneaux, chacun désorientant un peu plus Johnny. Le véhicule finit par atterrir sur le flanc, et Johnny se retrouva plaqué à la vitre de sa portière, les yeux rivés au sable du désert. La voiture branla un peu, puis s'immobilisa complètement.

Ce qui restait de Neil s'écroula sur Johnny. L'œil intact de son ami mort le fixait, et des perles de sang lui tombaient dessus, comme autant de gouttelettes annonciatrices d'une averse. Il entendit le craquètement du métal qui refroidissait, et sentit l'odeur âcre de l'essence qui fuyait.

Une seconde avant de perdre connaissance, Johnny prit la ferme résolution de quitter la police.

2

Dans le Cimetière du Diable, le matin d'Halloween ne ressemblait à aucun autre. Joe ouvrit sa station-service à 8 heures pile, comme à son habitude, mais c'était bien la seule chose qui ne différerait pas de sa routine habituelle. Dans l'air frais du matin, il lui fallut moins de dix minutes pour retirer les cadenas des deux pompes à essence et allumer l'alimentation électrique. Il n'y avait même plus signe des lézards, serpents et autre vermine du même acabit qui normalement glissaient et rampaient sur le sol poussiéreux et aride. Il y avait fort à parier que si ces bestioles connaissaient un coin où hiberner un jour ou deux, elles s'y étaient d'ores et déjà réfugiées.

Le restaurant Sleepy Joe était sur l'autoroute qui traversait le désert, la seule étape avant l'Hôtel Pasadena. L'établissement disposait de pompes à essence, et comme il n'existait aucune autre station-service dans un rayon de 150 kilomètres, la plupart des personnes qui empruntaient cette route s'y arrêtaient pour faire le plein. Et les jours précédant Halloween, le nombre de clients battait systématiquement tous les records.

Cette période de l'année, Joe l'attendait autant qu'il la redoutait. Toutes sortes de curieux personnages faisaient une halte chez lui pour remplir leur réservoir et leur estomac. 90 % d'entre eux étaient complètement débiles ; les 10 % restants pouvaient être poliment qualifiés de « naïfs ». Cela faisait douze ans que Joe était propriétaire du restaurant-station-service, et chaque année avait amené ce à quoi il s'attendait. Celle-ci ne risquait pas de faire exception.

Après s'être assuré que les pompes étaient fin prêtes à l'usage, Joe rentra dans le sanctuaire qu'était son restaurant. Il ne savait que trop bien que la paix et le silence qui régnaient dehors n'étaient que le calme proverbial avant la tempête. Il savait aussi d'expérience ce qui allait se passer, et il se félicitait du fait que plus tard dans la journée, lorsque, immanquablement, les choses tourneraient au cauchemar, il se trouverait en parfaite sécurité dans sa cave à l'épreuve des tornades.

Dans les cuisines, tout au fond du restaurant, Joe prépara le café en vue de la visite annuelle de Jacko. Puis, en attendant qu'il bouille, il s'occupa des menues tâches matinales.

À environ 8 h 30, une camionnette s'arrêta en face de l'entrée du restaurant, comme elle le faisait chaque jour, afin de livrer les journaux. La plupart du temps, Joe échangeait des civilités avec Pete, le livreur, et ils parlaient un peu des dernières nouvelles de la région. Pourtant, ce matin, Pete ne sortit même pas un pied de sa camionnette. Il se contenta d'abaisser sa vitre pour jeter un paquet de journaux sur le perron du restaurant. Le paquet atterrit aux pieds de Joe, faisant voler un petit nuage de sable et de poussière.

« Salut, Pete, dit Joe en soulevant imperceptiblement la visière de sa casquette.

— Hé ! Joe. Suis pas mal en retard, ce matin. Faut que j'y aille.

— Ça te dit, un petit café ? Je viens de le mettre à bouillir.

— Nan, merci quand même. J'ai un tas de trucs à faire aujourd'hui.

— Bon. Il faut que je te règle ce que tu sais. Il me semble que je suis en retard d'une semaine. »

Dans sa camionnette, Pete se mit à remonter sa vitre. Il était évident qu'il n'avait aucun désir de s'attarder ici ce matin-là.

« Pas de problème, Joe, je sais que je peux te faire confiance. T'auras qu'à me régler ça demain. Ou plus tard dans la semaine, peu importe.

— T'es sûr ? Je peux aller chercher l'argent dans la caisse. »

Mais sa proposition était tout à fait superflue.

« À demain, Joe. Passe une bonne journée. »

La vitre se referma complètement et Pete démarra avec un bref salut de la main à l'attention de Joe. Bien vite, il disparut à l'horizon, en direction de l'Hôtel Pasadena.

Habituellement, les conversations matinales des deux hommes duraient cinq bonnes minutes. Pete était un type plutôt sympa, qui aimait bien tailler le bout de gras, mais les matins d'Halloween, il était toujours pressé de finir sa ronde. Dans tout le Cimetière du Diable, il n'existait que deux lieux de livraison : le restaurant de Joe, et l'Hôtel Pasadena. Joe ne se formalisa donc pas de la hâte de Pete, malgré une certaine déception.

À 8 h 45, le resto était fin prêt à recevoir la clientèle. Détendu, prêt à affronter cette journée, Joe se servit sa première tasse de café et s'assit à l'une des tables rondes en bois de la salle, qui étaient toutes recouvertes d'une nappe vichy blanc et rouge. Un nouveau client aurait eu le plus grand mal à deviner que Joe était le patron des lieux. Il portait toujours la même salopette en jean bleu qu'il lavait une fois par semaine. À l'exception de quelques touffes qui dépassaient autour des oreilles, ses cheveux gris victimes d'un début de calvitie étaient constamment dissimulés sous une casquette de base-ball rouge qui devait bien avoir quinze ans. Une barbe de trois jours gris argenté mangeait le bas de son visage vieilli, défait et affaissé, et quelle que soit son humeur, il avait toujours un air de chien battu. Même durant sa jeunesse, on avait coutume de le charrier en racontant qu'une bourrasque avait figé son expression au beau milieu d'un concours de grimaces.

Sur la une du premier journal qu'il attrapa s'étalait le gros titre : « RECHERCHÉ MORT OU VIF – RÉCOMPENSE : 100 000 \$. » Sous ces mots en caractères gras, corps 72, on pouvait voir une photo au grain assez flou, sans doute issue d'un enregistrement de vidéosurveillance. Il s'agissait d'un homme aux cheveux noirs et sales qui lui tombaient aux épaules, et qui portait des lunettes noires. Selon l'article qui suivait, cet individu avait commis une série de vols à main armée dans une petite ville de bouseux, non loin de là. Ce faisant, il avait en outre assassiné plusieurs agents de police, ainsi que des civils innocents. Le nombre de morts dépassait la trentaine, mais les flics s'attendaient à trouver de nouveaux cadavres dans les prochains jours. L'article allait même jusqu'à suggérer que ces crimes avaient peut-être été perpétrés par la légende urbaine plus connue sous le nom de « Bourbon Kid ». Tout le monde avait entendu parler du Bourbon Kid. Mais on avait tendance à le mettre dans la même case que le yéti et le monstre du loch Ness.

Tout en lisant tranquillement son journal, Joe s'imaginait recevoir la récompense pour avoir attrapé le Bourbon Kid. S'achèterait-il une nouvelle voiture avec tout ce pognon ? Ou prendrait-il de longues vacances ? À moins qu'il n'emménage dans un bled plus agréable, carrément ? Une question éclipsait cependant toutes ces considérations : aurait-il le cran de capturer le Kid ? La réponse n'était autre qu'un « non » franc et définitif. À moins qu'il ne lui tire dans le dos à la moindre occasion… Ouais, ça, ça pouvait être envisageable. C'était très lâche, assurément, mais le bien-être et la sécurité de la population étaient en jeu. Et la population lui serait éternellement reconnaissante pour cet acte. Ne serait-ce que pour cette raison, Joe se dit qu'il ne déménagerait pas s'il touchait la récompense. À quoi bon devenir une légende locale si on ne reste pas dans le coin pour se faire acclamer ?

Il soulevait sa tasse préférée, blanche et ébréchée, pour avaler une gorgée de café noir, lorsque Jacko apparut sur le perron, comme il le faisait une fois par an. Rejetant alors ses rêves de grandeur et de célébrité, Joe se força à revenir sur terre, en se disant que, selon toute probabilité, il ne connaîtrait jamais rien de plus excitant que l'apparition de Jacko. Et ça n'avait rien de vraiment excitant.

La petite clochette de la porte tinta, annonçant la présence du nouveau venu. C'était un jeune homme noir qui devait avoir entre 25 et 29 ans. Chaque année, il arrivait déguisé en Michael Jackson, époque

« Thriller ». Il portait une veste en cuir rouge, un pantalon assorti, en cuir rouge également, et un T-shirt bleu. Ses cheveux étaient courts, et sa permanente impeccable.

Chaque année, Jacko passait toute la journée dans le restaurant à discuter avec Joe en buvant de copieuses quantités de café, dans l'espoir qu'un automobiliste accepte de le conduire à l'Hôtel Pasadena, pour le grand concours de chant « Back From The Dead », « De retour d'entre les morts ». Et chaque année, il échouait misérablement. Pourtant, il ne perdait jamais courage, et, aussi sûr que deux et deux font quatre, il revenait tenter sa chance chaque jour d'Halloween.

Joe le vit entrer en jetant un coup d'œil autour de lui. Très vite, leurs regards se croisèrent, et les deux hommes échangèrent un sourire. Jacko s'exprima en premier : « Toujours là, Joe ?

— Toujours là. Comme d'habitude ?

— Oui, m'sieur. »

Il marqua une pause, hésitant et un peu mal à l'aise, avant de poursuivre. « Mais tu sais que je n'ai pas un sou sur moi, hein ?

— Je sais. »

La vieille chaise en bois sur laquelle était assis Joe craqua bruyamment lorsqu'il se leva pour se diriger vers le comptoir qui se trouvait à l'autre bout de la salle. Derrière, une étagère en bois était fixée au mur, à hauteur des yeux. Plusieurs tasses à café y étaient alignées, identiques à celle dans laquelle Joe buvait son café. Il se saisit de celle qui se trouvait au milieu et la posa sur le comptoir. Puis il attrapa la verseuse à café qu'il avait posée sur un meuble, juste à côté de la porte des cuisines, et remplit la tasse. Lorsqu'il eut fini, il constata que Jacko avait pris sa place. Et qu'il lisait son journal. Joe eut un petit sourire désabusé. *La même chanson chaque année.*

« Comment vont les affaires ? lança Jacko sans lever les yeux du journal.

— Comme d'hab.

— Tant mieux, tant mieux. »

Joe alla déposer la tasse de café en face de Jacko, juste à côté du journal. Il baissa les yeux, et s'aperçut qu'il lisait la une.

« Tu crois que t'auras de la chance cette année ? demanda-t-il.

— J'ai un *excellent* pressentiment, cette année.

— À ce point, hein ? Eh bien moi, je te parie 5 dollars qu'une fois de plus personne te prendra en stop. »

Jacko releva enfin la tête, pour révéler un sourire parfait, un sourire d'un blanc éclatant, plein d'optimisme, un sourire dont le vrai Michael Jackson, à l'époque de « Thriller », aurait pu être fier.

« Ah ! Joe. Homme de peu de foi. Dieu m'enverra quelqu'un, cette année. Je le sens. »

Joe hocha la tête. « S'il y a bien un truc que Dieu va envoyer par ici, c'est des emmerdes, mon ami. Si tu arrives à entrer dans la voiture de qui que ce soit, je suis quasiment certain que je te reverrai pas l'année prochaine. »

Jacko rit. « J'en ai rêvé, la nuit dernière. J'ai eu la prémonition qu'un homme, envoyé par Dieu, m'aiderait à traverser sans péril cette contrée. J'ai aujourd'hui rendez-vous avec mon destin. »

Joe soupira. Jacko aimait vraiment se la raconter. Et il était vraiment le seul à parler comme ça dans toute la région. Mais c'était aussi ce qui le rendait plutôt attachant.

« Et tu sais qui est ce type que Dieu va t'envoyer ?

— Pas encore.

— Une idée de ce à quoi il peut ressembler ?

— Non. Aucune. »

Joe tendit la main et ébouriffa la permanente de Jacko. Puis il sourit. « OK. Le petit déj sera prêt dans cinq minutes.

— Je t'en remercie infiniment », dit Jacko, faisant preuve d'une politesse fort déplacée dans un établissement tel que le restaurant Sleepy Joe, que l'adjectif « merdique » aurait parfaitement défini.

Le patron disparut en cuisine et se mit à préparer le petit déjeuner de Jacko. Il en connaissait la composition par cœur. Deux tranches de bacon, deux saucisses, deux galettes de pommes de terre et un œuf au plat. Les quatre tranches de pain de mie étaient déjà beurrées, prêtes à être servies.

Il piocha les ingrédients dans le vieux frigo, posa une poêle sur l'un des feux, y fit glisser une noix de beurre, suivie des tranches de bacon et des saucisses. Il tira ensuite une spatule en métal rouillé d'un des tiroirs qui se trouvaient sous l'évier, en face de la cuisinière, et se mit à retourner les saucisses. La viande froide grésillait dans le beurre bouillant, et son fumet emplit les narines de Joe. En inspirant l'odeur à pleins poumons, il se dit que la journée avait bel et bien commencé. Réfléchissant à tout ce qui allait s'ensuivre, il s'écria en direction de la salle du restaurant : « Y a un tas d'inconnus qui vont se ramener, tu sais. Et à ce que raconte le journal, l'un d'entre eux est peut-être un tueur en série. T'as déjà entendu parler de ce "Bourbon

Kid" ? S'il se pointe ici, je te recommande fortement de pas essayer de monter dans sa caisse. »

Jacko lui répondit en faisant porter sa voix : « Je suis prêt à monter dans la voiture de n'importe qui. Je suis pas difficile.

— Ce mec est un assassin, Jacko. J'doute fortement que ce soit l'envoyé de Dieu que t'attends.

— Les envoyés de Dieu peuvent prendre bien des apparences.

— Comme celle d'un type qui aurait assez de munitions sur lui pour conquérir le Mexique, par exemple ?

— C'est possible.

— Alors c'est peut-être bien l'homme que t'attends. »

Il y eut une pause, puis Jacko reprit la parole : « Il est très bon, ton café, Joe.

— Ouais. Je sais. »

Pendant la petite heure qui suivit, Jacko mangea son petit déjeuner gratuit, puis feuilleta les journaux tout en discutant de tout et de rien avec Joe, qui s'était assis sur un tabouret de bar, derrière le comptoir. Il en était à sa troisième tasse de café brûlé lorsqu'une voiture se gara devant le restaurant. Un peu plus tôt, Joe l'avait vue passer à toute vitesse. Au carrefour qui se trouvait à un peu moins d'un kilomètre de là se dressait un panneau indiquant la direction de l'Hôtel Pasadena. Mais chaque année, à Halloween, le panneau disparaissait, et tout automobiliste qui passait devant le restaurant faisait invariablement demi-tour au bout de quelques minutes pour demander son chemin.

Joe connaissait la chanson par cœur. Si quelqu'un entrait et demandait où se trouvait l'Hôtel Pasadena, il devait feindre la surprise et l'ignorance. Jacko pourrait ainsi se proposer comme guide, et, en échange, se faire déposer à l'hôtel, afin de réaliser son rêve.

La voiture était noire et racée, avec un très long capot. À en juger par la taille de celui-ci, on pouvait déduire sans trop se mouiller qu'il cachait un très gros et très puissant moteur. Et le fait était que les rugissements qu'il poussait au point mort étaient pour le moins impressionnants. En fait, il semblait même que le conducteur accélérait volontairement au point mort afin de faire comprendre qu'il avait besoin d'un renseignement. C'était une voiture extrêmement puissante, et il était évident que celui qui la conduisait entendait le faire savoir. Elle était recouverte de sable et de poussière, sans doute à cause d'une longue route au milieu du désert. En bon vieux con aigri, Joe n'était pas du genre à exprimer d'une façon ou d'une autre son admiration face à un véhicule pareil. Il avait un vieux pick-up de merde, et jalousait toute personne qui se trouvait au volant de quelque chose de mieux. En vérité, si cela n'avait tenu qu'à lui, il n'aurait pas prêté la moindre attention à la voiture noire. Mais malheureusement, Jacko voulut en savoir un peu plus :

« C'est quoi, comme voiture ? » lui demanda-t-il. Joe fit semblant de ne pas avoir remarqué la présence du véhicule, et jeta un regard exagérément insistant à travers la vitrine poussiéreuse. Il reconnut aussitôt le modèle.

« Pontiac Firebird, grommela-t-il.

— Une quoi ?

— Une Pontiac Firebird, répéta-t-il en articulant méticuleusement chaque syllabe.

— C'est quoi, une Pontiac Firebird ? Je n'en ai jamais entendu parler.

— Une voiture de méchant.

— Pourquoi est-ce que... »

Jacko s'interrompit au premier tintement de la clochette, qui annonça que le conducteur de la fameuse voiture venait d'entrer dans le restaurant.

Joe sut immédiatement que sa prédiction était juste. C'était bel et bien un méchant. L'aura du type ne laissait aucun doute. Il avait une présence hors du commun. N'importe qui l'aurait remarquée, même à une centaine de mètres. Sauf peut-être Jacko.

L'inconnu portait un pantalon treillis noir, des bottines noires, et une lourde veste en cuir noir dans le dos de laquelle pendait une capuche sombre pour le moins incongrue. Sous la veste, on pouvait voir un T-shirt moulant, noir également. Il était impossible de discerner ses yeux à travers les verres opaques de ses lunettes de soleil. Ses cheveux étaient épais, sombres et, pour tout dire, franchement sales. Ils lui tombaient aux épaules, sans effet de style particulier. Ce mec avait l'air naturellement cool, comme s'il dormait toujours habillé et s'en foutait complètement.

En s'avançant vers le comptoir, selon toute probabilité pour demander son chemin à Joe, il jeta un regard en direction de Jacko, à qui il décocha un court salut de la tête. Pas de doute : c'était le type dont la photo s'étalait en une du journal. Joe avait les mains moites. *Est-ce que c'est un signe ?* Moins de deux heures auparavant, il s'était demandé ce qu'il ferait s'il se retrouvait confronté au tueur en série dont le journal parlait. Et à présent, comme pour le mettre à l'épreuve, Dieu lui avait précisément envoyé cet homme. Joe pensa à la récompense de 100 000 dollars. Aurait-il le courage de suivre son plan, en butant cet assassin recherché par les autorités si l'occasion se présentait ? C'était là la seule chance qu'il aurait de toute sa vie de se faire un tel paquet de pognon. Il était comme plongé dans une transe, jaugeant les risques qu'il lui faudrait courir pour empocher la récompense, lorsque l'homme s'exprima. Sa voix était particulièrement rocailleuse, avec un ton désagréable, voire carrément sinistre.

« Vous savez ce que c'est, un panneau indicateur, dans le coin ? » demanda-t-il.

Joe haussa les épaules, comme pour s'excuser. « En temps normal, les seules personnes à circuler par ici sont des gens du coin, monsieur. Pas besoin de panneau indicateur.

— Est-ce que j'ai l'air d'être du coin ?

— Non, monsieur. »

Comme prévu, Jacko, assis sur la gauche de l'homme, saisit cette opportunité de se mêler à la discussion. « Je peux vous indiquer le chemin à prendre, si vous voulez, monsieur. »

L'homme se retourna, abaissa ses lunettes et toisa Jacko par-dessus ses verres opaques : « T'as pas l'air d'être du coin, toi non plus.

— C'est vrai. Mais je connais bien la région.

— Et comme par magie, tu sais où je vais ? »

Le son de sa voix évoquait celui de petites pierres roulant au fond du lit d'une rivière.

Jacko se fendit d'un large sourire. « À l'Hôtel Pasadena, je suppose. Si vous acceptiez de me prendre en stop, je pourrais vous indiquer la direction à prendre.

— Pourquoi est-ce que tu me la pointes pas du doigt, simplement ? »

Joe se sentait mal à l'aise pour Jacko. Il n'avait donc pas encore compris que ce type était un tueur en série, et, partant, pas le genre de mecs avec qui on avait envie de faire un bout de chemin ?

« Eh bien, il se trouve que, moi aussi, je cherche à rejoindre l'Hôtel Pasadena, dit joyeusement Jacko. Alors en échange de mes indications, un petit coup de pouce serait vraiment le bienvenu.

— Contente-toi de pointer la direction.

— Ben, vous voyez, ce n'est que sur place que j'arrive à me rappeler clairement par où aller. Et pour rien au monde, je ne voudrais vous envoyer dans la mauvaise direction.

— Non, effectivement. Pour rien au monde, tu ne voudrais faire ça.

— Alors vous acceptez de me prendre en stop ? »

L'homme repoussa ses lunettes vers la base de son nez, et ses yeux disparurent derrière les verres. Il semblait regarder Jacko intensément, droit dans les yeux. À cet instant précis, Joe prit sa décision.

Impossible de laisser filer une récompense de 100 000 dollars comme ça.

Très lentement, dans un geste quasi imperceptible, il tendit la main vers un petit tiroir en bois, à hauteur de la taille, juste sous le comptoir. C'était là qu'il gardait un petit revolver plaqué nickel, au cas où. Il lui suffisait de s'en saisir et de lui tirer dans le dos pendant que Jacko faisait diversion. *100 000 dollars à la banque.* Joli boulot. Merci beaucoup. Sans le moindre tressaillement malgré son âge, Joe ouvrit tout doucement le tiroir, et avança sa main. Ses doigts effleurèrent le métal froid du revolver. Son cœur battait la chamade, mais *il avait largement le temps.* Le type debout devant le comptoir regardait toujours de l'autre côté, réfléchissant sans doute à la proposition de Jacko. Juste au moment où Joe enserrait la crosse du revolver dans sa main, l'inconnu se décida enfin à répondre : « C'est bon, je te dépose. Mais va me chercher deux bouteilles de bourbon derrière le comptoir. »

Joe vit Jacko se lever de sa chaise dans une grimace : « Euh, le problème, c'est que j'ai pas d'argent. »

L'homme soupira, puis glissa sa main droite sous le pan gauche de sa veste en cuir noir. Il en tira un gros pistolet gris sombre. Il se retourna vers le comptoir, tendit le bras et braqua le canon sur la gorge de Joe. Celui-ci écarquilla les yeux, et tira aussi rapidement qu'il put son revolver du tiroir, pour le pointer vers l'homme en noir.

Il s'ensuivit alors une puissante déflagration qu'on aurait pu entendre à des kilomètres à la ronde. Les tasses blanches posées sur l'étagère, derrière la tête de Joe, furent soudain éclaboussées du sang écarlate qui jaillissait du trou béant à la base de son crâne.

Ce n'était pas la première fois que le sang coulait ce jour-là, et c'était loin d'être la dernière.

3

Sanchez détestait prendre l'autocar. De façon plus générale, les voyages ne l'enthousiasmaient pas, mais un trajet en autocar apparemment sans fin et sans destination, ça se plaçait assez haut dans la liste des choses dont il avait horreur. En fait, la seule chose qui se trouvait au-dessus, en première place, c'était boire sa propre pisse. Ce voyage en autocar avait été précédé d'un vol de trois heures. Et Sanchez n'était pas non plus un gros fan des trajets en avion. Pour dire carrément les choses, il ne se serait jamais infligé tout ça s'il n'avait pas gagné deux semaines de « vacances mystère », tous frais payés.

À Santa Mondega, Sanchez était connu pour avoir des oursins dans les poches : personne ne s'était étonné qu'il accepte de voler en classe affaires et de séjourner dans un mystérieux hôtel cinq étoiles d'Amérique du Nord, sans avoir à rien débourser. La destination finale pouvait très bien être Detroit (ou un autre lieu tout aussi terrifiant), mais il s'en moquait. Pour lui, c'était avant tout un énorme soulagement de se retrouver loin de Santa Mondega pour la nuit d'Halloween, durant laquelle la ville avait tendance à devenir encore plus maléfique que d'habitude. Et ça n'était pas peu dire.

La raison de sa présence dans cet autocar était assez simple. Il avait rempli le questionnaire d'une agence de rencontres sur Internet, qui avait offert ce voyage au meilleur parti de chaque ville et village de sa région. Pourtant, au plus grand désespoir de Sanchez, deux gagnants avaient été nommés pour Santa Mondega. L'autre célibataire avait été placée à côté de lui durant le vol, et était à présent sa voisine dans l'autocar. Et cette personne lui tapait gravement sur le système.

Annabel de Frugyn, ou « la Dame Mystique », comme elle préférait qu'on l'appelle, était une des cinglées notoires de la ville de Santa Mondega. Elle exerçait la profession de voyante, et l'exerçait très mal (c'était du moins l'opinion de Sanchez). Ils n'avaient pas décollé depuis une minute qu'elle avait prédit qu'ils s'écraseraient contre le flanc d'une montagne. Puis elle avait pointé du doigt un couple de terroristes potentiels, assis quelques rangs plus loin. Ils l'avaient entendue, et, à partir de cet instant, Sanchez avait eu la conviction que ces personnes le regardaient de travers uniquement parce qu'il était assis à côté d'elle. La seule chose qu'elle avait réussi à prédire, c'était qu'ils se retrouveraient côte à côte tant dans l'avion que dans l'autocar. Et à présent, ses prémonitions prenaient un tour encore plus terrifiant : « Les esprits me disent que vous et moi allons passer beaucoup de temps ensemble durant ces prochains jours », dit-elle d'un ton jovial. Son horrible sourire dévoilait des dents qui se chevauchaient dans tous les sens, et il y avait au fond de ses yeux un scintillement particulièrement agaçant.

Putain, c'est pas vrai, pensa Sanchez. *Elle a au moins 60 ans. Et en plus, c'est un vrai thon.* Elle avait effectivement 60 ans, c'est-à-dire le double de l'âge de

Sanchez. Pas du tout le genre de compagnie féminine qu'il avait espéré pour ses vacances gratuites.

Il ne restait plus une seule place libre dans l'autocar, et l'absence de couple était évidente. Toutes celles et tous ceux qui se trouvaient à bord devaient avoir gagné le même cadeau mystère en remplissant le même questionnaire que Sanchez. Cinquante-cinq célibataires se serraient donc sur les sièges étroits de l'autocar, et aucun d'eux ne semblait avoir moins de 25 ans. Sans le moindre doute possible, la plus vieille et la plus moche était la Dame Mystique, et, comme par hasard, c'était à côté de Sanchez qu'elle était.

Il faut que j'arrive à la semer dès le début, pensa-t-il. S'il n'y prenait pas garde, tout le monde se mettrait à penser qu'elle lui plaisait, et cela pourrait ruiner toutes ses chances avec les autres femmes présentes dans le bus, qu'il considérait toutes dignes de succomber à son charme irrésistible. Il était plus particulièrement intéressé par une Portugaise assise deux rangs devant lui. Ou bien elle lui avait fait de l'œil pendant la majeure partie du voyage, ou bien elle avait un œil qui partait aux fraises. Même cette dernière éventualité ne gênait pas Sanchez : cette femme valait de toute façon bien mieux que la vieille sorcière qui se trouvait à côté de lui.

Il est temps de mettre un terme à tout fâcheux malentendu, se dit Sanchez en se tournant vers sa voisine. « Annabel, vous savez sûrement comment ça se passe, ce genre de voyage mystère, lui dit-il d'une voix presque baveuse d'hypocrisie. On va sans doute se perdre de vue dès le début, et on ne se reverra probablement plus avant le voyage de retour. Voire pas du tout.

— Mais non ! répliqua Annabel dans un éclat de rire, en appliquant une tape sur la cuisse du barman. Comme nous ne connaissons personne, nous devons bien veiller à rester ensemble. C'est tellement plus agréable d'être avec quelqu'un qu'on connaît quand on se retrouve dans un endroit inconnu, vous ne trouvez pas ? »

Sa main demeura sur sa cuisse. Sanchez portait un bermuda marron, composé des fibres synthétiques de la pire qualité qui soit, et qui, tout le long du voyage, s'était mis un point d'honneur à lui rentrer dans la raie des fesses : la main d'Annabel était par conséquent dangereusement proche de sa peau.

La lettre reçue avec son ticket gagnant lui avait enjoint de prévoir des habits légers : en plus du short, Sanchez avait donc revêtu une chemise hawaïenne rouge à manches courtes. Au cas où le temps ne serait pas aussi clément que prévu, il avait enfilé par-dessus une veste en cuir suédé marron, mais, à en juger par les conditions météo qu'ils avaient rencontrées jusque-là, il risquait de ne pas en avoir besoin. Arrivé à destination, il aurait tout le temps de se débarrasser de sa veste : l'essentiel était de se débarrasser d'Annabel. En s'obligeant à esquisser un sourire poli, il répondit aux paroles enthousiastes de la voyante en serrant les dents : « C'est sûr. Vous avez complètement raison. Le problème, c'est que je me perds très facilement quand je suis loin de Santa Mondega. Je vous jure que c'est vrai. Un instant je suis là, juste à côté de vous, et l'instant d'après, vous tournez le dos à peine une seconde, et pouf ! je suis plus là.

— Bon, eh bien, je veillerai tout simplement à ne jamais vous perdre de vue ! Ne vous inquiétez pas, mon mignon : je m'assurerai que vous ne vous égariez pas. »

Sanchez sentit la main d'Annabel serrer sa cuisse et frémit intérieurement. Contrairement à lui, elle n'avait pas suivi les conseils de la lettre et s'était emmitouflée dans une longue robe noire et deux cardigans, un bleu sombre enfilé sur un vert foncé, hideux et manifestement infestés de poux et de puces. Ses longues mèches de cheveux gris pendaient sur le devant de ces charmants oripeaux, sans doute pour permettre aux minuscules bestioles de passer librement de sa tête à ses épaules. Sanchez aurait aimé écarter sa main de sa cuisse, mais la vue de sa peau fripée et de ses ongles jaunes l'en dissuada. *Ces vieilles mains dégoûteraient un lépreux*, pensa-t-il. Fort heureusement, après un temps inutilement long, Annabel finit par écarter d'elle-même sa main, afin de pointer du doigt quelque chose à la fenêtre, quelque chose qui se trouvait plus loin sur le bord de la route.

« Oh, regardez ! s'exclama-t-elle, très excitée. Un panneau ! Essayons de voir ce qu'il dit. »

Cela faisait maintenant deux heures qu'ils étaient enfermés dans l'autocar. À leur arrivée à l'aéroport Goodman's Field, Sanchez s'était étonné de l'absence de guide touristique. En fait, il ne s'y trouvait absolument personne ne serait-ce que pour leur dire où ils allaient. Il avait demandé autour de lui, mais aucun des autres gagnants n'en savait plus que lui. Même la Dame Mystique, malgré ses vagues talents de précognition, n'en avait pas la moindre idée. Et tous se plaignaient du manque absolu de couverture réseau pour leurs téléphones portables. Pour toutes ces raisons, il semblait avisé de lire ce panneau de bord de route.

Depuis l'aéroport, ils avaient roulé sur une autoroute déserte, au milieu d'un paysage aride et désolé, quasiment dénué de tout relief. Le chauffeur de l'autocar n'avait adressé la parole à personne et s'était refusé à prêter une oreille (et encore plus à répondre) aux questions concernant leur destination finale. C'était là très grossier de sa part, mais comme il s'agissait d'un gros salopard très baraqué, personne n'avait jugé bon de s'en offusquer. Et jusqu'à présent, ils n'avaient pas croisé la moindre enseigne susceptible de leur dire dans quel coin paumé ils se trouvaient.

À l'approche du panneau, Sanchez jeta un regard par la vitre pour lire ce qui y était écrit. Le panneau se dressait au milieu du désert, avec, perdues au loin, des mesas et des falaises orangées. C'était un grand panneau noir, d'environ 3 mètres de haut sur 6 mètres de long. À mesure qu'il grossissait, cinq mots peints en rouge se détachèrent de plus en plus nettement : « BIENVENUE AU CIMETIÈRE DU DIABLE ».

« Putain, depuis le temps que j'en rêvais, pensa tout haut Sanchez. Remarquez, je crois que j'aurais quand même préféré les Bahamas. »

Annabel, manifestement beaucoup plus enthousiaste que lui, exprima son excitation en serrant de nouveau sa cuisse d'une main, et claquant la sienne de l'autre.

« Et ça ne vous motive pas plus que ça ? lui lança-t-elle. Cela fait des années que je ne suis pas sortie de Santa Mondega. Ce n'est pas génial, ce qui nous arrive ? Dommage que nous n'ayons rien à boire : je n'aurais pas refusé un petit remontant pour me calmer les nerfs. »

Sanchez poussa un soupir et plongea la main sous sa veste de cuir pour brandir une petite flasque en or très raffinée.

« Tenez, proposa-t-il d'un ton bourru, dévissant le bouchon avant de tendre la flasque à Annabel.

— Ça par exemple ! Qu'est-ce que c'est ? demanda-t-elle, les yeux étincelant d'une lueur de convoitise éthylique, à l'idée que le récipient pouvait receler quelque alcool.

— C'est ma cuvée spéciale. J'attendais la bonne occasion pour taper dedans.

— Oh ! Sanchez. Vous êtes un vrai gentleman.

— Vous allez me faire rougir. »

Annabel saisit la flasque et avala une gorgée, avec laquelle elle s'étouffa presque aussitôt, dans une grimace hideuse (même pour elle, ce qui n'était pas peu dire).

« *Beurk !* C'est absolument *infect !* Qu'est-ce que c'est que ça ? demanda-t-elle dans des haut-le-cœur.

— On s'y fait avec le temps. Il faut que vous persévériez. Quand nous serons arrivés à destination, vous serez complètement accro. »

La Dame Mystique n'avait pas l'air franchement convaincue. Moins de dix minutes après sa première gorgée de cuvée spéciale de Sanchez, elle alla s'enfermer dans les toilettes exiguës de l'autocar. En dépit de son supposé talent de prémonition, elle n'avait pas prévu que Sanchez lui ferait boire d'une flasque remplie de sa propre pisse.

Plus important encore, elle était loin de se douter de ce qui les attendait au Cimetière du Diable.

Ce bled qui avait un problème de créatures du mal encore plus important que Santa Mondega.

4

En moins d'une seconde, le Bourbon Kid rangea son pistolet sous sa veste en cuir, le glissant dans le holster discret qu'il portait sous son aisselle gauche. Comme au ralenti, le corps de Joe, toujours à la verticale, se mit à branler. Pour le Kid, le phénomène était plus que familier. Les genoux de sa victime étaient sur le point de céder sous son poids. Comme prévu, le corps vacilla, avant de s'effondrer par terre en un tas, telle une poupée de chiffon. Dans sa chute, le visage du barman percuta le comptoir de bois massif. On ne voyait plus de lui que son sang : une élégante éclaboussure écarlate maculait la longue rangée de tasses blanches, alignées sur l'étagère qui se trouvait derrière le comptoir, et quelques gouttes éparses perlaient sur les barres chocolatées toutes proches de la caisse. *Une vraie œuvre d'art*. Si le Kid avait porté sa signature à la chose, elle aurait certainement valu une fortune.

Sur sa gauche, le Kid aperçut le client à la tenue de cuir rouge sursauter vivement, choqué par ce à quoi il venait d'assister. Pourtant le type ne prononça pas un mot. Il se contenta de s'approcher lentement du comptoir afin de jeter un coup d'œil au cadavre du patron. Normalement, les gens avaient tendance à prendre leurs jambes à leur cou lorsque le Kid se mettait à buter tout le monde. Ce type-là semblait avoir complètement oublié la présence du tueur en série. Le Kid le vit se pencher par-dessus le comptoir et grimacer à la vue du cadavre de Joe. Après quelques secondes de contemplation de feu son ami, il parut soudain se rappeler que le Kid était à côté de lui. En compagnie de son flingue. Très lentement, il se retourna dans sa direction. Le Kid était impatient de voir sa réaction. Et il était encore plus impatient de le voir aller chercher les bouteilles de bourbon qu'il lui avait demandé de prendre peu avant de tirer une balle dans la gorge de Joe.

« Vous l'avez tué, dit le type, au risque d'enfoncer des portes ouvertes.

— Tu crois ?

— Pourquoi est-ce que vous avez fait ça ? Joe est un type bien.

— Était.

— Hein ?

— *Était* un type bien. Maintenant, c'est un type bien, et mort.

— Il ne vous a rien fait.

— Il a pointé un flingue sur moi, au cas où t'aurais pas remarqué.

— Vous avez dégainé le vôtre avant !

— Tu veux que je le dégaine une deuxième fois ?

— Pas vraiment.

— Comment tu t'appelles ?

— Jacko.

— OK. Tu vas ouvrir bien grand tes oreilles, Jacko. Si dans les trois secondes qui suivent t'es pas allé chercher les deux bouteilles de bourbon que je t'ai demandées, mon flingue sortira de nouveau de sa cachette. »

Jacko acquiesça. « D'accord, j'ai compris. » À petits pas timides, il passa derrière le comptoir, les yeux rivés par terre, principalement pour ne pas marcher dans le sang. « Du bourbon, c'est ça ? marmonna-t-il.

— C'est ça.

— Ça roule.

— Prends-moi des clopes, aussi.

— Quelle marque ?

— N'importe laquelle. »

Le Kid attrapa une barre chocolatée sur le présentoir qui se dressait sur le comptoir. D'une pichenette, il écarta un bout de cartilage sanguinolent collé à l'emballage, avant de l'ouvrir. Il croqua un morceau, et tout en considérant que le goût de la barre était tolérable, il se dirigea vers la sortie afin de rejoindre sa voiture, laissant Jacko s'occuper seul des emplettes.

Le Kid avait un flair hors du commun pour renifler le danger. Cet instinct lui avait été extrêmement utile lorsque, du coin de l'œil, il avait deviné que Joe cherchait quelque chose sous le comptoir. Il aurait pu s'agir d'un donut, mais il y avait une infime chance pour qu'il s'agisse d'une arme quelconque. Et il avait vu juste : la balle dont il s'était servi pour perforer la gorge du patron n'avait pas été inutilement dépensée. À présent, ce même instinct lui disait que quelque chose de terrible arriverait très prochainement. Rien de bien surprenant en ce jour d'Halloween. Il le savait d'expérience. Son premier meurtre remontait à une nuit d'Halloween, dix ans auparavant. Depuis, il avait tué des centaines de personnes. Certaines l'avaient mérité, d'autres pas, mais aucun de ces crimes n'avait été aussi déchirant que le tout premier.

De quelque façon dont on le tourne, le fait de tuer sa propre mère de six balles dans le cœur à l'âge de 16 ans représentait un traumatisme considérable. Même si elle s'était fait mordre par un vampire, et s'était transformée en créature de la nuit sous les yeux de son fils. Soit, ce ne fut que lorsqu'elle avait tenté de le tuer qu'il avait compris que son seul recours était de l'éliminer. Mais, cela ne surprendra personne, cet instant avait été crucial dans la vie du Kid. Cet instant intimement lié à sa toute première bouteille de bourbon.

Et à présent, en ce jour d'Halloween, dix ans après ces événements, il se retrouvait dans un coin de désert connu sous le nom de Cimetière du Diable, et s'apprêtait à prendre en stop un type habillé comme l'un des danseurs du clip de « Thriller ». Et il ne lui restait plus que deux balles. Il avait tout un tas d'armes, mais quasiment plus la moindre munition : il avait grillé sa dernière cartouche de 12 afin de se débarrasser du flic novice qui l'avait poursuivi dans son véhicule de patrouille. C'était sa faute. Ça lui apprendrait à tuer autant de personnes en une matinée. Le reste de la journée risquait d'être tendu. Il hésita un bref instant à mettre la main sur l'arme de Joe ainsi que sur toute cartouche qu'il pourrait trouver, mais rejeta finalement cette idée. D'une façon générale, il n'aimait pas les armes de petit calibre, et celle du patron avait tout du joujou d'amateur, précise uniquement dans un rayon de 2 mètres, et qui avait autant de chances d'éliminer votre cible que de vous péter dans les mains.

Le Kid se rassit sur le siège conducteur de la Firebird, encore chaud, et regarda au travers du pare-brise recouvert de terre. Les essuie-glaces avaient effacé suffisamment de saleté pour qu'il y voie quelque chose, mais les zones qui se trouvaient hors de portée étaient recouvertes d'une épaisse couche de sable, de poussière et de boue. La course-poursuite dans le désert avait laissé des traces indéniables, mais la Firebird ne l'avait pas laissé tomber. Du reste, elle ne l'avait jamais laissé tomber. Le moteur conçu sur mesure, en plus d'être assez puissant pour semer à peu près n'importe quel véhicule terrestre, était aussi fiable que solide.

Il tourna la clef et le moteur rugit. Jacko sortit alors du restaurant, avec les bouteilles qu'il avait prises derrière le comptoir. Le Kid se pencha vers sa droite et entrebâilla la portière passager. Son nouveau compagnon de voyage entra et posa deux bouteilles de Sam Cougar et deux bouteilles de bière Shitting Monkey (« Singe qui chie ») à ses pieds. En refermant la portière, il ouvrit la boîte à gants qui se trouvait devant lui et y mit deux paquets de cigarettes avant de refermer le clapet. Le Kid était franchement impressionné. Rares étaient ceux qui avaient le cran d'entrer dans sa voiture. De leur plein gré, en tout cas. Et pour prendre place dans sa Firebird juste après qu'il eut buté de sang-froid un restaurateur grisonnant, il fallait une sacrée trempe. Pourtant, dans sa tenue de cuir rouge, Jacko avait l'air d'un parfait couillon.

Derrière ses lunettes noires, le Kid fixa Jacko, attendant qu'il lui indique la direction à prendre pour l'Hôtel Pasadena. Mais au lieu de ça, le pseudo-sosie de Michael Jackson lui lança carrément : « Alors vous êtes le Bourbon Kid, c'est ça ?

— Qu'est-ce qui m'a démasqué ?

41

— J'ai un vrai sixième sens pour ce genre de choses.

— Bien. À partir de maintenant, ton sixième sens a intérêt à fonctionner au mieux, parce que je peux te jurer que si on prend le mauvais chemin, je te tue.

— OK. Arrivé à la croisée des chemins, un peu plus loin, prenez à droite. »

Le Kid desserra le frein à main et appuya violemment sur l'accélérateur. Dans un crissement de pneus, la voiture s'éloigna du restaurant Sleepy Joe pour se lancer sur l'autoroute, en soulevant derrière elle un épais nuage de sable et de poussière. Lorsque celui-ci retomba, le restaurant-station-service était déjà loin derrière.

Au carrefour qui se trouvait 2 kilomètres plus loin, le Kid tourna à droite, comme Jacko le lui avait dit. La Firebird était déjà à moitié recouverte de poussière, à cause de toutes les péripéties qu'elle avait traversées jusqu'ici, et cette route en béton merdique, avec sa surface irrégulière ponctuée de fréquents nids-de-poule, n'allait certainement pas arranger les choses.

« Alors, que venez-vous faire par ici ? demanda Jacko.

— Qu'est-ce que ça peut te foutre ? »

De cette réponse, il aurait été très facile de conclure que le Kid n'avait pas franchement envie de papoter. Pourtant, Jacko sembla ne pas s'en rendre compte.

« J'espère que je pourrai participer au concours qui se tient à l'hôtel, poursuivit-il. "Back From The Dead." Vous connaissez ? »

Le Kid ne répondit pas, pas plus qu'il ne quitta la route des yeux. Cela ne suffit pas à faire taire Jacko : « Parce que vous voyez, j'imite Michael Jackson. »

Le Kid inspira profondément par les narines, garda l'ample bouffée d'air un instant dans ses poumons, puis expira lentement. Il tâchait de garder son calme, chose qu'il avait énormément de mal à faire, surtout le jour d'Halloween. Il finit par quitter la route du regard pour jeter un coup d'œil à Jacko. Très étonnamment, les mots qu'il prononça alors furent plutôt sensés : « Vu qu'il est mort, il risque d'y avoir des milliers de sosies de Michael Jackson à ce concours. Tout le monde va vouloir profiter de sa célébrité. Pourquoi est-ce que tu chantes pas tout simplement, en étant toi-même ?

— Pour participer au concours, il faut obligatoire-ment imiter un chanteur mort et connu. Et, au cas où vous n'auriez pas remarqué, je ne suis ni mort… ni connu.

— Je peux faire en sorte que tu deviennes et l'un et l'autre. »

Le fameux ton rocailleux faisait son grand retour.

Jacko haussa un sourcil. « Je me trompe ou vous avez un peu de mal avec les rapports humains ?

— Ça sert à rien, les rapports humains.

— Ah oui ? Eh bien, je dois vous avertir que vous allez croiser pas mal de gens comme moi dans cet hôtel, des gens qui ont tendance à sympathiser très facilement. Vous feriez bien de faire un petit effort de sociabilité. »

Il s'ensuivit un profond silence. Même la Firebird sembla retenir sa respiration, jusqu'à ce que le Kid réplique de sa voix rocailleuse : « Et toi, tu ferais bien de faire un petit effort pour fermer ta gueule.

— Ce serait avec plaisir, lança Jacko tout guilleret, mais je dois d'abord m'échauffer la voix.

— Pas dans ma voiture.

— Oh ! allez, il faut que je répète un peu. Pour l'audition de ce soir, je vais chanter "Earth Song". Vous voulez écouter ce que ça donne ? »

Le Kid serra fortement le volant entre ses mains. « Tu chantes ne serait-ce qu'un mot de ce morceau, et je peux te garantir que le cri du refrain se prolongera très, très longtemps.

— Je vois. Je peux vous interpréter "Smooth Criminal", si vous préférez ? »

Le Kid appuya de toutes ses forces sur le frein. Les pneus hurlèrent et fumèrent, et la Firebird s'immobilisa dans un dérapage. « Tu sors », lâcha son conducteur de sa voix rauque.

Cette fois-ci, Jacko comprit que ce n'était pas des paroles en l'air : « Mais il reste encore quelques tournants à prendre, protesta-t-il. Vous pourriez vous perdre sans moi. »

Dans de profondes inspirations, le Kid se demanda si la meilleure chose à faire était de sortir une arme et de tuer son compagnon de voyage. Au bout d'un moment, il finit par se dire que, ouais, ce mec méritait de crever, mais comment le tuer ? À mains nues ? Avec une lame ? Ou en le matraquant à coups de crosse de flingue ? Alors que sa main disparaissait sous sa veste, tendue vers le pistolet, le passager prit une sage résolution.

« D'accord, on arrête de causer. Je me contenterai de donner les directions. Qu'est-ce que vous en dites ?

— Tu vivras plus longtemps.

— Parfait. »

Le Kid appuya violemment sur l'accélérateur, et la voiture repartit à toute vitesse sur l'autoroute déserte, soulevant un nouveau nuage de poussière, de sable et de fumée.

« Il y a un embranchement à environ 3 kilomètres d'ici, dit Jacko. Faudrait que vous preniez sur la droite à ce moment. »

L'embranchement apparut au bout de quelques minutes. Le Kid suivit l'indication de Jacko et prit à droite. La paix et le calme qui régnaient dans la voiture étaient pour lui une véritable bénédiction, mais il sentait que son passager trouvait ce silence très inconfortable. Le simple fait de savoir que cet abruti risquait de l'ouvrir de nouveau lui faisait grincer des dents. Soudain, comme l'avait prévu le Kid, Jacko reprit la parole.

« Vous avez un autoradio ?

— Impossible de capter le moindre signal dans ce putain de désert à la con, télé, radio ou téléphone portable. Le coin est complètement isolé. Exactement comme j'aime.

— Bon, eh bien, je pourrais peut-être siffler quelques airs. Histoire de nous divertir un peu de la monotonie du trajet, vous voyez ?

— Difficile de siffler quand on a le cou brisé. »

Jacko ouvrit la bouche pour répondre, mais, victime d'une soudaine attaque de bon sens, préféra se taire. Les deux hommes ne dirent plus un mot pendant le reste du voyage, à l'exception d'une dernière direction donnée par Jacko, en l'occurrence, à gauche à un carrefour en T. Au bout d'une demi-heure de silence, la Pontiac Firebird noire s'engagea enfin sur le chemin en béton qui, partant de la route, conduisait jusqu'à l'entrée de l'hôtel. Curieusement, ils ne croisèrent pas beaucoup de voitures. Le valet chargé de garer les véhicules, un jeune homme aux cheveux noirs et épais, les attendait au pied des marches qui menaient au hall de réception. Une foule assez conséquente entrait et sortait sans arrêt, et, à travers la grande porte à double battant de verre, on pouvait voir un tas de gens assez riches se presser à l'entrée du hall.

La voiture s'immobilisa devant l'entrée de l'hôtel, et le valet s'approcha. Il avait une petite vingtaine d'années, et son uniforme consistait en une chemise blanche, une veste rouge et un pantalon noir. Le Kid jeta un regard à Jacko qui venait de poser la main sur la poignée de la portière.

« Toi, tu restes à l'intérieur. Veille à ce que le valet ne fasse pas une seule égratignure. »

Jacko acquiesça.

« OK.

— Et passe-moi un paquet de clopes. »

Jacko en sortit un de la boîte à gants et le lança au Kid qui le rangea automatiquement dans l'une des poches intérieures de sa veste. En ouvrant sa portière, celui-ci donna un dernier ordre à son passager : « Quand le valet aura fini de garer la caisse, n'oublie pas de lui pincer la cuisse.

— Je vous demande pardon ?

— Pince-lui la cuisse. Une seule fois. C'est une tradition, ici. Ils ont tendance à le prendre très mal quand on s'y plie pas. »

Jacko avait l'air abasourdi. « Eh bien, merci du renseignement. Je l'ignorais complètement.

— De rien. »

Le Kid sortit de la voiture, tira un billet de 100 dollars d'une des poches arrière de son pantalon et le glissa dans la main du valet. Le visage du jeune homme s'illumina.

« Dites donc… merci infiniment, m'sieur. »

Le Kid désigna Jacko d'un bref mouvement de la tête. « Vous voyez ce mec ? » demanda-t-il.

Le valet regarda à l'intérieur de la voiture et aperçut Jacko, avec son impeccable permanente et sa tenue de cuir rouge, en train de lui adresser un large sourire.

« Oui, oui, je le vois. » Son ton était empreint de méfiance.

« S'il vous touche la cuisse, envoyez-lui une putain de droite dans la gueule. »

En gravissant les marches qui menaient aux portes de l'hôtel, le Kid eut le pressentiment qu'il recroiserait le chemin de Jacko avant la fin de cette journée. Son instinct lui disait que quelque chose clochait chez cet imitateur de Michael Jackson.

Quoi au juste ? Ça, il n'avait pas encore réussi à mettre le doigt dessus.

5

L'Hôtel Pasadena était aussi impressionnant de près que de loin. Les fenêtres sans nombre du bâtiment haut de quarante étages étincelaient de soleil, ce qui, à distance, donnait l'impression qu'on s'approchait d'un miroir géant. Plus la distance diminuait, plus l'édifice gagnait en magnificence. L'autocar quitta l'autoroute en prenant sur la droite, et passa un colossal portail d'acier qui perçait le long mur de béton peint en blanc délimitant le périmètre du domaine hôtelier. Le portail était coiffé d'un panneau où l'on pouvait lire en lettres d'un rouge métallique : HÔTEL PASADENA.

Eh ben putain, pensa Sanchez.

Une route en béton parfaitement lisse, longue de 500 mètres environ, menait jusqu'à l'entrée principale de l'hôtel. Tandis que l'autocar se dirigeait vers l'arrière de l'établissement, Sanchez en admira l'extrême beauté, bouche bée. Après tout, peut-être que ce séjour ne serait pas aussi pourri qu'il se l'était imaginé. Dans tout Santa Mondega, il n'existait pas un seul bâtiment qui aurait pu rivaliser avec cet hôtel. Le musée de la ville était très impressionnant, mais, comparé à ce truc titanesque, il semblait vieux et délabré.

L'autocar alla se garer sur un parking presque plein, qui contrastait fortement avec le devant de l'hôtel où l'on ne voyait quasiment aucun véhicule. Après avoir tiré son bagage de la soute de l'autocar, Sanchez se hâta (de son point de vue, tout du moins) de contourner l'hôtel pour parvenir à l'entrée principale, dans l'espoir d'échapper à Annabel, la Dame Mystique. Quatre larges marches de marbre conduisaient à une énorme porte vitrée à double battant. Sanchez les grimpa deux à deux et fila entre les deux battants qui s'ouvrirent à son passage.

Le hall d'entrée était, lui aussi, gigantesque. Au beau milieu du plafond haut de plus de 12 mètres, pendait un magnifique lustre dont les milliers de prismes brillaient de tous leurs feux. Le sol était recouvert d'un échiquier gris et noir de dalles de marbre carrées : Sanchez eut presque envie de retirer ses chaussures pour ne pas l'endommager.

Et bon sang, ce que les lieux étaient bondés ! On aurait dit que la moitié du monde libre avait pris une chambre à l'Hôtel Pasadena. Une foule chargée de valises se pressait dans un concert de bruits divers. Sanchez avait déjà un peu de mal à supporter ses congénères en temps normal : après un long voyage assis à côté de quelqu'un qu'il considérait, dans ses moments de bonté, comme une vieille bique siphonnée, il se sentait d'humeur particulièrement asociale. Le brouhaha qui l'encerclait lui tapait sur les nerfs. Une bonne centaine de personnes lui passaient sous le nez, constamment et dans tous les sens. Le hall était bien assez grand pour accueillir tout ce monde, mais la forme ovale de ses murs blanc crème renvoyait tous les sons dans les oreilles de Sanchez.

Fort heureusement, toute une armée de porteurs, de valets et de réceptionnistes s'occupait des hôtes. Ça tombait d'autant mieux que le passage obligé à l'accueil d'un hôtel était l'une des activités que Sanchez détestait le plus. En fait, elle se trouvait en haut du classement des choses qu'il haïssait, tout près du fait de se faire pincer la jambe par une vieille voyante répugnante.

Il se rendit soudain compte que, à admirer bouche bée les dimensions et le luxe du lieu, il finirait par perdre toute chance de se voir indiquer sa chambre avant les autres arrivants. Plusieurs personnes lui étaient déjà passées devant pour se présenter à la réception. Voyant cela, Sanchez s'empressa de passer la deuxième vitesse et se dirigea droit vers l'une des réceptionnistes. Elles étaient toutes assises en rang derrière le vaste comptoir de chêne massif qui arrivait à hauteur de la poitrine des hôtes, et chacune avait un moniteur devant elle. Cinq étaient déjà occupées, mais, par chance, la plus jolie de toutes semblait disponible.

Sanchez se précipita et, arrivé devant elle, posa par terre sa grosse valise marron. Avec un large sourire idiot, il leva les yeux sur elle. Un rapide coup d'œil le long de la réception lui confirma qu'il avait touché le jackpot. Sans le moindre doute possible, il était tombé sur la plus mignonne. Ce n'était que justice, après tout. Qu'un homme aussi distingué et raffiné que lui use de ses charmes auprès de la première réceptionniste venue, ç'aurait été un véritable gâchis. La jeune femme devait avoir une petite vingtaine d'années, elle était adorablement menue, et ses longs cheveux noirs étaient attachés en une queue-de-cheval qui tombait sur son épaule gauche. À l'instar de ses collègues, elle était vêtue d'une veste très bien coupée dans un tissu rouge brillant, ainsi que d'un chemisier d'un blanc éclatant. La poche de poitrine gauche de la veste portait un emblème doré. Sanchez le considéra durant un temps beaucoup trop long, et finit par en conclure qu'il s'agissait d'une sorte de fourche. *Curieux choix, pour un emblème*, pensa-t-il. *Enfin bon, les goûts et les couleurs…*

« Puis-je vous aider, monsieur ? demanda la réceptionniste, avec un accent du sud des États-Unis qui trahissait son origine.

— Carrément. Sanchez Garcia. J'ai gagné ce concours. »

Sanchez fouilla quelques instants dans la poche intérieure de sa veste en cuir suédé, avant d'en sortir la lettre, à présent chiffonnée, qui confirmait qu'il avait gagné un séjour à l'hôtel où se déroulerait le concours de chant « Back From The Dead ». Il la tendit à la réceptionniste qui y jeta un bref coup d'œil, avant de pianoter sur le clavier qu'elle avait devant elle. Alors qu'il attendait sa confirmation et la clef de sa chambre, Sanchez entendit dans son dos la voix d'Annabel de Frugyn. Il pria pour qu'elle ne le remarque pas et ne vienne donner à la réceptionniste l'impression qu'ils étaient ensemble.

« Ah ! vous voilà, Sanchez ! Je ne vous voyais plus. » Son ton avait quelque chose d'horriblement cajoleur.

Et merde ! Il se retourna et vit la vieille sorcière aux cheveux gris, affreusement accoutrée, plantée juste derrière lui avec un chariot à bagages sur lequel ses trois valises avaient été empilées.

« Ouais. Apparemment, on a dû se perdre tout à l'heure, répondit-il. Je me suis dit qu'il valait mieux vous chercher ici.

— En tout cas, nous voici réunis, maintenant ! »

Elle afficha un sourire qu'elle crut enjôleur, et qui ne l'était pas : en réalité, il était rien de moins que grotesque.

« Peut-être qu'on ferait mieux de se séparer de nouveau ? Ça me plaisait énormément de vous rechercher partout. »

Annabel lui donna une petite bourrade dans le dos et roula des yeux ravis. « Ah, Sanchez ! Quel charmeur vous faites ! »

La réceptionniste qui se trouvait à côté de celle qui s'occupait de Sanchez venait d'en finir avec un client. Elle lança à Annabel : « Puis-je vous aider, m'dame ?

— Oui. Assurément, ma petite demoiselle. Annabel de Frugyn. J'ai remporté ce concours. »

Soulagé de voir Annabel occupée avec quelqu'un d'autre que lui, Sanchez reporta son attention sur la jeune réceptionniste. Elle le fixait d'un air contrit, qui semblait lui crier « Je suis désolée, monsieur ». Un regard que Sanchez avait dû souffrir bien trop souvent, et plus particulièrement de la part de jolies filles. Quelque chose clochait. Il le sentait.

« Je suis vraiment confuse, monsieur Garcia, dit la réceptionniste, mais, manifestement, votre nom ne figure pas dans notre base de données.

— Quoi ?

— J'ignore pourquoi, mais aucune chambre n'a été réservée à votre nom. Votre lettre est tout à fait valide, mais aucune chambre n'a été retenue pour vous.

« — Mais il vous reste quand même des chambres libres, non ?

— J'ai bien peur que non, monsieur. L'hôtel est complet. »

Malgré lui, Sanchez grinçait des dents. « Putain, et comment je vais faire, moi, alors ? C'est le seul putain d'hôtel qu'y a dans le coin !

— Monsieur, pourriez-vous éviter d'être grossier ?

— Uniquement si vous pouvez éviter d'être une connasse inutile. »

En plus du vocabulaire fleuri, son ton montait, tant en volume qu'en tessiture.

Le silence envahit peu à peu le hall de réception, à mesure que tous s'avisaient de cette dispute qui avait toutes les chances de s'envenimer. Comme pour empirer le malaise de Sanchez, Annabel se pencha dans sa direction et lui chuchota à l'oreille : « Nous pouvons toujours partager ma chambre, si vous voulez…

— Lâchez-moi la grappe », répondit-il d'un ton désagréable.

La réceptionniste s'éclaircit la voix.

« Je crains que ce soit là le seul choix qui vous reste. » Elle observa une courte pause avant de lui jeter à la figure un insolent « Monsieur ».

Sanchez soupira en passant la main gauche dans ses cheveux sombres et gras, pour en saisir une pleine poignée comme s'il avait voulu l'arracher. « Putain de merde. C'est pas possible, pourquoi ça m'arrive à moi ? »

Juste au moment où tout semblait perdu, et où Sanchez se résignait au fait de devoir partager la même chambre qu'une vieille peste de médium sexuellement intéressée, une voix retentit derrière lui. Une voix qu'il reconnut aussitôt.

« Yo, Stephie. Ce mec est un bon pote à moi. Trouve-lui une chambre. »

Les yeux de Sanchez étincelèrent, et sa main quitta ses cheveux. Il se retourna et fut soudain saisi d'une incroyable bouffée de joie en apercevant le mec le plus cool qu'il ait jamais connu. Le mec le plus cool sur terre. Le tueur à gages le plus redouté de tout Santa Mondega : Elvis. Nul ne savait s'il s'appelait vraiment « Elvis », mais c'était par ce nom qu'on le connaissait, et c'était en fonction de ce nom qu'il s'habillait, en toutes circonstances. En l'occurrence, il portait une veste dorée et étincelante, avec un pantalon noir et une chemise assortie, à moitié déboutonnée. Comme toujours, il avait sur le nez ses lunettes noires à monture dorée, et avait coiffé ses épais cheveux noirs en arrière, à la Presley.

Sanchez adorait ce type et était toujours heureux de le voir. Et pour quelqu'un qui n'était quasiment jamais heureux de croiser qui que ce soit, c'était quelque chose. En outre, Elvis avait le chic pour apparaître toujours au bon moment. Il y avait exactement dix ans de cela, Elvis était arrivé juste à temps pour descendre un gang de vampires qui voltigeaient au-dessus de Sanchez et de tout un tas d'autres innocents, en pleine messe. À la base, le King aurait dû se contenter de chanter et danser pour les fidèles, mais lorsque les vampires s'étaient mis à terroriser les ouailles, il s'était empressé de rouler des hanches en pointant sa guitare sur les créatures de la nuit, faisant jaillir des dards d'argent de la tête de l'instrument pour en perforer les cœurs morts des prédateurs. Tout ça en chantant le

« Steamroller Blues » de James Taylor. Aussi, rien de plus normal à ce que Sanchez gratifie à présent le King d'un sourire éclatant.

« Hé, Elvis ! Qu'est-ce que tu viens faire ici ?

— J'suis là pour le concours "Back From The Dead", mec.

— Tu vas y participer ?

— Tu m'étonnes, putain. Un premier prix d'un million de dollars, pas moyen que je laisse passer une occasion pareille.

— Cool », répondit Sanchez. Enfin, ses vacances prenaient un tour intéressant. « Et tu crois que tu peux me dégotter une chambre ici ? À ce qu'il paraît, y a eu une merde dans les réservations, et je figure pas dans la base de données de l'hôtel.

— Pas de problème. Stephie va régler ça. Pas vrai, Steph ? »

La jolie réceptionniste n'avait pas l'air particulièrement ravie. Pourtant, son regard suggérait qu'elle avait un certain béguin pour Elvis. Ce type savait vraiment y faire avec les femmes. Toutes fondaient littéralement sous son regard. Et lorsqu'il s'agissait de les convaincre de faire ses quatre volontés, son magnétisme confinait à l'hypnose pure et simple. Talent dont Sanchez était très sérieusement dépourvu.

« Il m'a traitée de connasse », révéla-t-elle en désignant Sanchez d'un air boudeur.

Elvis pinça les lèvres. « *Quoi ?* Sanchez, tu l'as vraiment traitée de connasse ?

— Euh… peut-être bien. »

Elvis lui décocha une tape sur la nuque. « Ben, tu ferais bien de t'excuser en vitesse, et de prier pour que Stephie accepte de te trouver une autre chambre. »

Sanchez esquissa ce qui, de son point de vue, ressemblait le plus à un sourire désolé. Dans les faits, on aurait dit un sourire de cadavre. « Pardon de vous avoir traitée de connasse », marmonna-t-il d'un ton bourru.

Stephie lui renvoya un sourire très faux. « C'est oublié. Bon, il nous reste une chambre. Un type du nom de Claude Balls aurait dû arriver hier, mais il n'a toujours pas montré le bout de son nez. Vous pouvez prendre sa chambre.

— Merci. Merci beaucoup. »

Sanchez était ravi d'avoir échappé à une nuit dans la même chambre qu'Annabel de Frugyn : sa gratitude était vraiment sincère, contrairement à ses excuses.

Pendant que Stephanie réglait les formalités et cherchait la clef de la chambre, Sanchez se retourna vers son ami. « Merci, Elvis. Tu me sors d'un sacré pétrin.

— Pas de souci.

— En tout cas, tu peux compter sur mon soutien pour ce concours. À quelle heure tu passes ? »

Elvis parut ne pas l'entendre. « Attends une seconde. Tu vois ce mec ? demanda-t-il en pointant du doigt un homme d'une quarantaine d'années, vêtu d'un costume blanc. C'est le propriétaire de l'hôtel, Nigel Powell. Le principal juré du concours. Multimillionnaire, par-dessus le marché. »

À grands pas assurés, Powell se dirigeait droit vers la réception, suivi de près par deux vigiles puissamment bâtis. Sous sa veste d'un blanc éclatant, il portait un T-shirt noir, ce qui lui donnait un look franchement démodé, à la Don Johnson, dans *Deux flics à Miami*. Ses cheveux noirs étaient plaqués en arrière, ses dents étaient d'un blanc tout à fait improbable, et son faux bronzage orangé se reflétait sur le col de sa veste. Les deux vigiles étaient habillés à l'identique : costumes et T-shirts noirs. Tous deux avaient une brosse militaire, très courte, et tous deux semblaient du genre à suivre aveuglément les ordres. Plutôt impressionnées, toutes les personnes présentes dans le hall observèrent le trio s'approcher du deuxième poste de la réception pour venir se planter juste derrière Annabel.

« Mademoiselle de Frugyn ? » demanda poliment Powell, d'une voix forte et profonde.

À en juger par le brusque changement d'attitude d'Annabel, on aurait dit qu'elle venait de se faire attraper en train d'utiliser une carte de crédit volée (ce qui avait dû lui arriver une ou deux fois). Elle se retourna lentement pour faire face au patron et à ses deux gros bras.

« C'est moi, répondit-elle d'un ton dont le léger tremblement trahissait sa nervosité. C'est à quel propos ?

— Mademoiselle de Frugyn, je m'appelle Nigel Powell. J'ai le privilège d'être le propriétaire et directeur de cet hôtel. Pourrais-je m'entretenir avec vous, seul à seul ?

— Ma foi, bien sûr. »

À présent, elle avait tout du lièvre effrayé.

Powell tendit sa main pour saisir celle d'Annabel, qu'il serra très courtoisement. « Mes employés ci-présents monteront vos affaires dans votre chambre. Si vous voulez bien vous donner la peine, c'est par ici. »

Sanchez et Elvis virent le multimillionnaire conduire Annabel jusqu'à une grande porte en verre à double battant, sur la droite du hall de réception ovale. Ils l'ignoraient totalement, mais il la conduisait tout droit dans une zone privée de l'hôtel.

« C'était la Dame Mystique, là ? demanda Elvis à Sanchez.

— Ouais. J'étais assis à côté d'elle dans l'avion et durant tout ce foutu voyage en autocar. Putain de vieille harpie qui sert à rien, grommela Sanchez.

— J'ai entendu dire qu'elle avait un vrai talent pour prédire tout un tas de conneries.

— Elle a surtout un vrai talent pour dire tout un tas de conneries.

— Non, mec. Je suis sûr qu'elle pourrait prédire qui remportera le concours cette année.

— Et moi, je crois que t'es un grand optimiste », répliqua Sanchez d'un ton sarcastique.

Elvis sourit. « T'aimes bien les jeux d'argent, pas vrai, Sanchez ?

— Ouais.

— Tu sais, le concours de chant sera pas la seule activité du week-end. Y a aussi un casino au sous-sol. Si tu veux mon avis, dans un lieu pareil, on a tout intérêt à avoir la vieille Mystique dans sa poche. »

Sanchez réfléchit un instant aux propos du légendaire tueur à gages. Il avait raison : la Dame Mystique pouvait s'avérer une alliée de premier choix dans un casino. Pourtant, si la direction avait vent de ses supposés talents, il se pourrait bien que l'accès aux tables de jeux lui soit interdit.

Peut-être était-ce précisément pour ça que le patron en personne l'escortait jusqu'à un coin reculé de l'hôtel ?

6

Emily n'était pas précisément folle de joie à l'idée de partager une loge avec quatre hommes. Mais elle se dit que cela ne durerait qu'un jour, et que la récompense qui l'attendait peut-être à la fin bouleverserait complètement sa vie.

Elle faisait partie des cinq chanteurs que Nigel Powell, principal juré du concours « Back From The Dead », avait présélectionnés comme finalistes. Les auditions publiques n'avaient pourtant pas encore eu lieu, et les autres aspirants ignoraient que les cinq finalistes avaient déjà été nommés. Tout cela mettait Emily un peu mal à l'aise. Elle se souvint alors de tous les bars miteux dans lesquels elle avait dû chanter, elle se rappela toutes ces années de lutte, et ce que ce concours signifiait pour elle et pour sa mère. La vérité était toute simple, en fait : tous les cinq avaient été choisis comme finalistes parce qu'ils étaient les meilleurs chanteurs/imitateurs de tout le circuit des bars et clubs. Qu'est-ce que ça faisait, en définitive, si ce concours était truqué ? Est-ce que tout n'était pas truqué, de nos jours ? C'était en tout cas ce dont elle essayait de se convaincre.

En outre, elle n'avait pas encore gagné. Il lui faudrait pour ce faire l'emporter sur les quatre autres.

Les cinq participants étaient assis en rang, chacun à sa petite table, en face de son miroir encadré de petites ampoules. La loge était relativement petite, environ 9 mètres sur 2,5. Les murs avaient été peints d'un rose très relaxant, à l'instar des tables. Celle d'Emily était la seule sur laquelle se trouvait du maquillage. Elle avait passé un certain temps à s'assurer qu'elle ressemblerait parfaitement à celle qu'elle incarnerait, tandis que les quatre types s'étaient essentiellement tourné les pouces.

Ils étaient tous assis à la gauche d'Emily. Le plus proche d'elle allait imiter Otis Redding. À part la couleur de sa peau, il ne ressemblait vraiment pas au chanteur décédé, mais il avait une voix magnifique et portait ce qui semblait être un costume noir extrêmement cher et une chemise de soie rouge. Emily se dit qu'il représenterait à coup sûr une réelle menace durant la finale.

À côté de lui était assis Kurt Cobain. Non seulement il ressemblait énormément au véritable Kurt Cobain, mais, selon toute vraisemblance, il sentait aussi mauvais que lui. Il portait un pull gris et sale et un jean déchiré. Ses cheveux étaient blonds et gras, la partie inférieure de son visage était recouverte d'une barbe de trois jours, et, afin de parfaire son côté grunge, il paraissait avoir fait l'impasse sur le savon depuis déjà quelques semaines.

À sa gauche se trouvait Johnny Cash. Dès le début, Emily avait compris que ce type prenait les choses très au sérieux. Il avait légalement changé de nom pour devenir l'homonyme de son idole, et tentait de toutes ses forces de mener exactement la même vie que le très regretté chanteur. Au long de ses tournées, il s'était produit dans à peu près tous les lieux où avait joué le vrai Johnny Cash. Sans surprise, son costume de scène consistait en un pantalon et une chemise noirs, et ses cheveux sombres recouverts de Gomina étaient coiffés en une légère banane. Sans le moindre doute possible, c'était le plus charismatique des concurrents masculins. Si elle échouait, Emily aurait aimé que ce soit lui qui l'emporte. Mais en réalité, elle n'avait aucune envie de perdre.

Le tout dernier concurrent, assis à l'autre bout du rang de tables, tout près de la porte, était l'imitateur de James Brown. Un curieux personnage. Il portait un costume violet et une chemise bleue, en grande partie déboutonnée sur un poitrail brun clair et glabre, où étincelait une grosse croix en or attachée à la chaîne qu'il portait au cou. Un sourire d'un blanc éclatant illuminait constamment son visage, et sa coupe de cheveux ondulée et quelque peu informe ressemblait parfaitement à celle qu'arborait le parrain de la soul durant ses dernières années.

Il régnait dans la loge un silence de mort que seule la respiration nasale de Kurt Cobain interrompait plus ou moins régulièrement. Emily se décida à briser la glace.

« Vous pensez que ça va, ma coiffure ? » demanda-t-elle à Otis Redding.

La réponse de ce dernier fut instantanée : « Oh ! oui, ma belle, c'est parfait », dit-il dans un acquiescement rassurant. Johnny Cash, jusque-là occupé à lisser méticuleusement ses cheveux face à son miroir, se pencha en avant pour jeter un coup d'œil à ceux d'Emily.

« Il a raison. T'es impeccable, lança-t-il avec un sourire et un clin d'œil.

— Merci », répondit Emily en lui renvoyant son sourire.

Encouragée par leur gentillesse, elle enchaîna : « Je crois que je commence vraiment à avoir le trac. Ça va, vous ? »

Soulagés que le silence ait enfin été brisé, les quatre hommes répondirent presque tous à la fois. Du brouhaha se dégagea le consensus que oui, tout le monde était effectivement très nerveux. James Brown résuma parfaitement les choses : « Je crois que je serais beaucoup moins stressé si j'ignorais que j'étais déjà retenu pour la finale, déclara-t-il en se levant de sa chaise. Avec toute cette pression, on prend le risque de chanter comme des veaux quand notre tour viendra. Les jurés nous feront de toute façon passer à l'étape supérieure, et tout le monde captera que le show est truqué. »

Emily acquiesça vigoureusement. « Carrément. J'ai à peine fermé l'œil la nuit dernière, à la simple idée de me planter pendant l'audition. J'en viens à croire qu'il y aura moins de pression pour la finale. »

Johnny Cash reprit la parole : « Ouais. Moi, j'aurais surtout préféré remporter ma place pour la finale à la régulière. Ça ressemble quand même pas mal à de la magouille, tout ça, non ? Pourquoi est-ce qu'ils nous autorisent pas à nous qualifier sur notre seul mérite ? »

Otis Redding fut cette fois seul à répondre. « Parce que ce concours ne dure qu'une journée.

— Ouais, et puis quoi ? Quelle différence ça fait ?

— Eh bien, gros malin, une fois arrivé à la finale, tu ne seras pas tout seul sur scène en train de chanter *a cappella*. T'auras l'orchestre de l'hôtel derrière toi pour t'accompagner.

— Et alors ?

— Alors l'orchestre a besoin de savoir quelques jours à l'avance ce qu'il doit jouer, pas vrai ? Si un putain d'imitateur de Jimi Hendrix arrivait en finale (sorti de nulle part, tu vois) et qu'il disait qu'il allait chanter "Voodoo Chile", je te parie tout ce que tu veux que l'orchestre se retrouverait dans une sacrée merde. Imagine ce que c'est que de devoir apprendre ce morceau, et quatre autres en plus de ça, en à peine une heure. »

La lanterne de Johnny s'éclaira enfin. En dépit de tout son charisme, de tout son charme et de tout son talent, il était loin d'être une lumière. « Ah ouais, je vois ce que tu veux dire, dit-il lentement. J'y avais pas pensé. Alors c'est pour ça qu'ils voulaient savoir quel morceau j'allais chanter ?

— Voilà. C'est pour ça. »

Otis ajouta un « Bouffon ! », juste assez fort pour que toutes les personnes présentes dans la pièce l'entendent.

Emily sourit. Elle avait compris très vite. En vérité, plusieurs points relatifs au concours posaient question, et il y avait gros à parier qu'aucun n'avait inquiété Johnny jusque-là. L'un d'entre eux la turlupinait depuis déjà quelques jours. Le moment semblait idéal pour le mettre sur le tapis.

« Je me demande ce qui arriverait si l'un de nous tombait malade, et qu'un autre concurrent le remplace en finale. »

James Brown s'était dirigé vers la porte. La main sur la poignée, il se retourna pour répondre à la question d'Emily. « Je suis sûr qu'ils se contenteraient de quatre finalistes.

— Peut-être bien, répliqua Emily d'un ton prudent. Mais si quelque chose arrivait à trois, voire quatre d'entre nous ? Mettons, une intoxication alimentaire qui nous empêcherait de chanter. Qu'est-ce qui se passerait alors ? »

Brown ouvrit la porte de la loge, prêt à s'engager dans le couloir. « Alors ça, ça nous vaudrait une finale bien intéressante, dit-il.

— Tu vas où, mec ? lui lança Johnny Cash.

— J'vais prendre l'air sur le parking. On dirait qu'un cadavre de bestiole finit de se décomposer dans cette loge. »

Instinctivement, tous lancèrent un coup d'œil à Kurt Cobain. Celui-ci affronta ces regards légèrement hostiles, et rougit quelque peu. Puis il contre-attaqua par une remarque assez déplacée à l'égard de Brown, au moment où celui-ci quittait la pièce : « Attention aux autocars sur le parking, mec. Ça serait dommage si tu te faisais écraser et qu'on se retrouve à quatre pour la finale. »

7

Plus que jamais, Sanchez était résolu à soutenir Elvis de toutes ses forces durant les auditions de « Back From The Dead ». Non seulement son ami avait intercédé en sa faveur auprès de la réceptionniste pour qu'elle lui trouve une chambre, destinée à l'origine à quelqu'un d'autre, mais, en plus de ça, le King était en train de porter la valise de Sanchez jusque dans sa chambre. Ils avaient pris l'ascenseur jusqu'au sixième étage, avant d'enfiler un couloir long d'une bonne cinquantaine de mètres. Le couloir était assez large pour laisser passer six personnes de front. Ses murs étaient recouverts d'un papier peint crème, et sous leurs pieds se déroulait une moquette verte, douce et épaisse. Le propriétaire des lieux avait de quoi être fier. Sanchez ne pouvait s'empêcher de comparer cet hôtel avec le bar qu'il tenait à Santa Mondega : le Tapioca avait l'air assez merdique quand on y entrait, mais une fois qu'on dépassait la zone légèrement merdique, on se retrouvait dans un coin vraiment, vraiment merdique. L'Hôtel Pasadena, lui, était fastueux d'un bout à l'autre.

« C'est là », dit Sanchez en pointant du doigt la porte qui se trouvait sur la gauche. Elle était blanche, estampillée à hauteur de regard de petits chiffres noirs qui formaient le numéro 713.

« Putain de merde, presse-toi de l'ouvrir, alors. Cette connerie de valise pèse une tonne », répliqua sèchement Elvis.

En marmonnant une excuse, Sanchez tira le passe de la poche de son short, et le fit coulisser dans le sabot magnétique de la porte. Le petit voyant rouge passa au vert, et un cliquètement délicat se fit entendre. Sanchez poussa sur la poignée et ouvrit le battant.

Derrière la porte les attendait une chambre très spacieuse, avec un lit double installé au beau milieu. À l'autre bout de la pièce se trouvait une petite coiffeuse en bois, et, à côté du lit, on avait installé une petite table de chevet, avec une lampe. Sanchez était satisfait. C'était bien mieux que chez lui. La propreté des lieux le sidérait tellement qu'il ne faisait même pas attention où il mettait les pieds. Alors qu'il regardait tout autour de lui, son pied droit écrasa quelque chose qui se trouvait sur la moquette. Sanchez entendit un froissement de papier, et baissa aussitôt les yeux. Sous sa semelle se trouvait une grosse enveloppe marron, objet d'apparence anodine s'il en est, mesurant environ 30 centimètres sur 20. Il se pencha pour la ramasser et s'approcha du lit. Elvis, qui l'avait suivi à l'intérieur, ferma la porte derrière eux. Il se retourna et aperçut Sanchez assis sur le lit, en train de décacheter l'un des coins de l'enveloppe.

« T'as trouvé quoi ? demanda Elvis d'un ton impérieux.

— Je sais pas trop.

— Alors ouvre.

— C'est ce que je suis en train de faire, bordel ! »

Les doigts boudinés de Sanchez tripotaient le rabat qu'on avait scotché à l'enveloppe, dans la longueur, mais aussi dans la largeur. Il finit par arracher le scotch, et en fit de même avec le bout de l'enveloppe, avant de jeter un coup d'œil à l'intérieur. Il y avait là quelques photos de la taille de Polaroid, et quelque chose d'autre de plus épais, calé dans le fond de l'enveloppe.

« Qu'est-ce que c'est, putain ? » demanda Elvis.

Sanchez fronça les sourcils. « On dirait des photos. » En serrant dans sa main le fond de l'enveloppe afin d'empêcher ce qui s'y trouvait de tomber, il la retourna et laissa s'échapper sur le lit les autres objets qu'elle contenait. Elvis lâcha la valise de Sanchez et s'approcha pour jeter un coup d'œil aux photos. Sanchez saisit la plus proche de lui. Il s'agissait d'une photo couleur de 13 centimètres sur 10, le portrait d'un Blanc mal rasé aux cheveux blonds et gras. Elvis regarda par-dessus l'épaule de Sanchez.

« C'est qui, ce con ? demanda-t-il.

— Aucune idée.

— Et c'est quoi, ce bout de papier ?

— Où ça ?

— Là. »

Elvis pointa du doigt un petit carré de papier blanc, tombé de l'enveloppe avec les photographies. Sanchez l'attrapa de son autre main. Une liste de quatre noms y avait été écrite à l'encre bleue. Il compara les noms avec la photo qu'il tenait toujours.

« Qu'est-ce qu'il y a écrit sur le papier ? demanda Elvis.

— Je crois que ce mec, c'est Kurt Cobain, dit Sanchez en secouant la photo, avant de regarder les trois autres. J'ai bien l'impression que ce sont les photos de quatre concurrents du show.

— Passe-moi ça », dit Elvis en lui arrachant le bout de papier des mains.

Il lut la liste des noms et considéra les photos que Sanchez avait étalées sur le lit. « C'est pas bon, tout ça, constata-t-il après une longue pause.

— J'y comprends rien, moi, lança Sanchez. À quoi ça rime, bordel ?

— Tu sais ce que je fais, Sanchez, hein ? Je veux dire, comme boulot ?

— Ouais, je sais. Tout le monde le sait. T'es tueur à gages.

— Exact. Et ça, mon pote en surpoids, c'est une *liste de cibles*. Le mec qui aurait dû occuper cette chambre était censé tomber sur cette enveloppe. Et éliminer ensuite ces quatre chanteurs.

— Putain de merde ! »

Le fait de dormir dans une chambre d'hôtel réservée par un type qui avait prévu de commettre quatre meurtres était loin de l'enthousiasmer. Si ce mec finissait par se pointer, de sacrés ennuis étaient à prévoir pour Sanchez.

Elvis réfléchit un moment, puis lui soumit un conseil : « Je serais toi, j'irais déposer cette enveloppe à la réception à l'attention du mec à qui elle est destinée, au cas où il arriverait.

— Je devrais pas plutôt la transmettre aux flics ?

— C'est une idée, c'est vrai. Mais perso, je me dis que si quelqu'un butait ces quatre chanteurs, ça augmenterait d'autant mes chances de remporter ce foutu concours.

— C'est un peu extrême, non ?

— Faut toujours se concentrer sur le bon côté des choses, Sanchez. Et puis en plus, au cas où t'aurais pas remarqué, y a pas un flic dans le Cimetière du Diable.

— Ah, ouais. C'est vrai. »

Sanchez réfléchit à son tour à ce qu'il convenait de faire. Le plan d'Elvis était loin d'être idiot. « OK, soupira-t-il. Je vais essayer de refermer l'enveloppe, et j'irai la déposer à la réception.

— Cool. »

Le King consulta sa montre. « Écoute, il va falloir que j'y aille, mon pote. Je dois être sur scène pour l'audition d'ici une demi-heure. Fais ton possible pour te trouver dans le public. J'aurai besoin d'un maximum de gens pour me soutenir. » Il afficha un large sourire et ajouta : « Même si je suis un putain de génie.

— Ouais, t'inquiète pas. On se retrouve tout à l'heure. Bonne chance, et encore merci d'avoir porté ma valise. »

Elvis plia le bout de papier sur lequel figuraient les quatre noms, le tendit à son ami et sortit de la chambre. Lorsque le King eut refermé la porte derrière lui, Sanchez regarda de nouveau dans l'enveloppe pour vérifier que ses yeux ne lui avaient pas joué des tours. Pas de doute, c'était bel et bien un gros paquet de pognon qui se trouvait au fond de l'enveloppe. Il l'avait serrée dans sa paume en la vidant afin que la liasse ne tombe pas avec le reste de son contenu. Après tout, si Elvis l'avait vue, il aurait voulu sa part. Et comme l'enveloppe se trouvait dans la chambre de Sanchez, techniquement, ça voulait dire qu'elle lui appartenait. Sanchez sortit l'argent de l'enveloppe et, d'un doigt tremblant, se mit à compter. Des billets de 100 dollars. Deux cents au total.

20 000 dollars.

Prochain arrêt : casino.

8

Annabel de Frugyn fut conduite jusqu'au bureau de Nigel Powell. C'était une pièce élégante, avec une épaisse moquette bleu roi et des murs blancs et nus. Un large bureau se trouvait à l'autre bout de la salle, en face des fenêtres dissimulées par des rideaux d'un rouge vif qui jurait atrocement avec la moquette. Powell lui fit signe de prendre place sur le siège matelassé de cuir face au bureau, dont il fit le tour pour s'asseoir dans son fauteuil, tout de cuir noir également, mais nettement plus gros. Le bureau était recouvert d'un bric-à-brac relativement organisé de matériel de bureau et de photographies encadrées, lesquelles étaient toutes tournées vers Powell. Il y avait également un gros téléphone blanc, d'un modèle assez daté, posé sur sa gauche.

L'un des deux vigiles qui avaient escorté le propriétaire et gérant de l'hôtel jusqu'au hall de réception les avait suivis jusqu'au bureau. Il se posta à côté de la porte qu'il avait refermée derrière lui. Toujours debout, Annabel lui adressa un sourire hideux. Lui, dans une attitude toute militaire, se contenta de regarder droit devant lui en l'ignorant. Sans s'en formaliser, elle s'assit face à Powell. Elle déposa sur ses genoux le sac à main qu'elle traînait partout avec elle, et qu'elle serrait fortement entre ses mains. Elle avait laissé l'autre vigile transporter ses bagages dans sa chambre, mais il était hors de question que quiconque mette la main sur son vieux sac marron et sale.

« Bien. Vous devez certainement vous demander ce que vous faites ici, mademoiselle de Frugyn », débuta Powell dans un sourire en s'adossant à son fauteuil.

Elle ne put s'empêcher de lui sourire également. Cet homme avait un charme diabolique, et prenait manifestement grand soin de son apparence. Bien qu'il eût une petite quarantaine d'années, son visage ne présentait pas la moindre ride. Sans doute grâce aux miracles de la chirurgie esthétique et à de régulières injections de Botox.

Le sourire d'Annabel était l'antithèse parfaite de ce visage lisse : il révélait un nombre considérable de rides et de creux. « Vous avez besoin de mes pouvoirs psychiques pour quelque chose, c'est ça ?

— Très impressionnant. Et tout à fait exact. Je serai honnête avec vous, Annabel, si vous me permettez de vous appeler par votre prénom ? »

Elle eut alors une moue coquette, encore plus horrible que le monstrueux sourire qu'elle affichait jusque-là. « Vous ne vous trouvez pas dans cet hôtel par hasard. J'ai quelque peu truqué le concours afin que vous gagniez ce séjour.

— J'avais bien senti que quelque chose clochait lorsque j'ai reçu la lettre qui m'informait que j'avais remporté le voyage surprise.

— Vraiment ? Ce sont vos pouvoirs psychiques qui vous l'ont fait deviner ? »

Powell s'était redressé sur son siège, soudain plus concentré.

« Oui. Ça, plus le fait que je n'avais absolument rien fait pour participer à ce jeu. »

Powell eut un sourire poli. « Permettez-moi d'aller droit au but. J'ai beaucoup entendu parler de vous. Un ami à moi m'a recommandé vos services après vous avoir consultée, il y a de cela quelques années. » Il observa une pause et afficha une mine plus solennelle. « Et aujourd'hui, j'ai plus que jamais besoin de vos talents, pour une affaire de la plus grande importance.

— Vous voulez que je vous dise qui gagnera le concours ?

— Non. C'est bien plus important que cela. »

La Dame Mystique était fermement résolue à deviner ce qu'il attendait d'elle. « Vous voudriez savoir ce que vous recevrez pour votre anniversaire ? » tenta-t-elle.

Powell jeta un bref regard au vigile posté à côté de la porte. Un regard qui suggérait que, jusqu'ici, les pouvoirs médiumniques d'Annabel ne l'impression-naient que très relativement. La voyante avait encore beaucoup à faire pour lui prouver qu'elle était digne de son surnom de « Dame Mystique ».

Sentant son scepticisme, elle tâcha de le mettre en confiance : « Je suis beaucoup plus efficace avec ma boule de cristal, lui dit-elle.

— Je vois. Et l'avez-vous sur vous ?

— Oui.

— Je vous en prie, sortez-la donc. »

Le ton suave et poli de Powell ressemblait davantage à un ordre qu'à autre chose.

Annabel ouvrit la fermeture éclair de son sac, mais avant d'y plonger sa main, elle s'immobilisa et fronça les sourcils. « *Attendez*, lança-t-elle dans un souffle. Je vois quelque chose.

— Quoi donc ?

— Je vous vois en train de me tendre 500 dollars. »

Powell poussa un soupir. Annabel ne travaillait jamais à l'œil, et elle prenait grand soin de le faire savoir. Sa réputation avait dépassé les limites de Santa Mondega depuis déjà un certain temps, et Powell savait donc à quoi s'attendre. Il sortit de sous sa veste un épais portefeuille en cuir marron qu'il ouvrit. Il en tira cinq billets de 100 dollars et en fit glisser trois sur le bureau, en direction d'Annabel, qui s'empressa de les attraper pour les faire disparaître quelque part dans ses oripeaux.

D'un doigt, Powell maintenait les deux autres billets sur le bureau. « 300 maintenant, dit-il d'un ton froid, 200 si vous me dites ce que je veux savoir. »

Annabel fit semblant de réfléchir à la proposition. En vérité, elle n'aurait refusé pour rien au monde. En principe, un peu de marchandage se serait imposé, mais sa demande lui avait paru quelque peu optimiste. Le fait que Powell n'ait pas refusé tout net le prix d'Annabel excluait tout ergotage. Aussi, dans un autre sourire de cauchemar, elle sortit sa petite boule de cristal, autrement plus propre que le sac répugnant où elle était enfermée. Annabel la posa devant elle, sur le bureau, et releva les yeux en direction de l'homme qui lui faisait face.

« Alors, dites-moi un peu ce que vous aimeriez savoir.

— Eh bien, Annabel, répondit-il en se penchant au-dessus de son bureau, avec son sourire éblouissant, il y a quelques semaines de cela, j'ai été contacté par un Mexicain particulièrement patibulaire du nom de Jefe. Il prétend travailler en tant qu'assassin, ou chasseur de primes, quelque chose dans ce goût-là.

— Je crois que je le connais, dit Annabel.

— Le contraire aurait été étonnant, répliqua Nigel. C'est lui qui m'a conseillé de m'entretenir avec vous.

— À quel propos ?

— Il m'a dit qu'il s'était vu proposer une somme d'argent substantielle pour tuer quelques-uns des participants du concours de cette année. Par l'intermédiaire d'une tierce personne, il avait accepté l'offre, mais on l'avait informé peu après que le contrat était finalement revenu à quelqu'un d'autre.

— Je vois. Et vous voudriez savoir qui est ce "quelqu'un d'autre".

— Exactement. Qui plus est, j'aimerais savoir qui a mis ce contrat sur la tête de ces concurrents, et pourquoi il l'a fait.

— Jefe l'ignorait ?

— Tout à fait. Mais il m'a dit que vous pourriez éclaircir ce point. Raison de votre présence ici.

— D'accord. Autre chose ?

— Ça ira pour le moment. Vous pensez pouvoir réussir ?

— Nous allons bien voir. Pourriez-vous tamiser la lumière ?

— Bien sûr. Tommy. La lumière, s'il vous plaît. »

Le vigile au costume noir fit tourner un bouton installé à côté de la porte jusqu'à ce que l'éclairage soit suffisamment tamisé pour laisser apparaître la douce lueur blanche qui émanait de la boule de cristal d'Annabel. Celle-ci se pencha et se mit à mouvoir ses mains au-dessus de la mystérieuse sphère. Au bout de quelques secondes, une brume blanche tourbillonna au cœur du cristal. Powell eut la présence d'esprit de rester silencieux pendant que la médium enchaînait les gesticulations ineptes. Après moins d'une minute de concentration acharnée et de contemplation de la boule de cristal luisante sans cligner une seule fois des yeux, elle parut enfin voir quelque chose.

« L'homme que vous cherchez, déclara-t-elle, se trouve déjà dans cet hôtel. Il a une liste de personnes qu'il projette de tuer.

— Êtes-vous en mesure de voir à quoi il ressemble ?

— Je vois deux hommes. L'un d'eux participe au concours. L'autre est un tueur sans pitié. Ils projettent d'éliminer leurs principaux rivaux afin de pouvoir gagner le concours. »

Powell porta alors une main à son menton, qu'il se mit à frotter comme s'il était pris de terribles démangeaisons.

« De qui s'agit-il ? demanda-t-il d'un ton impérieux.

— Attendez. Je vois quelque chose d'autre. C'est… c'est un numéro de chambre.

— Poursuivez.

— Cette chambre se trouve au sixième étage. »

Les yeux fixés sur son globe de cristal, Annabel était si concentrée qu'elle commençait à transpirer à grosses gouttes. Powell, lui aussi, avait les yeux rivés sur la boule, mais il ne distinguait rien d'autre que les volutes de brume qui tournoyaient en son cœur. La vieille femme reprit la parole, cette fois-ci d'une voix monocorde, entrecoupée de courtes pauses : « C'est la chambre numéro… 13 au… sixième étage. C'est là que… vous trouverez… l'assassin que vous recherchez.

— Ouah ! » s'écria Powell.

Malgré lui, il était vraiment très impressionné. « C'est rudement précis. Connaissez-vous le nom de celui qui l'occupe ? »

Annabel hocha lentement la tête. « Non. Une certaine confusion me cache le nom de cet homme. J'ignore pourquoi. » Son ton redevenait peu à peu normal.

Putain ! pensa Powell, en gardant cela pour lui-même. « Très bien, dit-il posément. Est-ce que vous voyez autre chose ?

— Oui, il y a bien autre chose. Mais je pense que vous êtes déjà au courant. »

Le ton d'Annabel était à présent hésitant.

Powell haussa un sourcil, perplexe. « Et de quoi s'agit-il ?

— Une malédiction pèse sur le concours.

— Je vous demande pardon ? lança-t-il, impassible.

— Une malédiction semble peser sur le concours. Je n'arrive pas à voir précisément ce dont il retourne, mais, à la place des concurrents, je ne pense pas que j'aurais vraiment envie de gagner. »

Le créateur et organisateur du concours « Back From The Dead » balaya ces paroles d'un revers de main, accompagné d'un sourire. « Je n'ai que faire des malédictions. Ou de ce qu'il adviendra à la personne qui gagnera le concours de chant. Tout ce qui compte pour moi, c'est que le concours se déroule sans le moindre accroc.

— C'est vous qui voyez, répondit Annabel. Mais j'ai l'impression que le nom de "Faust Academy" conviendrait mieux à votre concours. »

Powell soupira. « Je crois que nous en avons fini. Tommy, rallumez la lumière, je vous prie. »

Au cœur de la boule de cristal, la brume blanche se dissipa, et Annabel s'adossa à son siège, très fatiguée, et comme vieillie. Le vigile ralluma complètement, et, sans rien dissimuler de son plaisir, Annabel vit Powell pousser les deux billets de 100 dollars dans sa direction.

« Un grand merci, Annabel. Vous semblez avoir fait un excellent boulot. » Il planta alors son regard dans le sien. « Bien entendu, si nous avions à nouveau besoin de vous pour quoi que ce soit, nous connaissons le numéro de votre chambre. » Son ton était teinté d'une infime nuance d'intimidation, et Annabel comprit aussitôt que si une seule de ses prédictions s'avérait fausse, les 500 dollars lui seraient immédiatement repris. Elle s'empressa de faire disparaître les deux billets dans les plis de ses habits, où ils allèrent rejoindre les trois premiers, puis se saisit de sa boule de cristal qu'elle rangea dans son sac.

« Ce fut un plaisir de faire affaire avec vous », dit-elle en quittant son siège. Et elle n'était pas complètement hypocrite : 500 dollars, ça restait quand même 500 dollars.

« N'est-ce pas ? répliqua Powell. Je vous remercie encore, Annabel. Et je vous souhaite un très agréable séjour. » Powell tendit la main au-dessus de son bureau et serra de nouveau celle de la voyante, avant de lui poser une dernière question. « Avez-vous vu qui remporterait le concours cette année ? »

La médium afficha un large sourire. « Si j'étais le genre de femmes à aimer les paris d'argent, je miserais sur quelqu'un dont le nom commence par un "J". »

Powell et Tommy échangèrent de nouveau un regard, puis le vigile ouvrit la porte à l'intention d'Annabel. Dès qu'elle fut sortie, Powell saisit le combiné de son gros téléphone blanc et appuya sur quelques boutons du cadran. On répondit au bout d'une sonnerie. Une voix féminine.

« Réception. En quoi puis-je vous aider ?

— Bonjour, c'est Nigel Powell. Pourriez-vous m'indiquer le nom de la personne qui se trouve dans la chambre 713, je vous prie ?

— Oui, monsieur Powell. Un instant. »

Tommy vint s'asseoir sur la chaise qu'avait occupée Annabel, juste en face de son employeur. Une seconde plus tard, la réceptionniste soumit à Powell le nom qu'il recherchait, et le patron de l'hôtel raccrocha.

« Alors, est-ce que cette vieille folle a vu juste ? demanda Tommy.

— Eh bien, on m'a raconté qu'elle se plantait une fois sur deux, mais 50 % de réussite, c'est un taux assez intéressant. Du moment qu'elle nous a donné le vrai numéro de chambre du tueur à gages, moi, ça me va.

— Alors c'est qui ?

— Selon la réceptionniste, il s'appelle Sanchez Garcia. Dépêche des gars pour s'occuper de lui. Et assure-toi bien qu'ils soient armés. Si ce Garcia est vraiment un tueur à gages, il se pourrait qu'il soit extrêmement dangereux.

— Quels ordres je dois leur donner ?

— Qu'ils l'interrogent.

— Et s'il est bien venu ici pour tuer ?

— Qu'ils essaient de savoir pour qui il travaille, et qu'ils éliminent l'employeur et l'employé.

— Et si ce n'est pas lui, l'assassin ? »

Powell haussa les épaules. « Qu'ils se contentent de le tuer. »

Enfin arrivé à l'Hôtel Pasadena, le Bourbon Kid alla droit au bar. Il y avait un certain nombre de trucs auxquels il devait réfléchir. Et comme il n'était pas franchement du genre à se donner la peine de réfléchir, il ne s'obligeait qu'une fois par an à se souvenir du passé, et à imaginer ce qui aurait bien pu arriver si, dix ans auparavant, Halloween s'était passé autrement.

Il avait choisi le bar le plus tranquille de tout le complexe hôtelier, un bar *lounge* tout près du hall de réception, et se trouvait à présent assis à un bout du comptoir, les yeux rivés à un verre de bourbon à moitié plein. La barmaid, Valerie, une jeune femme aux cheveux noirs attachés en une queue-de-cheval, avait saisi dès le premier coup d'œil que ce nouveau client n'avait aucune envie qu'on lui fasse la conversation. Sa façon de se tenir au comptoir était éloquente. Le Kid faisait sciemment sentir qu'il ne valait mieux pas l'emmerder (la plupart du temps, le même genre de vibrations émanait de lui, mais tout à fait involontairement). Valerie avait rapidement rempli son verre et, le plus discrètement possible, l'avait posé sur un dessous-de-verre, juste en face de lui.

Il ne devait pas y avoir plus de vingt personnes dans le bar. Personne n'avait pris place au comptoir, sentant que le nouvel arrivé était d'humeur proprement massacrante. Tous étaient assis aux tables savamment disposées dans la salle du bar, et conversaient bien sagement, à mi-voix. Rien à voir avec les rades de merde auxquels était habitué le Bourbon Kid. L'endroit était un peu trop classe, et la clientèle trop bien élevée. Mais vu son état d'esprit, ça lui convenait parfaitement.

Le Kid s'était rendu au Cimetière du Diable pour tout un tas de raisons différentes. En tout premier lieu, pour se mettre une mine. Comme ça, au moins, il ne se souviendrait pas de tout. Dix ans étaient passés depuis que, alors âgé de 16 ans, il avait tué sa mère. En plus de ça, cette même nuit, il avait laissé seule sa petite copine sur la vieille jetée de Santa Mondega, en lui jurant qu'il reviendrait avant la fin de l'heure maléfique. Mais lorsqu'il lui avait fait cette promesse, il ignorait encore ce qui était arrivé à sa mère. Très régulièrement, le fait qu'il n'ait pas réussi à rejoindre Beth à temps lui rongeait la conscience. Il avait dû s'inquiéter de problèmes plus pressants, comme le fait de trouver un nouveau foyer pour son pauvre frère cadet, Casper. Casper était handicapé mental, et, en apprenant que sa mère était morte, il était entré dans une terrible crise d'hystérie. Pour empirer encore les choses, le Kid, qu'on connaissait à l'époque sous le nom de JD, avait brisé la nuque du père de Casper un peu plus tôt dans la soirée, dans un accès de colère noire. Les deux frères étaient nés de pères différents. JD n'aimait pas plus son père que celui de Casper, mais, jusqu'à présent, il n'avait tout simplement pas eu l'occasion de le tuer.

Les rares fois où il laissait le passé le hanter, c'était toujours Beth qui monopolisait ses pensées. Durant cette unique journée chaque année, il s'autorisait à se souvenir d'elle, cette nuit où il l'avait embrassée pour la première fois. Ils s'étaient tous deux rendus à la soirée d'Halloween organisée dans leur lycée, à Santa Mondega. Sa mère lui avait confectionné un costume d'épouvantail, et bien que ce n'eût pas vraiment été de son goût, il l'avait porté, sachant tout le mal qu'elle s'était donné. Tout à fait par hasard, ce choix s'était avéré brillant : en arrivant à la fête d'Halloween, il avait constaté que Beth était déguisée en Dorothy, du *Magicien d'Oz*. Considérant cette coïncidence comme un signe de bon augure, tous deux avaient quitté la boum pour se rendre sur la vieille jetée de bois. La route n'était pas vraiment pavée de briques jaunes, mais cela n'avait assombri en rien leur humeur. D'autres événements, plus tard dans la soirée, s'en étaient chargés.

Le Kid considéra son reflet dans le verre de bourbon et se permit un faible sourire. Intérieurement, il revoyait clairement Beth en train de trottiner dans le long couloir, en chantant « Nous allons voir le Magicien… ». Il l'avait coupée net : elle n'avait pas même eu le temps de finir le premier refrain. Si cela lui avait été possible, il serait volontiers revenu à cet instant, et, cette fois-ci, l'aurait laissé chanter cette foutue chanson, du début jusqu'à la fin. Même si Beth avait l'air un peu cucul dans son déguisement. Même si, d'après ses souvenirs, elle n'était pas très douée pour le chant. C'était pourtant toutes ces petites imperfections qui rendaient ces souvenirs si précieux aux yeux du Kid.

Il projetait de revenir un jour à Santa Mondega pour retrouver Beth, dans l'espoir de… quoi, au juste ? Renouer une relation qui n'avait jamais vraiment commencé ? Il s'était tenu éloigné de cette ville durant la plus grande partie de ces dix dernières années, sachant que Beth ne s'y trouvait pas non plus. Par cette saloperie de nuit d'Halloween, une décennie plus tôt, Beth avait été arrêtée et inculpée du meurtre de sa belle-mère. Le Kid ne connaissait pas les détails de l'affaire, mais, apparemment, un flic du nom d'Archibald Somers lui avait fait porter le chapeau. Beth avait atterri en taule, avec une peine de vingt ans de réclusion pour homicide volontaire. Si elle était encore la jeune fille douce et réservée qu'il avait connue, elle serait probablement relâchée pour bonne conduite avant la fin de sa peine. En fait, il se pouvait qu'elle sorte de prison dans les prochains jours.

Le Kid fit tourner le verre de bourbon dans ses mains. Durant une fraction de seconde, il y vit le reflet du sourire grimaçant du vampire qui s'en était pris à sa mère. Sa main serra instantanément le verre, puis se détendit afin de ne pas le briser entre ses doigts.

Une autre raison d'importance avait décidé le Kid à passer la nuit d'Halloween à l'Hôtel Pasadena. Il faut dire que, plus que tout, il adorait se payer un bon gros massacre d'Halloween, à l'ancienne. Quelques semaines plus tôt, de passage à Plainview, dans le Texas, il avait appris au cours d'un concours de bras de fer contre un type du nom de Rodeo Rex que le Cimetière du Diable regorgeait de créatures du mal. Surtout pendant Halloween. Durant le match qui les avait opposés, Rex avait tenté de déconcentrer le Kid en se vantant d'être en route pour le Cimetière, afin d'y massacrer des créatures du mal pour le compte de Dieu. À cet instant, le bras de fer semblait destiné à se prolonger indéfiniment, la force des deux opposants étant égale. Aussi, bien qu'il eût horreur de perdre, le Kid avait laissé Rex gagner. Après avoir permis au colossal *biker* d'aplatir son bras sur la table et de revendiquer la victoire, le Kid s'était fait un point d'honneur à serrer la main de son adversaire, pressant de toutes ses forces jusqu'à en briser le plus petit os, afin que le vainqueur se voie dans l'incapacité de se rendre au Cimetière du Diable. Le Kid aurait ainsi tout le loisir de massacrer seul des créatures du mal. Une fois Rex mis sur la touche, il avait pris la direction du Cimetière du Diable, afin d'y initier un bon gros carnage.

Un imitateur de Sid Vicious passa à côté de lui, et sortit du bar pour se diriger vers l'auditorium qui occupait la majeure partie du rez-de-chaussée de l'hôtel. Le Kid s'arracha à sa sombre rêverie. Le concours « Back From The Dead » avait attiré tout un tas de personnages assez intéressants. On voyait un peu partout des imitateurs de chanteurs morts, et, comme l'avait indubitablement prouvé cet imbécile de faux Michael Jackson, c'étaient tous de gros débiles. Tous, jusqu'au dernier. Et tous partageaient la même pathologie. Ils se sentaient plus à l'aise dans la peau de quelqu'un d'autre que dans la leur.

Depuis son arrivée à l'hôtel, le Kid n'avait pas retiré ses lunettes noires. Ses yeux étaient très probablement injectés de sang à cause des longues heures de route dans le désert, sans parler de tout ce qu'il avait bu et du manque de sommeil. Les lunettes noires contribuaient aussi à tenir les inconnus à l'écart. On ne pouvait croiser son regard, et il aurait été impossible de lire dans ces verres opaques une quelconque invitation à discuter. Assorties à ses vêtements, noirs comme toujours, les lunettes réussissaient parfaitement à lui donner l'air d'un mec qui ne voulait se faire emmerder par personne. L'effet était particulièrement saisissant chez les serveurs, qui, lorsqu'ils ne servaient personne, restaient sagement à l'autre bout du bar.

Sur le comptoir, à côté de son verre de bourbon, le Kid avait posé une cigarette tirée d'un paquet ouvert récemment, paquet qu'il avait déposé à côté d'un petit plateau d'argent destiné à recevoir les pourboires. Il savait que les serveurs priaient de tout leur cœur pour qu'il n'allume pas sa cigarette, parce que cela les aurait obligés à lui demander de l'éteindre. Un observateur naïf aurait pu croire qu'il n'avait aucune intention de l'allumer, ou qu'il l'avait simplement oubliée là où il l'avait posée. Mais aux yeux de n'importe quel individu au fait de sa réputation, il était clair que cette cigarette n'avait d'autre fonction que de provoquer une dispute avec toute personne qui ne supportait ni la fumée ni les fumeurs.

Après une vingtaine de minutes passées à fixer son verre à moitié plein, le Kid en but le contenu d'un trait et l'abattit sur le comptoir, assez bruyamment pour attirer l'attention de Valerie, la barmaid qui l'avait servi plus tôt. Elle trottina nerveusement jusqu'à lui.

« La même chose, monsieur ? »

Il acquiesça, et elle remplit à moitié son verre de Sam Cougar. Pour la remercier de le servir sans lui faire la causette, il jeta un billet de 20 dollars sur le comptoir.

« Gardez la monnaie.

— Merci beaucoup, monsieur. »

Alors qu'elle encaissait la somme à l'autre bout du bar, une voix masculine claironna dans le dos du Kid.

« Une bouteille du meilleur champagne, Valerie ! » déclara-t-il d'un ton joyeux. Manifestement, l'homme prenait soin de parler assez fort pour que tout le monde puisse l'entendre. Et, du moins devait-il l'espérer, être impressionné par sa présence.

La barmaid reconnut la voix de cet homme qu'assurément elle devait détester, à en juger par le faux sourire qu'elle se força à lui adresser. Un sourire qui suggérait qu'elle ne l'aimait pas du tout, mais qu'elle était obligée de lui cirer les pompes si elle souhaitait conserver son poste de serveuse.

À sa relative surprise, le Kid reconnut l'homme, qu'il avait déjà vu aux infos. Il s'agissait de Jonah Clementine, ancien P-DG d'une grande banque multinationale, récemment liquidée après plus de cent ans de fructueuses transactions. Des milliers d'employés exemplaires avaient perdu leur boulot, avec à la clef peu ou pas d'indemnisations, tandis que la fortune de Clementine, contrairement à sa réputation, s'était encore accrue. Après des années à accorder à ses collègues haut placés et à lui-même des bonus annuels s'élevant à plus de 20 millions de dollars, il s'était arrangé pour quitter l'établissement avec un parachute doré de 30 millions de dollars, juste avant que la banque n'annonce publiquement, et à grand fracas, sa faillite. Clementine était exactement le genre de client que le personnel de l'hôtel détestait. Il les traitait en êtres inférieurs presque sans le remarquer, et eux se devaient de lui sourire en apportant un soin tout particulier à son bien-être. Et c'était précisément ce que Valerie s'efforçait de faire.

Clementine jouissait en outre d'une renommée de play-boy international. Il avait justement au bras une *top model*, blonde, d'une petite vingtaine d'années. Ses seins (principalement constitués de silicone) aux dimensions improbables étaient serrés dans un T-shirt blanc extrêmement moulant, et elle ne perdait aucune occasion de les presser contre le bras de son compagnon. Ses longues jambes d'un brun doré, bronzées à la perfection, remontaient jusqu'à un short doré microscopique. En un mot, elle était le parfait faire-valoir de Jonah Clementine et de son costume gris Savile Row à 3 000 dollars, taillé sur mesure. Depuis que le scandale de son départ précipité de la banque avait éclaté dans à peu près tous les médias de la planète entière, il avait manifestement eu le temps d'avoir recours aux services d'un coach sportif. Malgré sa petite quarantaine d'années, il n'avait plus du tout le physique d'un rond-de-cuir. La partie supérieure de son corps était assez musculeuse, ce qui, associé au faux bronzage orangé qu'il arborait, le faisait basculer dans la catégorie des « beaux mecs ». Sous sa veste, il portait une chemise de soie crème, avec en sus un foulard à carreaux noirs et rouges autour du cou. Contrairement aux buveurs que le Bourbon Kid avait coutume de croiser dans les bars qu'il fréquentait habituellement, il était rasé de près et s'était aspergé d'un parfum hors de prix. Et à en juger par ses cheveux courts et noirs, savamment hérissés en pointes, il avait dû passer une bonne heure à se coiffer face à son miroir.

« Combien de verres désirez-vous, monsieur ? lui demanda Valerie.

— Deux suffiront, merci. Et sers-toi aussi un verre à ma santé, hein ? Je sens que la chance est de mon côté, aujourd'hui.

— Comme tous les jours, non ? » plaisanta poliment la barmaid avant de se diriger vers l'un des frigos qui se trouvaient derrière le comptoir.

Tandis qu'elle en sortait une bouteille de Diamant Bleu (une boisson de riches, s'il en est), le millionnaire dévisagea le Bourbon Kid. Celui-ci avait saisi sa cigarette et l'avait calée à la commissure de ses lèvres, où elle pendit un bref instant avant de s'allumer spontanément. Ce truc avait impressionné un grand nombre de personnes au fil des ans. Mais Jonah Clementine ne fut pas du nombre. C'était le genre d'homme à n'être impressionné que par les choses qu'il pouvait comprendre et maîtriser. Un petit con du style du Bourbon Kid n'arriverait qu'à une chose : lui taper sur les nerfs. Et c'était précisément ce que le Kid avait l'intention de faire.

« Excusez-moi, il est interdit de fumer dans ce bar. » Ses mots étaient en soi plutôt raisonnables, mais ils avaient été prononcés sur le ton de l'ordre.

Le Kid l'ignora.

« Hé, vous ! Je vous cause. »

De la main gauche, le Kid saisit sa cigarette, avant de toiser Jonah Clementine. Puis il recracha une bouffée de fumée en direction du play-boy.

« C'est quoi, au juste, votre putain de problème ? lança Clementine d'un ton tranchant. Vous n'êtes pas seul au monde. Il y a ici d'autres personnes qui n'ont aucune envie d'avaler votre satanée fumée.

— Vous essayez de me dire quoi, en clair ? »

Un homme plus prudent que Clementine, moins habitué à ce qu'on obéisse à ses quatre volontés, aurait remarqué le ton râpeux de ces mots. Il l'aurait remarqué, et se serait certainement demandé ce qu'il signifiait. Mais Clementine continua à s'emporter, estomaqué qu'on puisse lui tenir tête.

« En clair, éteignez votre foutue cigarette, ou je vous fais sortir d'ici.

— Non. »

Clementine haussa les sourcils. « *Non ?* C'est tout ? *Non ?*

— Ouaip.

— Très bien. Vous ne me laissez pas le choix. Valerie, appelle la sécurité et demande-leur de venir s'occuper de ce type. *Immédiatement.* »

Plantée derrière le comptoir, la jeune femme aurait aimé se faire toute petite. D'un côté, elle était heureuse que Clementine se soit chargé de rappeler le fumeur à l'ordre à sa place, parce que pour rien au monde elle n'aurait voulu que l'homme aux lunettes noires la tienne pour responsable de son imminente éviction du bar. Mais d'un autre côté, elle redoutait le remue-ménage que l'intervention des vigiles ne manquerait pas d'entraîner.

Hors de vue, sous le comptoir, se trouvait un bouton d'alarme, installé à cet endroit précisément pour ce type de situation. Valerie se pencha et appuya dessus. En moins de quarante-cinq secondes, un robuste membre de l'équipe de sécurité apparut sur le seuil du bar et se dirigea droit vers le comptoir, à l'affût du moindre signe d'agitation. Il s'appelait Gunther, et, à 40 ans, il était le vigile le plus âgé de l'hôtel. Grand et bien charpenté, il avait une brosse très courte, à la mode militaire, souvenir de ses années passées sous les drapeaux. Il portait un élégant pantalon noir et un T-shirt assorti, qui laissait voir des muscles puissants et ciselés. Son visage quelque peu abîmé indiquait qu'il avait jadis eu droit à son lot de coups de poing.

« C'est quoi, le problème, Valerie ? demanda-t-il.

— Je vais vous dire ce que c'est, intervint Clementine. C'est ce clown, là. Il refuse d'éteindre sa cigarette. Et, au passage, pourrit la vie de tout le monde.

— Je vois. »

Gunther se tourna vers le Kid, qui, impassible sur son tabouret de bar, venait de tirer une taffe. « Monsieur, je vais devoir vous demander d'éteindre votre cigarette. » La phrase était très courtoise, mais le ton laissait percer l'inflexibilité du vigile.

« Eh bien, demandez toujours. »

Gunther lança un coup d'œil à Clementine et acquiesça. Manifestement, il partageait son opinion au sujet de ce petit con qui se permettait d'en griller une au bar.

Son ton se fit plus dur : « OK, l'ami. On va faire un petit tour, toi et moi. »

Tout en parlant, il attrapa l'épaule droite du Kid. Son intention première était de le forcer, gentiment mais fermement, à descendre de son tabouret, en espérant qu'il obtempère sans faire de problème.

Mais ce ne fut pas le cas.

De sa main droite, le Bourbon Kid attrapa la grosse patte de Gunther et serra violemment ses doigts, presque jusqu'au point de les briser. Il écarta ainsi la main du vigile de son épaule, sans bouger de son tabouret.

« Ne pose plus jamais ta main sur moi. »

Il desserra son étreinte, et le vigile recula d'un pas, remuant les doigts afin de s'assurer qu'ils n'étaient pas hors d'usage. Ravi de constater que sa main n'était pas brisée, il considéra plus attentivement le Kid. Son expression révéla alors qu'il l'avait enfin reconnu, et qu'il regrettait de ne pas l'avoir fait plus tôt.

« Je sais qui vous êtes, dit-il.

— Tant mieux.

— Vous pouvez fumer tranquillement.

— J'y compte bien. »

Le Kid inspira une nouvelle bouffée et ajouta : « Une dernière chose avant que tu te casses.

— Ouais ?

— Je vais tuer cet enculé en costard d'ici une minute. Envoie quelqu'un pour nettoyer. »

Jonah Clementine ne perdit pas un mot de la menace et s'offusqua bruyamment : « Qui est-ce que vous croyez pouvoir traiter d'"enculé" comme ça ? » Se tournant vers Gunther, il aboya : « Vous ! Faites sortir immédiatement ce crevard d'ici, ou vous pouvez dire au revoir à votre putain de job !

— J'ai rien à lui reprocher. Laissez-le tranquille. »

Sur ce, Gunther tourna les talons et partit. Valerie et l'ensemble de la clientèle le virent quitter le bar en silence, se demandant ce qui allait se passer à présent, et tâchant de ne pas poser les yeux sur la silhouette noire qui, l'air de rien, fumait sa clope au comptoir.

Cela faisait des années que personne n'avait désobéi à Clementine. En outre, ce n'était pas en fuyant l'adversité qu'il était devenu l'homme qu'il était. Fulminant, il décida donc de s'occuper lui-même de ce problème. C'était un homme d'une influence et d'une richesse considérables, et d'un orgueil plus démesuré encore : à ce titre, il n'avait pas l'habitude de se faire contredire publiquement par un simple agent de sécurité tel que Gunther, pas plus que de se faire insulter par la lie des piliers de bar. Et puis, il se devait d'impressionner sa bimbo.

Plantant son regard dans les lunettes du Kid, il aboya de nouveau : « Tu éteins cette cigarette *immédiatement.* »

De trop longues secondes s'écoulèrent, avant que le Kid ne finisse par faire ce qui lui était ordonné. Il écrasa sa cigarette dans le plateau d'argent que Valerie avait laissé sur le comptoir afin d'y recueillir les pourboires.

« Merci ! s'écria triomphalement Clementine, dans un sourire suffisant. Ce n'était pas si difficile que ça, en fin de compte ! »

Muet, le Kid saisit le paquet de cigarettes sur le comptoir. Il en tira une clope, qu'il cala au coin de sa bouche.

Clementine se cabra. Sa copine l'encouragea en lui frottant le dos. Le Kid et lui n'étaient qu'à un mètre l'un de l'autre, et la confrontation semblait particulièrement exciter la bimbo.

« Oh ! je vois, monsieur est un petit comique, hein ? Ah ! ah ! ah ! qu'est-ce qu'on se marre », cracha Clementine. Puis, baissant d'un ton, il siffla entre ses dents : « Allume ça en ma présence, et je te fais conduire tout droit au milieu du désert pour te faire abattre comme un chien. »

À travers ses lunettes noires, le Kid dévisagea longuement Clementine. Pendant quelques secondes, les deux hommes se regardèrent en chiens de faïence. Soudain, Clementine tendit la main dans le but d'arracher la cigarette des lèvres du Kid. Celui-ci lui attrapa le bras de la main gauche, l'immobilisant tout net. Puis il enfonça son poing droit dans le visage de Clementine. Très violemment. Et tout ça sans bouger de son tabouret.

L'homme d'affaires tituba, le visage pétrifié en une expression de surprise absolue. Le sang se mit à couler de ses deux narines, noyant très vite sa bouche. Au bout de deux secondes qui parurent une éternité, il s'écroula par terre en un tas. Son crâne heurta les planches du parquet dans un bruit particulièrement désagréable.

La blonde au minishort doré leva les bras au ciel en couinant : « *Oh ! mon Dieu, Jonah !* Ça va ? » Elle se pencha vers lui afin de voir comment il allait. Ses talons aiguilles de 15 centimètres et le poids de ses prothèses mammaires lui compliquant considérablement la tâche, elle s'appuya d'une main contre la poitrine de Clementine afin de ne pas perdre l'équilibre. Il ne réagit pas. Après lui avoir tapoté les joues dans l'espoir de le réveiller, elle releva les yeux vers le Kid. « Il est inconscient ! dit-elle d'un ton accusateur. Vous l'avez mis K.-O. !

— Il est pas inconscient.

— Bien sûr, qu'il l'est. Il ne bouge plus ! »

Le Kid aspira à travers le filtre de sa cigarette, et celle-ci s'alluma soudain. Puis il répliqua dans un grognement : « S'il était inconscient, son cœur battrait encore. »

Bouche bée, la bimbo considéra un instant le corps inerte de Clementine. Il lui fallut un certain temps, mais elle finit par comprendre qu'il ne respirait plus. Elle releva de nouveau le regard en direction du Kid, dont l'attention s'était reportée sur son verre à moitié plein de Sam Cougar.

« Ouah ! s'écria-t-elle. Comment vous avez fait pour allumer votre cigarette ? C'était tellement cool ! »

Elle se releva et s'approcha du Kid. Elle posa une main sur son épaule et lui murmura à l'oreille. « Alors, vous m'offrez un verre ?

— Casse-toi, salope », lâcha-t-il dans un ressac de rocaille.

Puis il posa les yeux sur Valerie et désigna son verre d'un mouvement de la tête. « Mademoiselle ?

— Oui, monsieur ? »

Le cœur de la jeune serveuse battait si fort qu'elle s'étonna elle-même d'avoir pu articuler ces mots.

« Remplissez ce verre à ras bord. »

10

Sanchez avait de nombreux défauts. L'un des pires était le démon du jeu. C'était là un passe-temps qui lui avait coûté une grosse partie de sa relative richesse au fil des ans, pourtant, l'attrait d'un pari et l'occasion de se faire de l'argent sans se faire suer demeuraient à ses yeux irrésistibles.

Dès l'instant où son regard s'était posé sur l'argent contenu dans l'enveloppe qu'il avait trouvée dans sa chambre d'hôtel, il s'était mis à concocter toutes sortes de plans visant à en tirer quelque profit. Et même si Elvis l'avait averti que cette enveloppe était destinée à un tueur à gages, Sanchez ne pouvait pas laisser passer l'occasion. Aussi se rendit-il tout droit au casino de l'hôtel. Il avait coincé l'enveloppe contenant les photos et les 20 000 dollars derrière l'élastique de son short, sur le devant, et sa chemise hawaïenne rouge dissimulait habilement le haut du paquet. Lorsqu'il avait acheté cette chemise, la vendeuse lui avait dit que, avec, il lui serait impossible de cacher quoi que ce soit. Elle s'était trompée.

Étant d'un naturel relativement honnête (en tout cas, selon lui), Sanchez avait l'intention de déposer l'enveloppe à la réception. Après tout, elle ne lui était pas destinée. Et lorsqu'il le ferait, l'enveloppe contiendrait bel et bien l'argent : même somme, même nombre de billets du même montant. Mais avant de la rendre, il allait simplement miser ces 20 000 dollars. Dès qu'il aurait réalisé un bénéfice acceptable, il glisserait 20 000 dollars en coupures de 100 dans l'enveloppe, refermerait précautionneusement celle-ci, et la laisserait à la réception. Ni vu ni connu.

Dans un premier temps, Sanchez avait eu l'intention de s'y prendre prudemment, en ne visant qu'une petite marge de profit. Mais dans l'ascenseur qui le conduisait au sous-sol, il prit la résolution de ne quitter les lieux qu'après avoir remporté deux fois la mise. Vingt mille pour Sanchez, vingt mille pour le tueur à gages. Rien de plus réglo. Les mains moites, il sortit de l'ascenseur et se dirigea vers l'entrée du casino. Un bon pari au bon moment, et ses vacances débuteraient vraiment sous les meilleurs auspices.

Le casino semblait tout droit sorti d'un des rêves de Sanchez (bon, à ceci près que les croupiers n'étaient pas des singes à costume et chapeau rouges ; c'est vrai, les rêves de Sanchez tombaient parfois dans le bizarre). Il était gigantesque, richement décoré, et l'éclairage baignait les lieux dans une chaude lueur dorée. La moquette était d'un bordeaux profond, assez proche de la couleur des gilets portés par les croupiers et les serveuses. Et l'endroit était bondé de clients. Les dés qui roulaient, les cartes qui claquaient sur les tapis, les roulettes qui tournaient, les gagnants qui s'exclamaient, les perdants qui soupiraient, les jetons qui cliquetaient sur les plateaux, tout était à sa place.

Sanchez était au septième ciel.

Sur sa gauche se succédaient des rangées de machines à sous, principalement utilisées par des personnes âgées. Droit devant se trouvait un comptoir où, assis sur des tabourets de bar, des losers qui avaient tout perdu noyaient leur chagrin dans l'alcool. Sur sa droite, des tables de roulette et de black jack, une bonne vingtaine en tout. Autour de chaque table se pressaient un ou deux croupiers, et trois joueurs tout au plus. Il y avait bien assez de place pour Sanchez. Il était libre de jeter son dévolu sur n'importe quelle table, mais pour quel jeu allait-il opter ? Le black jack, le poker, le craps, la roulette ?

Il attendait un signe. Il n'était pas vraiment superstitieux, mais il croyait à la toute-puissance de la fortune. Il était convaincu qu'un heureux présage le guiderait sur la bonne voie. Et il en aperçut justement un. Au beau milieu de la vaste salle trônait une table de roulette autour de laquelle trois joueuses tentaient leur chance. Et l'une d'elles n'était autre que la soi-disant Dame Mystique, Annabel de Frugyn.

Jackpot ! Malgré le dégoût qu'elle lui inspirait, c'était bien sur elle que Sanchez avait espéré tomber. Si la rumeur disait vrai, cette vieille chouette à moitié folle était capable de voir le futur. La voisine idéale pour un pari d'argent.

Sanchez s'avança en direction de la table, droit sur Annabel. Elle était assise sur un tabouret, entre deux menues Chinoises d'âge mûr. Chacune avait devant soi d'énormes piles de jetons, ce qui indiquait assez clairement qu'elles enchaînaient victoire sur victoire. Ou alors qu'elles venaient tout juste de commencer à jouer. Sanchez se saisit d'un tabouret qui se trouvait à une table voisine, et parvint à le caser entre la Dame

Mystique et la plus petite des Chinoises, qu'il poussa du coude afin de se faire une place à gauche d'Annabel. Sa soudaine apparition à ses côtés eut le résultat escompté : elle se réjouit de le revoir.

« Je savais que j'allais vite vous manquer, Sanchez, dit-elle en lui décochant un clin d'œil d'une coquetterie absolument épouvantable.

— Ah ! ah ! ouais, c'est exactement ça, répondit-il avec un enthousiasme honteux tant il était forcé. Alors, la chance vous sourit ?

— Ah ça, oui ! Une vraie baraka. Le patron de l'hôtel m'a donné 500 dollars et j'ai déjà triplé la somme. »

OK. Powell lui avait passé 500 dollars. Pas besoin de lui demander contre quoi.

Sanchez porta la main à l'enveloppe qu'il avait cachée dans son short. Il l'avait si bien calée entre sa bedaine et son élastique qu'il dut tirer dessus trois ou quatre fois avant de l'en déloger, suscitant un certain nombre de regards choqués autour de la table. L'enveloppe finit par céder brusquement, et Sanchez heurta du coude le visage de la Chinoise, qui glissa de son tabouret et tomba par terre de tout son long. *Et merde !* pensa Sanchez. *Bon, pas le temps de s'excuser. Elle s'en remettra de toute façon.*

Recouvrant son calme, il ouvrit l'enveloppe, en sortit l'épaisse liasse de billets qu'il balança d'un air indifférent sur la table, en direction du croupier. Celui-ci resta totalement impassible. C'était un jeune homme chauve, légèrement basané, la trentaine approchant, et il avait un réel talent pour réprimer toute expression d'intérêt ou de surprise lorsqu'on lui lançait de gros montants en liquide.

La petite dame se releva et reprit place sur son tabouret dans des marmonnements furieux, comme si elle s'apprêtait à faire subir à Sanchez une prise spéciale de kung-fu. Pourtant, lorsqu'elle aperçut la grosse liasse de billets, elle parut changer d'avis, et tenta même d'adresser un faible sourire au patron du Tapioca. Les mecs qui ont du fric ont toujours du succès. Et pour une fois, Sanchez avait du fric. Il sentait que les dames qui l'entouraient étaient quelque peu impressionnées par son apparente richesse.

Annabel confirma son sentiment : « Dites-moi, Sanchez, les affaires roulent au Tapioca, on dirait !

— Plutôt, oui, répondit-il d'un ton vaniteux. Comme homme d'affaires, je me débrouille plutôt bien.

— À mon avis, on aurait tout intérêt à s'associer, proposa Annabel. Avec votre sens des affaires et mon don de clairvoyance, on pourrait faire un malheur.

— Complètement d'accord. Et on n'a qu'à s'y mettre tout de suite. Dites-moi rouge ou noir, et j'aligne le fric.

— Oh ! cette fois-ci, aucun doute : c'est le rouge qui va sortir.

— Z'êtes sûre ?

— Absolument. »

Et en vérité, le ton d'Annabel dénotait une confiance absolue en sa prédiction. Détail plus révélateur encore aux yeux de Sanchez : elle déposa une pile de jetons sur le rouge.

« Faites vos jeux », déclara le croupier. Bien qu'il s'adressât à tous ceux qui se trouvaient autour de la table, c'était sur Sanchez qu'il dardait son regard, comme pour le pousser à prouver qu'il avait les couilles de miser un peu plus qu'un minable jeton pour son premier pari.

Sanchez réfléchit aux choix qui se présentaient à lui. Il fallait vite se décider. *Oh ! et puis merde. De toute façon, je l'ai trouvé, ce pognon*, finit-il par se dire.

Et il posa tous ses jetons sur le rouge.

11

Cela faisait déjà un petit moment que le Bourbon Kid avait enfoncé son poing dans le visage de Jonah Clementine, tuant sur le coup l'ancien magnat de la banque, et aucun nouveau client n'était entré dans le bar pour boire un verre. La bimbo blonde tout en jambes qui, jusqu'à très récemment, se pendait au bras de M. Clementine avait rapidement quitté les lieux, sans doute en direction du casino, dans l'espoir d'y trouver un richissime remplaçant que ses concurrentes intéressées n'auraient pas encore séduit. Doucement et sans faire de vague, les autres clients étaient également sortis du bar. Aucun ne s'était levé brusquement, aucun ne s'était précipité vers la sortie : ils avaient tous paisiblement fini leur consommation et leur conversation, et étaient partis.

Valerie n'avait plus personne à servir, mais elle tâchait néanmoins de s'occuper en nettoyant la partie du comptoir la plus éloignée du Kid. Le reste du personnel, plus proche de la sortie, s'était enfui avant que Valerie ait pu réagir. La politique de l'hôtel voulant qu'au moins un membre de l'équipe se trouve à tout moment derrière le comptoir, la pauvre barmaid était condamnée à y rester jusqu'à ce qu'un de ses collègues trouve le cran de revenir. Ce qui risquait de ne pas arriver avant un bon bout de temps.

Dans la vingtaine de minutes qui suivit le meurtre, les seules personnes à entrer dans le bar furent deux membres de l'équipe de sécurité. Gunther les y avait dépêchés, conformément aux consignes du Kid qui l'avait prévenu qu'un cadavre devrait bientôt être ramassé. Les deux hommes s'étaient glissés discrètement sur la scène de crime et avaient soulevé le corps sans vie de Clementine qui gisait sur le plancher noir, à présent maculé d'une mare de sang. Puis ils l'emportèrent derrière le comptoir, ce qui fit littéralement piquer une crise à Valerie.

« Vous ne pouvez pas poser ça ici ! se plaignit-elle. C'est pas hygiénique ! »

Le vigile qui tenait les jambes de Clementine haussa les épaules : « C'est les ordres de Gunther. Faut qu'on cache le corps jusqu'à l'arrivée de l'ambulance.

— Alors planquez-le en cuisine. Je veux pas le voir ici.

— C'est justement ce qu'on essaie de faire. Si tu pouvais juste dégager du chemin, ça nous aiderait. Regarde un peu, putain, y a du sang qui dégouline partout par terre. »

Valerie s'écarta et les vit passer tant bien que mal la porte qui se trouvait au fond du bar, et par laquelle tous ses collègues avaient disparu un peu plus tôt.

« Et espérez pas qu'on nettoiera le sang derrière vous ! hurla-t-elle. C'est vous qui vous en occupez ! »

Toujours assis au comptoir, le Bourbon Kid entendit l'un des agents répondre par un tonitruant *Ah, mais va te faire foutre !* ». Ni l'un ni l'autre des membres de la sécurité n'avait osé lui jeter un regard lorsqu'ils étaient passés à côté de lui, mais ils semblaient prendre un certain plaisir à rabaisser la barmaid. Pour leur défense, ils prenaient un soin méticuleux à ne pas emmerder le Kid. Ces derniers temps, on avait suffisamment parlé de lui aux infos pour que les gens sachent qu'il valait mieux l'éviter. Il tuait sans raison, quand ça lui chantait. Et il se foutait de savoir qui il tuait, qu'il s'agisse d'un homme, d'une femme ou d'un enfant. En tout cas, c'était ce que prétendaient les journalistes. Et personne n'avait envie de vérifier la véracité de cette théorie. Soit, il y avait dans l'hôtel des gars plus costauds que lui, pour tout dire de véritables brutes, mais l'aura d'imprévisibilité et de mal à l'état pur dont il était nimbé le prémunissait de toute tentative de confrontation, venant de qui que ce soit, pour balèze qu'il soit.

Valerie désespérait de trouver une excuse pour se réfugier en cuisine. Elle voulait mettre la plus grande distance possible entre elle et le Bourbon Kid, mais, fort malheureusement, elle était la personne la plus proche du tueur légendaire. Enfin, jusqu'à ce que quelqu'un pénètre dans le bar. Un homme en l'occurrence, assez courageux pour venir s'asseoir à côté du Kid. En passant dans le vaste couloir adjacent, il avait croisé des clients qui s'empressaient de quitter les lieux. Valerie l'avait vu s'arrêter pour poser quelques questions à un jeune couple à propos de ce qui venait d'arriver. Elle avait fait semblant de nettoyer le comptoir, mais avait surpris le couple en train de pointer le Kid du doigt, certainement pour expliquer à l'homme la teneur de la rencontre du Bourbon Kid et de Jonah Clementine. Sans se démonter le moins du monde, l'homme était alors entré d'un pas nonchalant à l'intérieur du bar, et s'était dirigé droit vers le bout de comptoir occupé par le Kid.

Le Kid venait tout juste de finir son troisième verre de bourbon. Le nouveau venu avait l'intention d'échanger quelques mots avec lui, des mots qui, il l'espérait, intéresseraient probablement l'assassin. Valerie le reconnut : il s'agissait d'un des chanteurs/imitateurs qui participeraient au concours « Back From The Dead ». Il s'appelait Julius, c'était un Black d'âge moyen et d'apparence tout à fait inoffensive, au crâne aussi glabre et lisse qu'une boule de billard. Il devait mesurer à tout casser son mètre soixante-treize, mais il était élancé et extrêmement tonique. Sa démarche pleine d'assurance et son costume de velours violet le faisaient un peu ressembler à un mac sur le point d'offrir une de ses gagneuses au Kid.

En vérité, c'était un sosie professionnel de James Brown, descendu à l'Hôtel Pasadena afin de participer au grand concours. Sa veste était grande ouverte, révélant une chemise bleu clair. Le pantalon s'évasait en dessous des genoux, ce qui donnait un air très *seventies* au costume tout entier. Il s'assit au comptoir, à tout juste un mètre à gauche du Bourbon Kid. Une fois confortablement installé, il appela Valerie.

« Yo, Valerie ! »

Elle avait fait de son mieux pour rester le plus loin possible de ce coin du comptoir, espérant que cela encouragerait d'éventuels nouveaux clients à la rejoindre à l'autre bout. Mais Julius venait bel et bien de prendre place à côté de l'homme que Valerie (à l'instar de n'importe qui) voulait éviter comme la peste.

« Une bière pour moi, et servez à mon ami un nouveau verre de ce qu'il est en train de boire. »

Le Kid répondit aussitôt de son habituel ton rocailleux. « Je suis pas ton putain d'ami, grogna-t-il sans même poser les yeux sur le nouvel arrivé.

— Vous pourriez le devenir, répliqua Julius dans un sourire qui passa totalement inaperçu.

— Aucune chance. »

Valerie se saisit de la bouteille de Sam Cougar et s'approcha des deux hommes. Puis elle remplit le verre vide du Kid. À ras bord. Sans qu'il le lui ait demandé.

Il faut quand même saluer ici le sang-froid absolu de Julius, que les vilaines manières du Kid ne semblaient pas du tout déstabiliser. « Je sais qui vous êtes », dit Julius.

D'une main tremblante, Valerie reboucha la bouteille de Sam Cougar, avant de se féliciter du fait qu'il lui fallait à présent retourner à l'autre bout du bar pour la ranger sur son étagère. Elle la déposa donc à côté d'une bouteille de vodka, inspira très profondément et se dirigea vers le frigo afin de chercher la bière que Julius lui avait commandée.

Le Kid tira sur sa cigarette et se tourna enfin vers l'homme au sourire rayonnant qui s'était assis à côté de lui.

« Vous savez qui je suis, hein ?

— Ouais.

— Tant mieux pour vous.

— Vous êtes le Bourbon Kid.

— Il paraît. »

Julius souriait toujours, comme s'il venait d'empocher une somme colossale au casino. Il poussa même un bref éclat de rire avant de poursuivre : « Je dois avouer que vous êtes fidèle à votre légende. Savez-vous qui je suis ? »

Le Bourbon Kid inspira une nouvelle bouffée de fumée, qu'il recracha à la figure de Julius. « Laissez-moi deviner. Le Mahatma Gandhi, c'est ça ? »

— Hé, c'est super marrant, ça ! Vous êtes un vrai petit comique, vous savez ?

— Et vous, vous savez que je suis sur le point de vous tuer, pas vrai ? »

Valerie interrompit l'échange en déposant une bouteille de Shitting Monkey en face de Julius. Elle s'éclaircit la voix et bégaya un « Ça fera 12 dollars, monsieur ». Elle lança à Julius un regard suppliant. *Nom de Dieu, je vous en prie, l'énervez pas une deuxième fois*, pensa-t-elle, espérant de toutes ses forces que ce conseil trouverait un moyen de s'enfoncer dans son cerveau. Avant que ce soit une balle qui s'y enfonce.

Julius sortit un billet de 20 dollars d'une des poches de son pantalon violet et le déposa sur le comptoir. « Gardez la monnaie », dit-il. À chaque seconde qui passait, son sourire semblait gagner en assurance.

« Merci beaucoup, monsieur », s'empressa de répondre Valerie, saisissant le billet et se hâtant en direction de la caisse, à l'autre bout du comptoir.

Souriant toujours comme un homme politique face aux caméras, Julius se retourna vers le Bourbon Kid, dont la patience était à deux doigts de se briser avec fracas. « J'ai un boulot à vous proposer. Ça vous dirait de vous faire 50 000 dollars en une journée ? »

Le Kid avala une énième bouffée, avant de se saisir de son verre de Sam Cougar, plein à ras bord. En une gorgée, il le vida à moitié, avant de le reposer.

« Donnez-moi l'argent tout de suite.

— C'est impossible. Je ne l'ai pas encore.

— Je le veux maintenant.

— J'imagine bien, mais j'ai déjà avancé une somme à un type qui ne s'est pas pointé. Alors vous êtes mon plan B.

— Moi, je suis un *plan B* ?

— Hé ! si j'avais su que vous passeriez par ici, je vous aurais pris comme plan A, mais vous êtes plutôt difficile à contacter, comme type. Alors j'ai opté pour un autre. »

Les yeux du Kid étaient toujours dissimulés derrière ses lunettes noires, ce qui empêchait Julius de jauger les réactions de celui qu'il entendait employer. Il décida de poursuivre sans s'en inquiéter.

« Écoutez, je vais participer à ce concours de chant, aujourd'hui. Vous voyez ce à quoi je fais référence ? "Back From The Dead" ?

— J'en ai entendu parler.

— Bon, eh bien, il faut *absolument* que je gagne. Si vous m'aidez à arriver à mes fins, vous empochez 50 000 dollars, ponctionnés sur la récompense du premier prix.

— Elle est à combien, cette récompense ?

— Un million de dollars.

— Alors j'empoche la moitié. »

Julius se dandina nerveusement sur son tabouret. « Écoutez. Si vous saviez pourquoi il me faut absolument remporter ce concours, vous m'aideriez gratuitement.

— Aucune chance.

— Vous savez, il y a bien plus en jeu qu'un simple million de dollars. Des vies humaines sont en danger.

— Les vies humaines sont toujours en danger. »

Le ton s'était fait encore plus rocailleux.

Julius comprit très désagréablement que, dans « vies humaines », le Kid incluait aussi celle du sosie de James Brown. Il saisit sa bouteille de Shitting Monkey et en but une gorgée. Il laissa rouler le liquide sur sa langue avant de l'avaler, et reposa la bouteille sur le comptoir. « D'accord. Écoutez bien. Je vais vous raconter toute l'histoire, mais vous n'allez pas en croire un mot, parce qu'elle est vraiment complètement barrée.

— Ah ouais ? »

Les mots du Kid suaient l'indifférence la plus totale.

« Ouais. Elle est tellement aberrante que vous croirez sans doute que je l'ai inventée de toutes pièces. Elle touche à tout un tas de trucs paranormaux, si vous voyez ce que je veux dire. »

Le Kid cracha de nouveau sa fumée au visage de Julius. « Vous savez, dit-il doucement, il y a dix ans de ça, jour pour jour, ma mère s'est transformée en vampire et a tenté de me tuer. Je doute que ce que vous avez à me dire me traumatise plus que ça, alors pourquoi est-ce que vous lâchez pas tout de suite le putain de morceau ? »

Julius manipula la bouteille sur le comptoir, la tournant entre ses doigts jusqu'à voir l'étiquette, où l'on pouvait admirer un singe en train de déféquer.

« OK. Bon. Vous savez que cet hôtel appartient à un certain Nigel Powell, n'est-ce pas ? » Il parlait à voix basse, bien qu'il ne restât plus personne assez près d'eux pour les entendre. « Mais est-ce que vous savez comment il en est devenu le propriétaire ?

— Non.

— Il a passé un pacte avec le diable.

— Et ?

— Eh bien… cet hôtel a été construit sur l'une des portes de l'enfer.

— *Et ?*

— Powell *a vendu son âme* au diable. En échange, le diable lui a donné cet hôtel et toute la fortune qui s'y rattache. »

Le Kid but une petite gorgée de bourbon avant de répliquer : « Ça m'a tout l'air d'un excellent deal.

— C'est sûr. Mais voilà le problème. Un pacte avec le diable, ça n'est jamais aussi réglo que ça en a l'air. En l'occurrence, celui-ci se rapproche plutôt d'un contrat renouvelable chaque année. Une fois par an, à chaque fête d'Halloween, Powell doit trouver quelqu'un qui soit prêt à vendre son âme à Satan. *Une personne différente chaque année*. S'il échoue, alors son contrat est rompu.

— Ce qui veut dire qu'il va tout droit en enfer et y reste jusqu'à la fin des temps, j'imagine ? »

Julius hocha la tête. « Pire encore. Si Powell ne trouve pas une nouvelle âme pour Satan, cet hôtel *tout entier* s'écroulera et s'abîmera dans les entrailles de l'enfer à la fin de l'heure des maléfices, cette nuit même. »

Le Kid soupira. « Je crois pas un seul putain de mot de toutes ces conneries. Pourquoi est-ce que vous avouez pas que, tout ce qui vous intéresse, c'est de remporter le premier prix ?

— Vous êtes intéressé, oui ou non ?

— Dites-moi qui je dois tuer.

— Je suis l'un des cinq chanteurs susceptibles de gagner. Les quatre autres doivent être éliminés.

Officiellement, le gagnant signe un contrat d'un million de dollars avec Powell. Mais en réalité, ce n'est pas avec Powell qu'il ou elle signe : c'est avec le diable. En signant le contrat, le gagnant vend son âme à Satan. »

Le Kid considéra Julius d'un air suspicieux. « Elle est tout sauf crédible, votre putain d'histoire à la con. Vous m'avez dit que tout ce que vous vouliez, c'est que je vous aide à *gagner*. Pourquoi est-ce que vous voudriez gagner, et vendre votre âme au diable ? »

Julius afficha une mine très imbue de lui-même. « J'ai mes raisons.

— Qui sont ?

— Inutile que vous le sachiez.

— Ça me va aussi comme ça. Mais ça serait quand même plus simple si je me contentais de menacer ce Nigel Powell afin qu'il vous fasse gagner.

— Non.

— Pourquoi ça ?

— Parce qu'il ne mérite pas un sort aussi clément. »

Ce fut au tour du Kid de hocher la tête : « Ah ouais ? Quand je suis d'humeur taquine, mes menaces peuvent être franchement désagréables, vous savez.

— Écoutez, oubliez cette idée. Tout ce que je vous demande, c'est de tuer mes quatre principaux rivaux. Je deviendrai du coup le seul chanteur de la finale à avoir répété son morceau avec l'orchestre de l'hôtel. Je serai le favori, et de loin. »

Le Bourbon Kid haussa un sourcil et dévisagea Julius afin de voir s'il était sérieux. Apparemment, c'était le cas. « Alors ce putain de concours est truqué ?

« — Eh oui. Mais c'est vrai pour tous les concours de ce type, n'est-ce pas ? »

Le Kid avala une dernière et longue taffe, et écrasa son mégot sur le comptoir. « Si vous le dites. Et qu'est-ce qui se passera une fois que vous aurez gagné ?

— Je vous passerai les 50 000.

— Cinq cent mille. »

La rocaille que charriait sa voix semblait recouverte d'un givre tranchant.

« Bien sûr, comme vous voudrez. Si vous êtes un meurtrier aussi talentueux qu'on le dit, ce ne sera pas de l'argent dépensé en vain.

— Tu m'étonnes.

— Alors marché conclu ?

— Marché conclu. Mais retenez bien ça : si vous rompez votre part, je vous brise la nuque. »

Le Kid avait beau avoir accepté le boulot, les motivations de Julius lui paraissaient fumeuses. Ce type était sûrement du genre à trouver une excuse pour ne pas le payer une fois que tout serait réglé. On ne pouvait pas se fier à ce mec.

Julius sortit de l'une des poches intérieures de sa veste une petite enveloppe marron. Il la déposa sur le comptoir, la regarda un moment, puis la fit glisser sur la surface de bois poli, en direction du Kid.

« Tous les détails de la mission se trouvent là-dedans, dit-il en la désignant d'un mouvement de la tête. Quatre noms. Je veux que vous les tuiez tous. Et *très* rapidement. »

Le Kid attrapa son verre de Sam Cougar et le vida d'un trait. Il sortit ensuite un billet de 10 dollars d'une des poches de son pantalon et le jeta sur le comptoir, à côté de son mégot écrasé. Puis, se retournant vers Julius, il saisit l'enveloppe et quitta son tabouret de bar, prêt à vider les lieux.

« Un dernier détail, dit Julius.

— Quoi ? » soupira le Kid.

Il y avait toujours un dernier détail.

« L'une des cibles est une femme. Ça vous pose un problème, de tuer des femmes ?

— J'ai tué ma mère, non ? »

Sur cette remarque qui se passait de réponse, le Bourbon Kid s'en alla, laissant le faux James Brown dans son costume violet finir sa bière seul.

12

Par le passé, il était arrivé à Sanchez de faire des choses stupides. Bon, OK : il lui était arrivé de faire des trucs vraiment complètement cons. La plupart du temps, ces conneries impliquaient soit des femmes, soit des paris d'argent. Sa dernière connerie en date touchait aux deux à la fois, même si la femme en question n'avait pas grand-chose à voir avec celles qui, habituellement, poussaient Sanchez à passer pour un con. Celles-ci avaient tendance à être jeunes, belles et malignes. La Dame Mystique était vieille, moche et stupide, en tout cas aux yeux de Sanchez. Mais qu'est-ce qui avait bien pu lui passer par la tête ?

Les 20 000 dollars de l'enveloppe marron s'étaient envolés. Il avait suffi d'un instant de déraison, où Sanchez avait entassé tous ses pions sur le rouge de la table de roulette. Tout ça parce qu'il avait prêté l'oreille à cette vieille timbrée d'Annabel de Frugyn à la con. *Tu parles d'une putain de voyante.* Si elle s'avisait un jour de remettre les pieds dans le bar santamondéguin de Sanchez, le Tapioca, elle aurait droit à une nouvelle lampée de sa fameuse cuvée maison. Cette vieille connasse qui servait à rien.

Sanchez se trouvait à présent dans une situation plus que délicate. Il allait devoir déposer l'enveloppe à la réception, déchirée à une extrémité, et allégée de 20 000 dollars. Il aurait dû rancarder Elvis au sujet de l'argent dès l'instant où il avait vu la liasse dans le fond de l'enveloppe. Ils auraient partagé la somme, et il aurait pu compter sur la protection d'Elvis si quelqu'un venait le réclamer. Il était trop tard pour avouer à Elvis ce qu'il lui avait caché. Il se demandait même si le fait de déposer l'enveloppe à la réception était une si bonne idée. Si celui à laquelle elle était destinée se pointait pour la réclamer et constatait qu'elle avait été ouverte, et vidée de ses billets, il se mettrait sans aucun doute sur la piste de Sanchez. Le seul point positif qu'il parvenait à distinguer dans ce bordel improbable, c'était qu'en recevant cette enveloppe de ses mains les réceptionnistes deviendraient, eux aussi, des suspects.

Le choix alternatif (le fait de ne pas déposer l'enveloppe) aboutirait très certainement au même résultat : le destinataire se mettrait à la recherche de Sanchez. Si on retrouvait l'enveloppe dans sa chambre, ses ennuis prendraient des proportions considérables. Sanchez finit donc par se convaincre que le fait de déposer l'enveloppe à la réception était le choix le moins idiot.

À son grand soulagement, les hordes d'hôtes avaient à présent disparu. Le hall de réception ovale était relativement calme. Sanchez en fit plusieurs fois le tour, se demandant si c'était vraiment la meilleure chose à faire, mais après être passé nonchalamment devant la réception une quatrième ou cinquième fois, il se dit qu'on finirait par croire qu'il harcelait la réceptionniste. Et comme celle-ci n'était autre que la fameuse Stephie qu'il avait traitée de « connasse », elle était sûrement en train de se poser des questions. Aussi, avant qu'elle ait le temps d'appuyer sur un bouton d'alarme quelconque, Sanchez s'approcha de la réception. C'était vraiment la meilleure chose à faire, en grande partie parce qu'il avait promis à Elvis de remettre l'enveloppe à la réception, et, à cet instant précis, il n'avait vraiment aucune envie d'emmerder le King. Elvis était son unique allié.

« Re-bonjour », dit-il à Stephie en lui adressant un sourire très peu sincère.

La réceptionniste l'avait vu aller et venir, en jetant à l'occasion un regard dans sa direction, et tout ce manège avait naturellement fini par l'inquiéter. Vu le nombre plus qu'important de nouveaux arrivés, elle avait eu une matinée plus que chargée. Épuisée, physiquement autant que mentalement, elle n'était vraiment pas d'humeur à se faire enquiquiner par Sanchez.

« J'espère de tout mon cœur, mais vraiment de tout mon cœur, que vous n'allez pas m'inviter à boire un verre », lui dit-elle en le regardant droit dans les yeux, et en dissimulant tout juste sa colère.

Salope, pensa-t-il, mais il s'obligea à afficher son plus beau sourire, et posa l'enveloppe sur le comptoir de la réception.

« J'ai trouvé ça dans la chambre que vous m'avez gentiment dégottée. M'suis dit qu'il vaudrait mieux que je dépose ça ici, vous voyez ? Au cas où le type à qui cette enveloppe était destinée la demanderait. »

Stephie baissa le regard sur l'enveloppe posée face à elle. « Excellente initiative, dit-elle d'un ton sarcastique. Mais je vois que vous l'avez déjà ouverte.

— Nan, nan. Elle était dans cet état quand je l'ai trouvée.

— Bien sûr. »

Elle se saisit vivement de l'enveloppe et se leva de son siège, hochant la tête d'un air condescendant. « Je vais la ranger dans un coffre, histoire qu'elle ne s'ouvre pas une deuxième fois toute seule.

— C'est sympa, merci, répliqua Sanchez sans se départir de son sourire horriblement faux. Oh ! et euh… genre, si le mec en question vient la réclamer…

— Claude Balls.

— J'vous demande pardon ?

— Claude Balls. L'homme dont vous occupez la chambre.

— Ouais, lui-même. S'il vient la chercher, peut-être que vous pourriez me prévenir par téléphone, dans ma chambre ? Histoire que je sache qu'il l'a bien récupérée ? Je dormirais plus tranquille.

— J'imagine. »

Après lui avoir lancé un dernier regard désapprobateur, Stephie disparut avec l'enveloppe par une porte qui se trouvait au fond du hall de réception. Une autre réceptionniste la croisa. Il s'agissait d'une femme petite et boulotte, d'une cinquantaine d'années, dont le visage évoquait la gueule d'un bulldog en train de mâcher une guêpe. Elle s'assit à côté du siège de Stephie et sourit à Sanchez. *C'est le moment de procéder à une retraite stratégique*, pensa celui-ci. Elvis allait bientôt passer son audition pour le concours « Back From The Dead ». Sanchez tenait à être présent, afin de bien se faire voir du King en l'applaudissant bruyamment et en le félicitant pour sa prestation.

Alors qu'il se dirigeait vers une porte en verre à double battant, en direction de l'auditorium, il entendit une voix puissante tonner dans son dos. À première vue, ce devait être la voix d'un homme excessivement balèze et excessivement dominateur.

« Bonjour, mademoiselle, dit la voix, assez poliment. Vous devriez avoir une chambre réservée à mon nom. Claude Balls. »

Sanchez sentit les poils de sa nuque se hérisser. *Par pitié*, pensa-t-il. *Faites que ce type soit pas aussi patibulaire que sa voix.*

Redoutant que sa prière s'avère vaine, il se retourna. Ses pires craintes se concrétisèrent alors. Face à la réception se dressait un véritable titan. Il devait bien mesurer 2 mètres de haut, et portait un long trench-coat gris. Ses cheveux roux, épais et sales, étaient attachés en une queue-de-cheval dont l'extrémité tombait en dessous de ses omoplates. Il avait en outre un bouc assorti, dont la pointe de la tresse atteignait quasiment sa poitrine. Sous son manteau, il portait ce que Sanchez interpréta comme une tenue militaire. Un ex-soldat, peut-être ? Un impitoyable assassin ? À en juger par le contenu de l'enveloppe qu'avait ouverte Sanchez, sans le moindre doute possible.

Le patron du Tapioca, déjà fort inquiet, n'aurait pas été rassuré d'apprendre que l'homme qui se faisait présentement appeler Claude Balls était en réalité un tueur à gages bien connu dans le coin. En fait, on le connaissait mieux sous le nom de « Angus l'Invincible », à cause de son incroyable résistance. Il avait été poignardé, mitraillé, mutilé, assommé, écrasé, tout ce que vous voulez, mais toujours, il s'était relevé. Et il avait toujours eu raison de sa cible.

Sanchez n'eut pas à le regarder trop longtemps pour comprendre qu'il valait mieux décamper avant qu'une des réceptionnistes informe ce tout dernier hôte qu'un pli endommagé avait été déposé à son attention. À cet instant précis, Angus l'Invincible se sentit observé : il se tourna vers Sanchez, à qui il lança un regard noir de menace.

« Qu'est-ce qu'y a ? Tu veux ma putain de photo, gros tas ? » lui cracha-t-il.

Inutile de lui répondre. Sanchez tourna simplement les talons, et s'empressa de rejoindre Elvis.

13

Au fil des ans, son imitation d'Otis Redding avait valu à Luther un grand nombre d'admirateurs. Mais c'était l'appréciation seule des trois jurés du concours « Back From The Dead » qui ferait, ou briserait son destin. S'il remportait le premier prix, il signerait un contrat avec le casino, et il n'aurait plus jamais à travailler « pour de vrai ». En tant que chanteur itinérant dans le circuit des bars et clubs de nuit, il gagnait tout juste assez d'argent pour survivre d'une semaine à l'autre. Avec ce concours, il tenait une occasion unique de changer de vie. À condition qu'il garde son calme.

Le premier critère sur lequel on évaluait un chanteur/sosie, c'était son apparence. Et Luther avait pris un soin infini pour paraître sous son meilleur jour. Les premières impressions étant toujours les plus importantes, Luther avait décidé de ne laisser aucun détail au hasard. Il s'était fait tailler tout spécialement pour le show un costume noir brillant qui attirerait particulièrement le regard, ainsi qu'une chemise rouge très distinguée. Le prénom « Otis » avait été brodé au fil d'or sur le devant de sa veste, ainsi que dans son dos, en lettres bien plus grosses. *Kitsch ?* Peut-être un peu, mais crucial ? *Carrément.* Le fait d'être instantanément identifié comme l'artiste imité était tout simplement vital. Luther avait appris cette leçon au tout début de sa carrière. Ce détail l'aidait à passer efficacement pour le vrai Otis Redding.

En montant énergiquement sur les planches, il surprit son image sur un gigantesque écran qui se trouvait sur une estrade, au fond de la scène. Par cette lucarne démesurée, le public tout entier ne perdrait absolument rien de la moindre goutte de sueur qui perlerait sur son front.

Luther n'avait jamais rien connu de plus stressant de toute sa carrière que de se tenir face à ce public de plusieurs milliers de personnes, dans le grand auditorium de l'hôtel. La salle était vraiment gigantesque, bien plus vaste que toutes celles où il avait chanté jusqu'ici. Au bas mot, une centaine de rangées se succédaient, remontant jusqu'au fond de l'auditorium, divisées en trois sections. Celle du milieu comptait trente sièges par rangée, les deux sections latérales, quinze. Et à cet instant précis, toutes les places étaient occupées.

Tout en haut, une galerie partait de chaque extrémité de la scène jusqu'au centre où se trouvait une régie tout en verre, occupée par le DJ, qui officiait également en tant qu'ingénieur lumière. Luther releva les yeux et surprit le DJ en train de se curer le nez. Il détourna immédiatement son regard et tâcha d'oublier cette image.

Les auditions pour la finale avaient commencé une demi-heure auparavant. Les tout premiers concurrents étaient pleins d'espoir : ils ignoraient totalement que le concours était truqué, et avaient parcouru des kilomètres et des kilomètres dans l'espoir que leur rêve se réalise. Certains avaient un talent exceptionnel, et auraient tout à fait mérité une place en finale. D'autres étaient pitoyablement mauvais. Et c'était à présent au tour d'Otis, le premier des cinq concurrents secrètement présélectionnés pour la finale, de montrer ce qu'il valait. Tout ce qu'il avait à faire, c'était de ne pas se planter lamentablement.

Sur la scène, juste en face de lui, les trois jurés scrutaient ses moindres mouvements. On aurait dit qu'ils sondaient son état d'esprit, à l'affût de la moindre faiblesse. Leurs regards étaient plus brûlants encore que les projecteurs qui incendiaient la scène. Luther ne reconnut qu'un seul des trois jurés. Il y avait une femme noire, une femme blanche et, assis entre elles deux, un homme au curieux bronzage orangé. Il s'agissait de Nigel Powell, le juge suprême, fondateur et patron du concours.

Tous trois étaient assis à un vaste bureau constitué de plaques argentées, disposé sur le devant de la scène. Ils tournaient le dos au public et à la fosse d'orchestre qui se trouvait en contrebas. Devant chacun d'eux, posés sur la table, se trouvaient un verre d'eau, un stylo et un carnet, au cas où ils auraient envie de prendre des notes.

Au moment où la salle s'obscurcit et où le faisceau de la poursuite se braqua droit sur lui, rendant le public invisible à ses yeux, Luther fut soudain pris d'une bouffée d'assurance absolue. Il allait être incroyable. Il en était sûr et certain.

Après s'être brièvement présenté et avoir répondu à deux trois questions de la présentatrice, Nina Forina, Luther se prépara au grand saut. Plus nerveux que la situation l'imposait, il laissa passer les mesures de l'introduction, inspira profondément et attaqua avec le tout premier vers de « These Arms of Mine ». C'était vraiment bizarre de chanter devant un public aussi nombreux, mais il s'en sortit à merveille. La foule exprima aussitôt son enthousiasme en applaudissant bruyamment, ce qui ne fit qu'accroître l'assurance de Luther. Durant les quatre-vingt-dix secondes qui suivirent, avant que Powell lui fasse signe d'arrêter, il conquit littéralement l'auditoire. Aucun des chanteurs qui l'avaient précédé n'avait pu chanter durant plus de trente secondes : cependant, afin que le public se souvienne bien de la prestation de Luther, il avait été secrètement convenu qu'il lui serait permis de chanter plus longtemps. Lorsqu'il s'interrompit, il reçut une *standing ovation* plus que méritée, ainsi qu'une culotte blanche de taille démesurée, lancée par l'une des femmes assises au premier rang.

Mais c'était l'avis des jurés qui comptait. La première à s'exprimer fut Lucinda Brown, célèbre coach vocal originaire de Géorgie qui, jadis, avait eu pour élèves de nombreux chanteurs de soul. C'était une Black en léger surpoids, vêtue d'une robe de soie jaune relativement courte. Assurément, elle savait ce qu'éprouvaient les concurrents à cet instant fatidique, car elle aussi, dans sa jeunesse, avait passé un nombre incalculable d'auditions. Elle était manifestement la membre la plus sympathique du jury, et parut d'emblée vouloir mettre Luther à son aise.

« Tu as quel âge, chéri ? demanda-t-elle.

— Vingt-cinq ans », répondit Luther.

Il se sentait encore plus nerveux qu'avant son tour de chant. Il eut soudain la crainte que sa place en finale ne fût plus acquise. Il inspira profondément dans le but de recouvrer son calme, attendant anxieusement toute critique et toute félicitation qui lui seraient adressées. Il sentit une perle de sueur couler à sa tempe alors qu'il fondait littéralement sous les projecteurs, mais il n'eut même pas le courage de l'essuyer d'un revers de main. La seule chose sur laquelle il parvenait encore à se concentrer, c'était sa respiration.

« Mon petit, commença la jurée toute vêtue de jaune, si Otis Redding avait pu chanter comme toi quand il avait 25 ans, tu peux être sûr que notre bon Seigneur Jésus-Christ aurait pas permis qu'il meure dans un satané crash. T'as été époustouflant. Si ce bon vieil Otis nous regarde d'en haut, je te parie qu'il est en train de se dire : "Dieu tout-puissant, je suis ressuscité !" » Elle observa une pause infime avant d'ajouter : « T'as conquis tout le monde ici. » Tout en parlant, elle remuait vigoureusement son index droit, ce qui contribua grandement à l'exciter, non seulement elle, mais le public également.

Les compliments de Lucinda firent éclater l'enthousiasme de la foule. Beaucoup se levèrent de leur siège pour applaudir, au comble de l'excitation. Luther poussa un profond soupir de soulagement. Il savait qu'il avait chanté à la perfection, mais il savait également que les jurés pouvaient être idiots. Il avait suivi à la lettre les consignes de Powell. Il avait chanté au maximum de ses capacités, et il avait pris grand soin de son apparence.

Alors, ouais, effectivement, Lucinda, la première jurée, avait du goût.

Au suivant, maintenant.

L'homme au costume blanc qui siégeait au milieu désigna sa gauche d'un petit mouvement de la tête pour inviter l'autre jurée à exprimer son avis. C'était une véritable poupée Barbie d'une petite quarantaine d'années du nom de Candy Perez, qui devait sa célébrité à son entrée au Top 10 des meilleures ventes de disques au Mexique, avec un morceau pop très accrocheur qui resta dans les mémoires plus à cause de sa chorégraphie amusante qu'à cause du talent tout relatif de la chanteuse. Elle adressa à Luther un grand sourire, qui ne creusa pas la moindre ride sur tout son visage, malgré le fait que ses 30 ans étaient déjà loin derrière elle, et ne reviendraient jamais plus. À l'instar de Nigel Powell, elle était toute « botoxée », et sacrément fière de l'être. Ses cheveux étaient longs, blonds et bouclés, et elle portait une veste en cuir blanc qui pressait ses seins imposants l'un contre l'autre, révélant au creux d'une fermeture éclair à moitié ouverte un décolleté vertigineux. Manifestement, elle ne portait rien sous sa veste, aussi fallait-il espérer pour son bien que la fermeture éclair ne craquerait pas sous cette pression phénoménale.

« Luther, je vous ai trouvé génial. » Elle adressa de nouveau au chanteur anxieux un sourire aveuglant de blancheur et absolument hypocrite. « Jusqu'à maintenant, vous êtes le meilleur. Félicitations. Je pense que vous avez vraiment une chance de gagner ce concours. Vous vous en êtes très bien sorti. »

S'ensuivit une salve d'applaudissements plus fiévreuse encore. Luther eut envie de brandir son poing en l'air en criant un « *YESSS !* » victorieux, mais fit le choix de la dignité et de l'humilité, et s'abstint.

« Merci, euh, merci infiniment », bafouilla-t-il.

Et maintenant, au dernier juré. Celui dont l'opinion comptait par-dessus toutes. Nigel Powell.

Powell savait jouer du public à la perfection : sans le moindre doute, la plus grande star du concours, c'était lui. En tant que créateur, organisateur et juge suprême de « Back From The Dead », son avis l'emportait sur ceux des autres jurées. Et il adorait se retrouver au centre de l'attention. Il suffisait de considérer sa tenue pour s'en convaincre. Même si le T-shirt noir sous la veste d'un blanc immaculé représentait une faute de goût absolu, cela lui garantissait de ne pas passer inaperçu. En outre, les femmes du public le vénéraient. Il le savait, elles le savaient, tout le monde le savait. Toute femme avec laquelle il faisait connaissance semblait tomber sous son charme. En plus d'un réel magnétisme, il se dégageait de lui une aura de richesse et de pouvoir. Luther devait absolument se retrouver dans ses petits papiers, non seulement pour accéder à la finale, mais également pour convaincre le public qu'il pouvait remporter ce concours.

Le juré laissa mariner l'assistance. Rien dans son attitude ne trahissait son opinion quant à la prestation de Luther. Au bout de longues et solennelles secondes à faire semblant de réfléchir à sa réponse, il se décida enfin à prendre la parole. Sa voix était grave et bien modulée, avec tout juste ce qu'il fallait de sérieux dans le ton.

« Luther, dit-il sans lâcher un instant des yeux l'imitateur d'Otis Redding, à présent au comble de la nervosité. Luther, dites-moi : à quel point désirez-vous remporter cette compétition ?

— Ça représente tout pour moi. »

Le stress du chanteur avait changé sa réponse en un couinement précipité.

« Vraiment ? Et vous pensez que vous avez ce qu'il faut pour la remporter ?

— Oui. »

L'interrogatoire était une véritable torture, même si les réponses s'imposaient d'elles-mêmes. Powell semblait sonder le caractère du concurrent, à seule fin d'épater la galerie.

« Et vous croyez être en mesure de faire ça cinq soirées par semaine ? Dans mon hôtel ? En étant à chaque fois au top ?

— Oui, Nigel, je sais que j'en suis capable. Si seulement vous m'offrez cette chance. Je ferai tout pour être à la hauteur. Ça représente tellement, à mes yeux. »

Powell s'adossa à son siège et décocha à Luther un sourire éclatant.

« Tant mieux, parce que j'ai comme l'impression que vous avez toutes les chances de gagner. Je vois en vous les qualités d'une véritable star. Et je suis quasiment sûr à 100 % que nous vous retrouverons en finale. Bien joué, Luther. »

Le public l'acclama de nouveau, cette fois-ci non seulement en se levant, mais encore en sautillant littéralement au rythme de ses applaudissements. Cette incroyable ovation dura un certain temps, et retentissait toujours lorsque Luther regagna les coulisses en empruntant une petite volée de marches, à gauche de la scène. Les applaudissements résonnaient encore dans sa tête lorsqu'il arriva dans la salle d'attente réservée aux concurrents qui attendaient de passer leur audition. Les quatre sosies qui partageaient la même loge que lui s'y étaient réunis, et furent les premiers à le féliciter.

« Excellent, mec, lança Johnny Cash en lui tapant dans le dos. T'as vraiment une putain de voix, sans déconner. À mon avis, ta place en finale, c'est dans la poche.

— Merci. »

Ces compliments étaient, bien entendu, principalement destinés aux autres concurrents présents qui ignoraient que la place de Luther en finale était d'ores et déjà assurée, et qui lui souhaitèrent bonne chance. Luther éprouva une légère pointe de culpabilité à l'idée que tout un tas de gens qui rêvaient de se qualifier ignoraient totalement que le concours était pipé. Mais cette désagréable sensation passa très vite.

Heureux de s'être débarrassé de la corvée de l'audition, Luther quitta la vaste salle d'attente pour s'engager dans le couloir menant à l'ascenseur. Il avait hâte de profiter tout seul de la loge du septième étage. En fait, il aurait aimé rester pour soutenir ses quatre camarades, mais tous avaient reçu la même consigne : une fois leur audition passée, ils devaient se rendre directement dans leur loge commune.

Lorsqu'il arriva au bout du couloir jaune, ses jambes avaient recouvré un peu de leur force. Pourtant, son cœur battait toujours aussi fort que durant les délibérations des jurés. Il tendit la main et appuya sur le petit bouton rond en plastique gris, juste à côté de l'ascenseur. À son grand soulagement, les portes argentées s'ouvrirent aussitôt, et il entra dans la cabine vide avant d'appuyer sur le bouton « 8 » qui se trouvait sur sa droite.

Avant que les portes se referment, un homme tout vêtu de noir, portant des lunettes de soleil et la tête recouverte d'une capuche sombre, apparut à gauche de l'ascenseur. Il s'engouffra dans la cabine et se campa à côté de Luther, dont le regard se perdait au fond du couloir.

« Quel étage ? demanda Luther.

— Peu importe. »

Ce n'était pas tout à fait un grognement. La voix semblait crisser, comme de la rocaille qu'on aurait remuée.

Le chanteur ne comprit pas très bien la réponse de l'inconnu. Peut-être ce type aimait-il tout simplement prendre l'ascenseur ?

Les portes se refermèrent alors et, dans un léger soubresaut, la cabine débuta son ascension.

Elle n'avait pas encore atteint le premier étage que Luther était déjà mort.

14

Sanchez s'était frayé un chemin dans les coulisses jusqu'à une zone qui se trouvait à l'arrière de la scène. Il avait déniché un coin surélevé, derrière un lourd pan de rideau rouge qui pendait du plafond jusqu'aux planches, une minute ou deux avant le passage de son ami.

Elvis eut la malchance d'être programmé juste après le sosie d'Otis Redding, dont la prestation avait été vraiment très impressionnante. Difficile de passer après un tel concurrent. Sanchez croisa les doigts durant l'audition d'Elvis pour que celui-ci ne fasse aucune fausse note. Puis, lorsqu'il eut fini, Sanchez applaudit vigoureusement, assez fort pour faire savoir au King qu'il avait bel et bien assisté à son audition, et qu'il l'avait appréciée.

Elvis avait livré une excellente reprise de « Kentucky Rain », que le public avait salué par des applaudissements délirants et un bon nombre de sifflements enthousiastes. Tout le monde, les jeunes comme les vieux, les hommes comme les femmes, semblèrent l'adorer. Ce type avait vraiment un charisme incroyable. Pour Sanchez, c'était le mec le plus cool de toute la planète. Chose que jamais il n'oserait avouer au King. Parce que ça, ce serait vraiment pas cool du tout.

La prestation d'Elvis n'enthousiasma pas les jurés autant que Sanchez et le reste du public. En fait, on aurait presque dit que leurs commentaires n'avaient d'autre but que de tempérer l'ardeur de ses fans. Évidemment, Sanchez était tout sauf objectif, mais, de son point de vue, Elvis était au moins aussi bon que l'imitateur d'Otis Redding qui l'avait précédé. C'était également l'avis d'Elvis. Pourtant, le seul juré qui le complimenta vraiment fut Candy Perez. Elvis lui décocha un clin d'œil et garda son sang-froid, se retenant de traiter les deux autres jurés de putains de mongoliens à la con.

Avec un style et une classe époustouflants, il quitta la scène en se dirigeant vers Sanchez, saluant le public et envoyant des baisers du revers de la main. Aussitôt hors de vue, le sourire qu'il affichait laissa place à une moue renfrognée. Sanchez comprit qu'il convenait de le réconforter.

« Yo, Elvis ! T'as été incroyable, mec. Tu vas atterrir en finale les doigts dans le nez ! » s'écria-t-il. Il était tout à fait sincère.

« Conneries ! Ce putain de concours est truqué, mec », mugit Elvis. Il n'était pas du genre à prendre les critiques à la légère. Ni même à les accepter. Et, en l'occurrence, c'était justifié. Il savait jouer du public mieux que personne, et son imitation avait touché à la perfection. Celui ou celle qui le niait n'était qu'un putain de menteur.

« Ah ouais ? Tu crois vraiment que c'est truqué ? demanda Sanchez.

131

— Bien sûr. T'as entendu les super commentaires qu'a reçus Otis Redding, alors que sa prestation avait absolument rien de spécial ? N'importe qui peut imiter Otis Redding.

— En tout cas, c'est sûr, t'étais bien meilleur que lui. »

Elvis acquiesça fermement. Il était évident que, malgré son assurance quasi surhumaine, les quelques compliments de Sanchez étaient plus que bienvenus.

« Merci, Sanchez. C'est sympa. Mais ça change pas grand-chose : c'est baisé pour moi. Et tu sais quoi ? Quand j'étais sur scène, là, en train de chanter, quelque chose m'a frappé.

— Putain, mec. J'ai même pas remarqué.

— Mais non, espèce de con. Je veux dire que je me suis rendu compte d'un truc. Ce sosie d'Otis Redding, Sanchez, ce serait pas par hasard un des types dont la photo se trouvait dans cette enveloppe marron ? »

Sanchez se creusa la tête un moment. Il n'avait assisté qu'aux dernières secondes de la prestation d'Otis Redding. En fait, il avait surtout vu la face postérieure du crâne du chanteur, pendant que les jurés lui envoyaient des fleurs. Mais il avait réussi à jeter un coup d'œil à son visage lorsqu'il était passé en coulisses. Il n'avait alors pas relevé la coïncidence, mais, ouais, effectivement – Elvis avait raison.

« Putain, c'est vrai. Alors si ça se trouve, c'est pas une liste de cibles à abattre ? Peut-être que quelqu'un essayait d'acheter un des jurés afin que les personnes photographiées se retrouvent en finale ? »

Par-dessus la monture dorée de ses lunettes de soleil, Elvis regarda Sanchez droit dans les yeux. « Ah ouais ?

lança-t-il. Alors si c'est un bakchich, où est passé le fric ? »

Sanchez se sentit rougir légèrement. « Euh, ah ouais, bien vu, balbutia-t-il. Ça doit forcément être une liste de cibles à abattre, alors.

— C'est bien ce que je pense, répliqua le King d'un ton las. En même temps, très souvent, les listes de cibles à abattre s'accompagnent, elles aussi, d'une somme en liquide. »

Il observa une pause, avant d'ajouter : « Il y a vraiment quelque chose de bizarre qui se trame ici. Et ça me plaît pas du tout.

— Moi non plus.

— T'as bien fait de déposer cette putain d'enveloppe à la réception. »

Il s'interrompit de nouveau, comme s'il s'était soudain souvenu que Sanchez était un menteur en série, et en tant que tel, fort susceptible d'avoir simplement jeté l'enveloppe dans la première poubelle venue. « Tu l'as bien déposée, hein ? demanda-t-il d'un ton soupçonneux.

— Bien sûr que je l'ai déposée. Carrément. Et juste à temps, en plus. Juste au moment où j'allais sortir du hall, le mec qui était censé occuper ma chambre, Claude Balls, s'est pointé à la réception.

— Il t'a vu ?

— Nan, je me suis tout de suite cassé. Une vraie masse, ce mec.

— Un putain de balèze, hein ?

— Tu m'étonnes. Et une sale gueule, avec ça. Vraiment le profil d'un tueur à gages.

— Dans ces conditions, Sanchez, je te suggère fortement de sortir ta valise de la chambre avant qu'il vienne t'y chercher.

— Ouais. Je me suis dit aussi que ce serait pas une mauvaise idée. »

Il lança un regard nerveux autour de lui et ajouta : « Le truc, c'est que je me sens vraiment pas d'aller là-bas tout seul. Tu vois ce que je veux dire ? »

Elvis hocha la tête et poussa un soupir. La lâcheté de Sanchez, de même que sa propension au mensonge, était proverbiale à Santa Mondega. Le King savait pertinemment que son pote n'avait pas le cran d'y aller tout seul. Mais malgré tous les défauts de son caractère, Sanchez s'était toujours montré généreux, offrant au fil des ans un nombre incalculable de verres gratuits à Elvis dans son bar, le Tapioca. Non sans raison, remarquez.

« Ça fait aujourd'hui dix ans que j'ai sauvé la peau de ton cul dans cette église, quand les vampires ont attaqué, pas vrai ? demanda Elvis.

— Ouais. Et je l'ai pas oublié, tu sais. Mais ce souvenir me met toujours à cran le jour d'Halloween. C'est un peu à cause de ça que je suis venu ici. M'suis dit que ce serait sympa de m'éloigner de Santa Mondega, avec toutes ces créatures du mal et tout.

— Allez, ramène-toi, grogna Elvis en s'engageant dans le couloir. Allons chercher ton sac. T'auras qu'à dormir avec moi si on arrive pas à te trouver une autre chambre.

— Merci, mec. »

Sanchez, sur les talons du King, lui était plus que reconnaissant.

Ils atteignirent l'ascenseur qui se trouvait au bout du couloir, et Elvis appuya sur le bouton gris qui se trouvait à côté. Ils n'attendirent que quelques secondes avant l'ouverture des portes argentées. La cabine semblait vide, et les deux hommes y pénétrèrent. Sanchez se retourna vers sa gauche pour appuyer sur le bouton correspondant à son étage et fut confronté à un spectacle fort désagréable. Écroulé en un tas dans le coin de la cabine, juste en dessous des boutons, gisait le corps d'un homme noir d'environ 25 ans.

« *Putain de meeeerde !* cria Sanchez d'une voix suraiguë en bondissant d'horreur.

— T'es à quel étage, Sanchez ? » demanda froidement Elvis. Lui aussi avait vu le cadavre, mais il réagit autrement plus calmement que son ami.

« *Merde !* Putain, mec ! Regarde, il est…

— Quel étage, bordel ?

— Sixième. »

Ignorant le corps inerte, Elvis tendit le bras pour appuyer sur le bouton correspondant. Les portes se refermèrent, la cabine débuta son ascension, et Sanchez reprit quelque peu ses esprits. Il avait un mort à ses pieds. Il avait déjà vu tout un tas de cadavres au cours de sa vie, la plupart dans son propre bar, mais le fait d'en voir un écroulé dans un coin d'ascenseur l'avait autant choqué que si, allumant soudain la lampe de sa chambre, il avait été confronté à une araignée.

Dans une ample inspiration, et tâchant d'ignorer le rythme effréné de son cœur, il regarda plus attentivement le cadavre, à moitié appuyé contre la paroi de la cabine. Le mort portait un costume noir brillant et une chemise rouge.

« Oh ! putain ! C'est Otis Redding !

135

— Sans déconner. »

Elvis semblait s'en moquer complètement, mais Sanchez poursuivit sur sa lancée : « C'est sûrement ce Claude Balls qui l'a tué.

— À moins qu'il ait payé quelqu'un d'autre pour le faire.

— Putain. »

Grimaçant de dégoût, Sanchez se pencha pour scruter le corps plus en détail. « On dirait qu'on lui a brisé la nuque. » Il renifla. « Et apparemment, il a dû chier sur les docks de la baie.

— C'est pas marrant, mec. En plus, ça veut rien dire.

— J'ai été pris de court. J'ai pas pu trouver mieux. »

Elvis hocha la tête. « Tu sais quoi, le moment est pas tout à fait choisi pour inventer des jeux de mots foireux. Quand on arrivera à hauteur de ta chambre, ce serait pas plus mal de passer devant l'air de rien. Ce Balls est peut-être déjà à l'intérieur. T'auras qu'à suivre mes instructions à partir de là. » Au vu des circonstances, Elvis faisait preuve d'une remarquable présence d'esprit. « Et si quelqu'un essaie d'entrer dans cet ascenseur, va falloir qu'on l'en empêche.

— À cause de l'odeur ?

— Nan, espèce de con. Parce que si quelqu'un nous voit là-dedans avec ce cadavre, on deviendra les suspects numéro un de l'homicide.

— Ah ! merde. Putain, c'est vrai. »

L'ascenseur atteignit le sixième étage dans un tintement. Les battants argentés coulissèrent. Sanchez vit aussitôt, à l'autre bout du couloir, quatre membres de l'équipe de sécurité, armés, vêtus de costumes noirs et

136

portant la même brosse militaire. Juste devant sa chambre. Prêts à enfoncer la porte et à se précipiter à l'intérieur.

Elvis porta la main à son visage pour le dissimuler, et fit un pas de côté afin qu'on ne puisse pas le voir du couloir. Puis dans un murmure empressé, il lança à Sanchez : « Appuie sur le bouton du rez-de-chaussée. Faut qu'on dégage de là. »

Sanchez entendit parfaitement l'ordre, mais, comme hypnotisé par les vigiles, il ne regarda pas vraiment sur quel bouton il appuya.

Les quatre vigiles se retournèrent pour voir qui était en train de les scruter. Ils aperçurent Sanchez, dans la cabine de l'ascenseur, tendre le bras pour appuyer sur le bouton du rez-de-chaussée. *Et le manquer.* Au lieu de ça, il enfonça son doigt dans l'œil ouvert du faux Otis Redding. À ce contact froid et élastique, Sanchez recula dans un bond. Mais la catastrophe ne s'arrêta pas là. Le cadavre glissa contre le mur et s'écroula devant Sanchez, sous les yeux des quatre hommes qui se trouvaient dans le couloir.

« *Et merde.* » Sanchez se ressaisit, trouva le bouton du rez-de-chaussée et s'empressa d'appuyer dessus. Trop tard. Les vigiles avaient vu le cadavre, et leurs regards allaient et venaient du corps à Sanchez. Le visage d'Elvis était hors de leur champ visuel, mais la manche de son costume doré dépassait du seuil de la cabine.

« Hé ! Vous deux ! *Plus un geste !* » hurla le vigile qui se trouvait le plus près de l'ascenseur. Il avait dégainé son pistolet à une vitesse très impressionnante, et visait à présent l'intérieur de la cabine.

D'une brusque bourrade, Elvis poussa Sanchez de côté. « Plaque-toi au mur, lança-t-il. Sinon ils pourront te reconnaître par la suite ! »

Avec une lenteur atroce, les portes de l'ascenseur commencèrent à se refermer, alors que les quatre vigiles se précipitaient à toute vitesse dans leur direction.

15

Johnny Cash – ou tout du moins, son sosie – avait encore une bonne heure à attendre avant de passer son audition. Il avait bavardé en coulisses avec les autres concurrents, et son assurance tranquille avait impressionné tout le monde. Nul ne se doutait que, sous son air imperturbable, il se chiait dessus. Un million de dollars étaient en jeu. Et que dalle pour celui qui arrivait en deuxième place. Pas un *cent*. Même s'il lui était arrivé au cours de sa carrière d'avoir à gérer pas mal de pression, ce qu'il vivait à présent, c'était définitivement une autre paire de manches.

La salle d'attente bourdonnait d'activité, bondée de candidats pleins d'espoir, déguisés en leur chanteur mort préféré. La pièce était meublée de confortables sofas, chaises et poufs dispersés çà et là, et l'on avait installé contre chacun des quatre murs une table recouverte de boissons et d'en-cas. Mais tout cela ne semblait pas calmer le moins du monde les concurrents. Il régnait dans cette seule pièce plus de nervosité et de tension que dans tout le reste de l'hôtel.

La personne que Johnny enviait le plus était Luther, l'imitateur d'Otis Redding. Ce putain de veinard. Son audition était à présent derrière lui, et il était en train de se détendre dans la loge, avec la certitude quasi absolue d'arriver en finale. Johnny aurait aimé éprouver la même assurance, mais il lui manquait un petit coup de pouce, une sorte de petit remontant qui l'aurait aidé à supporter cette longue et insoutenable attente. Et en outre, il aurait aimé avoir la certitude que tous les autres concurrents qui attendaient avec lui étaient aussi stressés que lui.

D'un rapide coup d'œil, il les passa en revue, et choisit sa proie. Pas de doute, Kurt Cobain était lui aussi à cran. Il se tenait tout seul à côté de la porte qui donnait sur le couloir, dans le fond de la salle, et sirotait une cannette de Sprite tiède à travers une paille. *Oh ! et puis merde, allons-y*, se dit Johnny en s'avançant vers lui.

« Yo, Cobain ! Ça va, mec ? » demanda-t-il en lui adressant un sourire plein d'assurance qui dissimulait sa nervosité.

Le chanteur aux airs de rongeur lui rendit son sourire, en expulsant quelques gouttes de Sprite par le nez. Apparemment, il n'était pas vraiment habitué à ce que des gens s'adressent à lui sur un ton amical. Et puis il devait sûrement se méfier des réelles intentions de Johnny. Kurt avait tout du paria, et ne semblait rien faire pour se mêler aux autres.

« Pour être honnête, je me chie dessus, répondit-il.

— Ah ouais ? Eh bien, j'ai peut-être quelque chose qui peut régler ça.

— Sérieux ?

— Ouais. »

Kurt le considéra d'un œil suspicieux.

« Tu vas pas essayer de me convaincre de la toute-puissance de Jésus et du pouvoir de la prière, quand même ? demanda-t-il.

— Nan », répondit Johnny dans un large sourire.

Ignorant la forte odeur corporelle de son concurrent, il se pencha pour chuchoter à son oreille : « Ça te dirait de taper un rail de coke ?

— T'en as ? »

Puuutain, quel boulet, ce mec, pensa Johnny. « Non, c'était juste pour meubler la conversation », répondit-il d'un ton lourdement sarcastique, avant d'ajouter : « Bien sûr que j'en ai. Alors, t'es partant ?

— Yo ! Après toi, mon pote. »

Johnny se dirigea vers la sortie et Kurt le suivit dans le couloir. Ils prirent la direction des toilettes pour hommes, sur la droite, et après s'être assurés qu'il n'y avait personne dans les parages, Johnny entra brusquement, suivi de près par Kurt.

Les toilettes étaient également vides, et tous deux filèrent tout droit dans la deuxième cabine. Les lieux étaient d'une propreté absolue, et le carrelage blanc du sol semblait avoir été récuré très récemment. Après avoir vérifié une dernière fois qu'ils n'avaient pas été suivis, Johnny referma la porte derrière eux. La cuvette de la cabine qu'ils avaient choisie était aussi propre que le carrelage. Pas même la moindre goutte de pisse sur la lunette d'un blanc éclatant.

Kurt baissa l'abattant et s'écarta afin de laisser la place à son camarade. Johnny sortit d'une des poches de son pantalon un petit sac de cocaïne. Il aurait préféré ne pas y avoir recours, parce qu'il voulait chanter en pleine possession de ses moyens, mais lorsqu'il avait glissé le petit sac de poudre blanche dans sa poche, ce matin même, il savait déjà qu'il finirait par céder à la tentation.

Il ouvrit le sac et vit les yeux de Kurt étinceler. Puis il versa un peu de poudre sur l'abattant des toilettes. Il sortit ensuite de la poche de sa chemise noire une lame de rasoir, et s'en servit pour tracer quatre rails d'environ 10 centimètres de long. L'opération ne dura pas plus de trente secondes : son complice dans le vice en fut très impressionné.

« Tu veux commencer ? » demanda Johnny.

La réponse fut un « oui » emphatique. Kurt avait déjà à la main sa petite paille en plastique blanche et rouge, prêt à sniffer. Quelques minutes auparavant, il s'en était déjà servi pour boire son Sprite. Jamais il n'aurait espéré trouver un autre stimulant, autrement plus puissant que la limonade industrielle.

« Écartez-vous, brave homme », dit-il pour plaisanter. Il s'agenouilla face à la cuvette des W.-C., et, maintenant d'une main la paille dans l'une de ses narines, appuyant d'un doigt sur l'autre, sniffa le rail le plus proche. Il le fit disparaître en une longue prise, d'un bout à l'autre, puis s'accroupit et cligna des yeux. Il s'essuya le nez du dos de la main et renifla bruyamment afin de pas perdre le moindre microgramme susceptible de s'être logé dans un coin de sa narine.

« Alors ça, c'est de la bonne, monsieur Cash. Oh, oui. De la très très bonne, même ! » dit-il. Puis il tendit la paille à Johnny, qui s'en saisit, et, s'agenouillant, se pencha pour sniffer le deuxième rail.

Quelqu'un ouvrit alors la porte des toilettes pour hommes. Johnny entendit des pas résonner à l'intérieur, des semelles de bottes claquant contre le carrelage. Il venait de faire disparaître son premier rail et clignait furieusement des paupières en tentant de réfréner sa terrible envie de hurler à quel point cette coke était bonne.

La personne qui était entrée traversa lentement les toilettes pour hommes. Johnny jeta un coup d'œil sous la porte verrouillée, et vit une paire de bottes noires un peu abîmées passer devant la première cabine, pour s'immobiliser face à la porte derrière laquelle Kurt Cobain et lui se terraient, comme deux écoliers feuilletant en cachette un magazine cochon. Johnny échangea un regard avec Kurt qui semblait aussi inquiet que lui. S'ils se faisaient choper par un vigile en plein usage de substances illégales, tous deux se verraient immédiatement disqualifiés du concours. Il allait donc sans dire qu'il leur fallait observer un silence absolu. Manifestement, Kurt l'avait bien compris.

En proie à une effroyable crise de paranoïa, Johnny vit la pointe des bottes se tourner dans leur direction. Le temps parut alors s'arrêter. La personne qui se trouvait face à la cabine tenta de pousser la porte et constata qu'elle était verrouillée. Johnny jeta un nouveau coup d'œil en direction de Kurt qui, la main plaquée sur son nez, se retenait de toutes ses forces de renifler.

Les bottes reculèrent d'un pas, d'abord la gauche, puis la droite, sortant du champ visuel de Johnny. Soucieux de ne pas les perdre de vue, il eut à peine le temps de se pencher plus bas que la porte s'ouvrit dans un fracas considérable, son verrou volant en éclats. Le battant heurta violemment le front de Johnny et le projeta en arrière. Il tomba le cul par terre à côté de la cuvette des W.-C. Terrifiés, Kurt et Johnny relevèrent les yeux sur un homme tout vêtu de noir. Il portait des lunettes de soleil, et sa tête était recouverte d'une capuche noire.

Kurt prit la parole : « Hé, mec, tu permets ? lança-t-il dans un gémissement. On était peut-être en train de chier ! »

L'intrus répondit d'une voix rocailleuse : « Ah ouais ? Tous les deux en même temps ?

— Euh, non.

— Écoute, mec, intervint Johnny en frottant son front endolori. Y a plein d'autres chiottes de libre, OK ?

— Tu es bien Johnny Cash ?

— Ouais.

— Et Kurt Cobain ?

— Ouais, c'est lui, répondit Johnny en pointant Kurt du doigt.

— Bien. »

Le type ne semblait pas trop pressé de choisir une autre cabine, et la situation qui s'éternisait commençait à tomber dans le bizarre. Johnny essaya d'enterrer la hache de guerre :

« Tu veux un peu de coke ? Il reste deux rails.

— Non. »

S'ensuivit un silence inconfortable, durant lequel les deux imitateurs attendirent la réaction de l'intrus. Celui-ci se contenta de les observer derrière ses lunettes noires. Kurt était à genoux d'un côté de la cuvette, et de l'autre, Johnny était toujours assis sur son cul.

La coke faisait son effet sur l'organisme de Johnny, qui avait l'impression que ses veines ne charriaient plus du sang, mais de l'assurance à l'état pur. Il se sentait invincible. Il était grand temps de se débarrasser de ce sale con.

« Alors si t'en veux pas, ça t'emmerderait de fermer cette putain de porte ? »

L'homme ignora sa remarque et désigna Kurt Cobain du doigt. « Approche », grasseya-t-il. Sa voix était d'une froideur absolue, dénuée de toute émotion.

Kurt se releva tant bien que mal en fronçant les sourcils. « Qu'est-ce que tu v… »

CRAC !

Sans autre forme de procès, l'homme enfonça son poing dans le nez de Kurt. Le direct du droit frappa l'os et le cartilage avec une puissance effroyable. Le nez explosa dans une fontaine de sang, et le chanteur s'écroula par terre, en se cognant brutalement la tête contre l'abattant de la cuvette.

Johnny assista à toute la scène, complètement horrifié. Puis il releva les yeux en direction de l'inconnu. Celui-ci se pencha en avant, le saisit par ses cheveux gominés, et l'obligea à se relever, jusqu'à ce que leurs regards se trouvent au même niveau.

« Qu'est-ce que tu veux, putain ? » bégaya Johnny en s'inspirant de la dernière phrase de son camarade. Il pouvait voir son propre visage se refléter sur les verres opaques des lunettes de l'intrus. Son assurance n'était plus qu'un lointain souvenir. La terreur se lisait sur chacun de ses traits.

Tirant les cheveux de Johnny, l'homme lui fit tourner la tête en direction de la cuvette.

« Finis de sniffer ta saloperie.

— Hein ?

— *Sniffe ce qui reste.* »

Il lâcha alors les cheveux de Johnny et poussa celui-ci en direction de la cuvette. Johnny obéit et s'agenouilla de nouveau, afin de sniffer les deux rails qui restaient. Il ramassa la paille blanche et rouge tombée à côté des chiottes, et la positionna à l'une des extrémités d'un des deux rails. Ses mains tremblaient. Il avait l'horrible pressentiment que l'homme qui se dressait derrière lui écraserait la gueule contre l'abattant dès qu'il se pencherait pour taper.

Putain de merde, c'est pas non plus comme si j'avais le choix !

Il se pencha lentement et enfila la paille dans sa narine gauche. À cet instant précis, exactement comme il s'y était attendu, l'inconnu lui délivra un coup prodigieux derrière le crâne. La puissance de l'impact enfonça la paille au plus profond de son nez. Johnny n'eut à supporter cette douleur effroyable qu'une milliseconde : son nez venait en effet de heurter l'abattant de la cuvette. Des éclats d'os se plantèrent dans son cerveau, le tuant net.

16

Même dans ses bons jours, Angus l'Invincible avait l'air en rogne. Et ce n'était pas un de ses bons jours. Lorsqu'il apprit qu'on avait cédé sa chambre à quelqu'un d'autre, la rage déforma littéralement ses traits. Par-dessus le marché, la réceptionniste lui avait remis une enveloppe adressée à M. Claude Balls (l'un de ses pseudonymes), et qu'on avait déposée à son attention. Cela aurait dû l'apaiser, mais en se saisissant de l'enveloppe, il avait aussitôt remarqué qu'elle avait été endommagée. Bien entendu, tout le personnel de la réception niait l'avoir ouverte. Selon eux, la personne qui occupait sa chambre la leur avait remise dans cet état.

Il faut préciser ici qu'au fil des ans Angus avait torturé un très grand nombre de personnes. Parfois par simple amusement, soit, mais le plus souvent afin d'obtenir des informations. Fort de cette expérience, il sentait d'instinct si la personne qu'il avait en face lui racontait des conneries. Et les réceptionnistes de l'hôtel avaient bien trop peur de lui pour lui mentir. Cela, il en était sûr à 100 %. L'enveloppe contenait encore les photos et la liste des cibles à abattre. Le vrai problème, c'est que le fric avait disparu.

En proie à une grande nervosité, Stephie, la réceptionniste, l'informa qu'il ne restait plus une seule chambre de libre, et l'invita à aller boire un verre dans le bar le plus proche (aux frais de l'hôtel, bien entendu), pendant qu'elle tenterait de lui trouver une nouvelle chambre. Angus savait qu'elle ferait tout ce qui était en son pouvoir pour trouver une solution, pour la simple et bonne raison qu'il avait réussi à les terroriser, elle, mais aussi tout le reste de l'équipe, y compris les agents de sécurité. Après tout, ce n'était pas tous les jours qu'un tueur à gages de 2 mètres arrivait à la réception de l'hôtel pour apprendre que la chambre qu'il avait réservée avait été refilée à quelqu'un d'autre.

En se dirigeant vers le bar, Angus tira les photos de l'enveloppe pour les consulter, et jeta un coup d'œil aux noms des cibles qui figuraient sur un bout de papier. S'il avait survécu aussi longtemps, c'était bel et bien grâce à son instinct, et, en l'occurrence, son instinct lui avait dit dès le début que ce contrat puait le coup foireux. Soit, l'écrasante majorité de ses employeurs étaient des enfoirés (c'était l'un des mauvais côtés de la carrière qu'il s'était choisie), mais le type qui lui avait proposé cette mission était pire encore. Il prétendait s'appeler Julius, mais cette information elle-même était douteuse.

Même selon les standards du milieu trouble où évoluait le tueur à gages, ce Julius paraissait très peu fiable. Angus l'avait lu sur son visage dès leur première rencontre. Ce mec suintait la traîtrise et la dissimulation. Par-dessus le marché, il semblait être du genre à confier une même mission à plusieurs tueurs à gages, à seule fin de s'assurer de la réussite du coup. Il n'était jamais bon de faire affaire avec ce type d'individus. Avec eux, on finissait toujours par bosser avec d'autres assassins dans les pattes, qui, en plus des cibles désignées, essayaient d'abattre leurs concurrents, le salaire revenant au dernier survivant. *Quand on se fait pas carrément trahir par son employeur*, pensa Angus qui enrageait déjà. En temps normal, il aurait refusé la mission pour toutes ces raisons, mais étant donné la dèche dans laquelle il se trouvait, il s'était dit que la récompense qui l'attendait au bout valait le coup de prendre tous ces risques. Il n'en demeurait pas moins que depuis le début la malchance l'avait suivi où qu'il aille, chose qui arrivait à chaque fois qu'il acceptait un job qui ne lui plaisait pas.

Il restait néanmoins convaincu d'une chose : Julius était tout sauf franc du collier, et ses intentions étaient peu claires. Angus avait accepté de travailler pour lui à la seule condition de recevoir une avance de 20 000 dollars. Il était sûr de pouvoir mener cette mission à bien, mais, au cas où les choses ne se passeraient pas comme prévu, ces 20 000 dollars lui permettraient d'éponger une dette qu'il avait contractée auprès de chefs de gang particulièrement peu recommandables. Un carton plein lui vaudrait 30 000 dollars supplémentaires, mais les probabilités d'empocher cette somme étaient assez minimes. Et il était hors de question qu'Angus prenne tous ces risques gratuitement.

Une autre chose le taraudait, un point bien précis qui avait fini de le convaincre que cette mission était ou bien un coup foireux, ou bien un coup monté : le fait que la chambre qu'il avait réservée avait été cédée à un certain Sanchez Garcia, uniquement parce que lui, Angus, était arrivé un peu en retard. C'était ce même Garcia qui, apparemment, avait déposé l'enveloppe à la réception. Il était plus que probable qu'il fût à présent en possession du fric, et qu'il connût les détails de la mission. Peut-être était-ce un autre tueur à gages ?

Tout à ces questionnements, Angus entra dans le bar, d'humeur proprement massacrante, et avec une sacrée envie de boire un coup. C'est alors que la chance parut soudain tourner en sa faveur. Assis à une table au fond du bar se tenait un Black pas très grand vêtu d'un costume violet. Angus le reconnut immédiatement : il s'agissait de Julius, le salopard qui l'avait engagé. Une petite tanche au crâne ras qui détournait le regard à chaque question qu'on lui posait. Peut-être allait-il pouvoir lui expliquer ce qui se passait au juste. Ou, tout du moins, cracher 20 000 dollars.

Angus s'avança vers la table de Julius. En chemin, il apostropha la barmaid : « Hé ! grognasse, amène-moi un double scotch *on the rocks*. »

Profondément indignée, Valerie le considéra des pieds à la tête, au prix d'une tension de la nuque presque douloureuse. En remarquant qu'elle avait affaire à un vrai géant, elle laissa s'échapper un simple « oh ». À l'instar de la plupart des gens auxquels Angus donnait des ordres, elle se dit qu'il valait mieux obéir sagement.

Angus s'assit lourdement sur une chaise face à Julius. Le sosie de James Brown parut d'abord étonné de le voir, mais la surprise laissa vite place à une placidité de façade. Il saisit sa bouteille de Shitting Monkey et but une gorgée au goulot. Des tas de mecs faisaient le coup à Angus : ils répondaient à son allure intimidante en se la jouant nonchalants. Angus prenait un plaisir vicieux à se dire que, malgré les apparences, Julius était probablement sur le point de chier dans son joli pantalon pattes d'eph.

150

Le tueur à gages jeta sur la table l'enveloppe marron qui contenait les photos et la liste de noms, puis s'adossa à sa chaise en dévisageant Julius d'un air furieux. « Ils sont passés où, les 20 000 ? » gronda-t-il, la pointe de son bouc roux tressautant à chaque syllabe.

Julius reposa sa bière sur la table. « Vous êtes en retard », dit-il. S'il était intimidé, il le cachait rudement bien. « J'ai chargé quelqu'un d'autre d'effectuer cette mission.

— *Quoi ?*

— Vous n'êtes pas arrivé au moment convenu. Quelqu'un d'autre se charge d'honorer le contrat. Vous auriez peut-être mieux fait de tendre l'oreille quand j'ai souligné l'importance d'arriver à l'heure.

— J't'écoute à peine en ce moment même, espèce de con.

— C'est vous seul que ça regarde. »

Angus serrait les poings de colère. « Sale enculé, grogna-t-il en plantant un regard noir dans les yeux du chanteur.

— Désolé, mon vieux. Après l'heure, c'est plus l'heure. »

Angus se pencha au-dessus de la table, se rapprochant dangereusement de Julius. « Tu sais quoi, je suis même pas convaincu que tu es ce que tu prétends être. Alors fais bien attention à la façon dont tu me parles, connard. »

Valerie arriva à ce moment précis pour se camper derrière Angus. Elle se pencha pour déposer sur la table un dessous-de-verre en argent sur lequel se trouvait un double scotch *on the rocks*. Les glaçons fondaient dans de légers craquements et sifflements, seuls sons à briser le silence qui s'était installé entre les deux hommes.

151

« C'est pour moi », lança généreusement Julius. Son expression alliait savamment l'insouciance et la fausseté.

« Parce que je t'ai donné l'impression que j'allais payer ? »

Julius tendit à Valerie un billet de 10 dollars qu'il accompagna d'un sourire amical. Elle rangea l'argent dans la petite poche noire qui pendait à sa taille. Puis elle eut la présence d'esprit de se réfugier prestement derrière le comptoir.

« Merci », lâcha Angus d'un ton mauvais avant de boire sa première gorgée. Les glaçons glissèrent dans le verre pour venir se presser contre sa moustache. Du dos de la main, il s'essuya, et reposa son scotch sur le dessous-de-verre en argent. « Alors, qu'est-ce qui est arrivé à mes putains de 20 000 dollars ? J'ai au moins le droit à ça, rien que pour le déplacement.

— Je ne sais pas à quel petit jeu vous jouez, monsieur Balls, mais les 20 000 se trouvaient bel et bien dans l'enveloppe. En tout cas, ils s'y trouvaient lorsque je l'ai glissée sous la porte de votre chambre. Comme je vois les choses, c'est vous qui me devez 20 000 dollars.

— Va te faire foutre. La nana de la réception m'a dit qu'on avait passé ma chambre à un mec du nom de Sanchez Garcia. Pourquoi est-ce qu'il a pris ma chambre ? »

Un bref instant, Julius parut sincèrement surpris.

« Qui est-ce ?

— C'est justement ça que je voudrais savoir. C'est à lui que t'as repassé le job ?

— Merde, j'ignore complètement le vrai nom du type auquel j'ai confié la mission. Je sais seulement que tout le monde l'appelle "le Bourbon Kid". Il n'a pas vraiment l'habitude de révéler sa véritable identité.

— Le Bourbon Kid, hein ? Ce sale enculé… Et il a déjà honoré le contrat ? Parce que moi, je suis prêt à rattraper mon retard dès maintenant. »

Julius poussa un soupir, avant de hausser les épaules d'un air détaché. « S'il est à la hauteur de sa réputation, il en aura fini d'ici dix minutes.

— Eh ben, c'est ce qu'on va voir. »

Angus vida d'un trait son verre de scotch, croqua férocement les glaçons comme pour prouver à Julius sa très forte résistance aux basses températures. Puis il reposa violemment le verre vide et se leva. « Je vais trouver ce Sanchez Garcia et récupérer mes 20 000 dollars. Et après ça, je finirai le boulot. » Son « finirai » était teinté d'une nuance clairement menaçante.

« Bonne chance à vous. »

Angus considéra Julius en hochant la tête. Cette petite merde n'avait même pas l'air mal à l'aise. Les soupçons d'Angus se confirmaient : il fallait se méfier de ce mec comme de la peste. Tournant les talons et se dirigeant d'un pas féroce vers la sortie, Angus se demandait contre qui il convenait de s'énerver. Passer ses nerfs sur Julius aurait été une perte de temps pure et simple. Mieux valait se rabattre sur ce Sanchez Garcia.

Le moment était venu de mettre au point un nouveau plan.

17

La puanteur qui émanait du cadavre d'Otis Redding indisposait très sérieusement Sanchez. La simple vue de ce corps avait suffi à lui donner la nausée, et l'odeur ne faisait qu'empirer les choses. En outre, le cadavre semblait le fixer du regard. Et ce putain de regard avait quelque chose de vraiment flippant. Sanchez tentait de l'éviter, mais quelle que soit la direction dans laquelle il portait le sien, il sentait ces deux yeux morts le fixer avec insistance. Et à chaque fois qu'il le croisait, les yeux du défunt semblaient s'écarquiller un peu plus. Sanchez crevait d'envie de gifler Otis en lui criant d'arrêter de le mater comme ça, mais quelque chose lui disait que ça n'aurait pas été du goût d'Elvis.

Et puis il y avait présentement d'autres sujets de préoccupation autrement plus importants.

Tandis que la cabine de l'ascenseur descendait au rez-de-chaussée, Sanchez priait pour qu'Elvis trouve un moyen de les sortir de la fâcheuse posture dans laquelle ils se trouvaient. Elvis devait forcément savoir comment se débarrasser d'un cadavre et se disculper d'un homicide. Après tout, ça faisait partie de son boulot. Il devait bien exister une méthode éprouvée pour régler ce genre de problème.

« Putain, mec. Qu'est-ce qu'on fout, maintenant ? demanda Sanchez, incapable de dissimuler son besoin irrépressible de voir Elvis prendre les choses en mains.

— Aide-moi à le relever », répondit Elvis.

Il se pencha, glissa une main sous l'aisselle droite du cadavre, et le hissa.

Après un instant d'hésitation, Sanchez se saisit du bras gauche et le tira à lui.

« Qu'est-ce qu'on va faire ? demanda-t-il.

— T'as déjà vu ce film, *Week-end chez Bernie* ?

— Ouais.

— Ben voilà ce qu'on va faire.

— On va l'emmener faire du ski nautique ?

— Non, abruti. On va faire semblant de traîner un pote bourré, jusqu'à ce qu'on ait trouvé un coin où personne ne le retrouvera. Sans cadavre, personne ne pourra nous accuser de l'avoir tué. Les vigiles qui nous ont surpris ignorent complètement s'il est mort, ou simplement ivre mort. Si on arrive à cacher le corps avant qu'ils nous retrouvent, on aura qu'à leur dire que c'était simplement un mec bourré qu'on connaissait pas, et qu'il est descendu au premier étage. »

Sanchez adorait Elvis. Ce plan était complètement merdique, mais c'était mille fois mieux que n'importe quelle idée que Sanchez aurait pu trouver en un délai aussi court. Et étant donné que la seule chose à laquelle il était capable de penser, c'était de mettre des claques au cadavre, c'était un véritable soulagement de constater que son pote maîtrisait la situation. Elvis était plus cool que n'importe qui au monde. Quelle que soit la situation dans laquelle il se trouvait, il ne perdait jamais son sang-froid. Il n'était pas spécialement malin ou rusé, mais il avait une confiance infinie en lui-même, et possédait à l'état inné toutes les qualités d'un meneur d'hommes. Toutes les personnes avec lesquelles il faisait connaissance ne pouvaient s'empêcher de le prendre d'emblée en sympathie, et, pour la plupart, étaient prêtes à tout pour que cette sympathie devienne réciproque. La majorité des gens qui le connaissaient convoitait deux choses par-dessus tout, son approbation et son amitié. Sanchez plus encore que n'importe qui.

Ayant mis Otis Redding sur pied, chacun enroula l'un des bras inertes autour de ses épaules afin qu'on puisse croire qu'ils portaient un ami complètement saoul. Le fait qu'aucune hémorragie ne fût visible était une vraie aubaine. Apparemment, il avait simplement le cou cassé et le pantalon chargé d'un colis indésirable. La cause apparente de sa mort contribuait à lui donner un air d'ivrogne : le moindre mouvement de Sanchez et d'Elvis faisait balancer sa tête d'un côté ou de l'autre. Comme de bien entendu, au tout premier mouvement, la tête roula sur l'épaule de Sanchez, et le regard mort se planta dans les yeux du patron du Tapioca. *Putain*.

L'ascenseur atteignit le rez-de-chaussée, et les portes s'ouvrirent dans un léger crissement, assourdissant aux oreilles de Sanchez, qui priait intérieurement pour ne croiser personne. Pas de chance. Un couple de septuagénaires attendait l'ascenseur, tous deux sur leur trente et un, comme pour la messe dominicale. Lui portait un élégant costume gris, et elle une robe bleue très classique. À en juger par le soin avec lequel ils s'étaient habillés, leur séjour à l'hôtel avait à leurs yeux sa petite importance. Ils parurent passablement choqués en voyant Elvis et Sanchez sortir tant bien que mal de la cabine en portant Otis Redding. Les pieds du cadavre traînaient par terre. Mais au passage, Elvis décocha un clin d'œil à la vieille dame : « Vous inquiétez pas, m'dame, dit-il pour la rassurer, d'une voix profonde qui rendit son sourire encore plus chaleureux. Il a juste bu un verre de trop. »

La vieille dame sourit, et son époux et elle rirent poliment en entrant dans l'ascenseur. En attendant que les portes se referment, ils observèrent Sanchez et Elvis traîner Otis Redding dans le couloir. Quel jeune homme charmant. Et quelle chance de pouvoir compter sur un ami si dévoué. C'est alors que la puanteur les saisit à la gorge.

Sanchez et Elvis croisèrent quelques autres hôtes en se dirigeant vers le hall de réception. À chaque fois, Elvis prenait bien soin d'expliquer qu'Otis était saoul. Il les convainquait systématiquement et parvenait même à les faire rire, discrètement cependant, afin de ne pas réveiller ce qui passait à leurs yeux pour un sosie d'Otis Redding raide bourré.

« On va où, mec ? demanda Sanchez d'un ton légèrement plaintif. Il commence à être lourd, ce con !

— Par ici », répondit Elvis en désignant une porte sur la droite.

Elle était grise, flanquée d'une petite plaque où se profilait un petit bonhomme noir, indiquant l'entrée de toilettes pour hommes. Comme à son habitude, Sanchez fut incapable de deviner le plan qu'Elvis avait en tête.

« Qu'est-ce qu'il y a ? T'as envie de pisser ? demanda-t-il.

— Non, Sanchez, répondit son ami d'un ton las. On va le planquer dans une des chiottes. Il leur faudra des heures pour le retrouver.

— Ah ! d'accord. Super plan. En plus, comme il pue la merde, ça passera complètement inaperçu. »

Ils traînèrent le cadavre jusqu'à la porte, contre laquelle Sanchez plaqua son dos. Il entra en premier, suivi d'Otis, puis d'Elvis. Ce dernier jeta un dernier regard à gauche et à droite afin de s'assurer que personne ne les avait surpris. Cette fois-ci, la chance leur sourit : leur escale aux toilettes passa complètement inaperçue.

De son côté, Sanchez eut le soulagement de constater que les toilettes avaient l'air désertes. La pièce était vaste, environ 12 mètres sur 5. Sur le mur de gauche s'alignaient huit urinoirs, et sur celui de droite, six cabines de toilettes. Face à eux se trouvaient trois lavabos surmontés de glaces.

Personne ne pissait, et à en juger par le silence qui régnait, personne ne chiait non plus. Il y avait bien une odeur de merde qui flottait dans l'air, mais Sanchez était convaincu que c'était eux qui l'avaient emmenée jusque dans ces lieux.

« Dans quelle chiotte tu veux qu'on le mette ? demanda-t-il.

— La première. Tu crois que j'ai envie de porter ce mec une seconde de plus ? »

Sanchez ouvrit la porte de la première cabine de la même façon que la porte des toilettes pour hommes. Pendant qu'Elvis portait seul le cadavre, Sanchez abaissa l'abattant de la cuvette afin de pouvoir asseoir feu Otis. Elvis l'y déposa, et les deux compères passèrent ensuite une bonne minute à positionner leur fardeau de sorte qu'il ne s'écroule pas par terre. Durant les vingt dernières secondes, tous deux s'immobilisèrent, prêts à tendre subitement les mains pour rattraper le corps. Mais celui-ci resta d'aplomb. Et manifestement, il le resterait tant que personne ne viendrait le secouer.

« Ouf ! souffla Sanchez. J'ai bien envie de pisser un coup, après tout ça.

— Parfait. Pendant ce temps-là, je vais verrouiller la porte de l'intérieur, et je sortirai par au-dessus.

— Cool. »

Sanchez sortit de la cabine pour aller se camper devant l'urinoir le plus proche. Il entendit Elvis pousser le verrou de la porte, puis maugréer quelque chose du style « *Ah ! merde, j'avais pas pensé à ça* ».

Tout en commençant à pisser, Sanchez se rendit compte que, afin d'escalader la paroi d'une cabine de W.-C., n'importe quel être humain normalement constitué devait tout d'abord se hisser sur la cuvette. Pour Elvis, la chose était impossible, car Otis Redding était assis sur la lunette. Sanchez entendit son ami tenter de grimper à grand fracas. Soit dit en passant, raclements et impacts s'accompagnèrent d'un bon quota de jurons.

Lorsqu'il en eut fini, Sanchez ferma sa braguette et, se retournant, aperçut Elvis sauter du haut de la cabine, avant d'épousseter et d'examiner sa veste dorée, en quête de la moindre tache. Sanchez s'approcha des trois lavabos, ouvrit le robinet de celui du milieu et rinça les quelques gouttes de cuvée spéciale qu'il avait sur les doigts.

« Sanchez », appela Elvis.

Sanchez releva les yeux et vit dans le miroir qui lui faisait face le reflet du King, immobile face à la deuxième cabine.

« Ouais, quoi ?

— Je crois qu'il faut que tu jettes un œil à ça. »

Elvis avait les yeux rivés à l'intérieur de la cabine.

« Qu'est-ce que c'est ? Un étron géant ?

— Pire que ça. »

Chose très inhabituelle, le ton d'Elvis était légèrement teinté d'une faible inquiétude. Sanchez se dépêcha de fermer le robinet, secoua ses mains et alla rejoindre Elvis. Avant même d'arriver à sa hauteur, il comprit qu'ils étaient confrontés à une nouvelle difficulté.

« C'est quoi, ce truc par terre ? demanda-t-il.

— Du sang, répondit Elvis.

— Du sang ? Celui d'Otis Redding ?

— Nan. »

Une petite flaque de sang s'écoulait sous la porte entrouverte de la deuxième cabine. Lentement mais sûrement, la flaque grossissait de seconde en seconde. À petits pas circonspects, Sanchez arriva enfin à côté d'Elvis. Tournant la tête, il regarda à l'intérieur de la cabine.

« Putain de bordel de merde ! »

Elvis avait découvert rien de moins que deux autres cadavres. Un mec qui ressemblait assez à un clodo était avachi contre le mur, à côté de la cuvette. L'autre type, tout vêtu de noir, était allongé sur le dos, les pieds sur la lunette. Du sang coulait d'une plaie à la base de sa nuque. C'était de là que provenait la flaque qui ne cessait de grossir.

« Y avait pas de sang quand on est entrés, putain ! »
remarqua Sanchez, assez remué par ce spectacle. Il
était de nouveau pris de nausée, et bien plus intensément qu'auparavant.

« J'ai dû donner un coup de pied à un de ces deux
mecs en sortant des chiottes.

— Mais merde, qu'est-ce qui se passe dans cet
hôtel ? »

Sanchez était habitué à voir des morts dans son bar,
le Tapioca, et il pensait jusqu'alors que les choses
devaient se passer différemment dans un établissement
aussi cher et respectable que celui-ci. Pourtant, force
était de le constater, il y avait des cadavres à tous les
étages.

Celui qui était avachi contre le mur portait un pull
bleu crado et un jean déchiré. Son visage était recouvert de sang : son nez était manifestement cassé, et il
avait perdu quelques dents. Ses cheveux blonds et gras
présentaient de grosses mèches coagulées d'un rouge
sombre. Et pour compléter le tableau répugnant, il roulait des yeux blancs. *Remarque, lui au moins risque
pas de me fixer comme un con*, se dit Sanchez avant de
considérer l'autre homme. Il était plus âgé, son épaisse
tignasse brune était en bataille, et ses yeux étaient également révulsés. Elvis posa alors une main sur l'épaule
de Sanchez.

« T'as capté qui c'était ?

— Hein ?

— Kurt Cobain et Johnny Cash. Deux des cinq
noms qui figuraient sur la liste que t'as trouvée. »

Il avait tout à fait raison. Sanchez s'étonna que la
chose ne lui ait pas sauté aux yeux d'emblée.

« Merde. C'est sûrement ce Claude Balls qui les a tués.

— Ouais. Faut qu'on se casse, Sanchez. On est en compagnie des trois cadavres qui figurent sur la liste de cibles. Si quelqu'un nous surprend ici, on va se retrouver dans une sacrée merde. Sans compter qu'on nous a vus en train de transporter Otis. »

Là encore, Elvis avait complètement raison. Mieux valait ne pas traîner dans le coin. Même s'ils étaient totalement innocents, ils faisaient figure de suspects numéro un. Et le fait qu'Elvis était un tueur à gages professionnel n'arrangeait rien.

Avant qu'ils aient pu se retourner vers la sortie, ils entendirent la porte d'entrée des toilettes pour hommes s'entrebâiller. Elvis saisit le bras de Sanchez et le tira dans la troisième cabine. Il referma la porte derrière eux et plaqua Sanchez contre le mur du fond. Le patron du Tapioca était muet de terreur, mais même ainsi, Elvis porta son index à ses lèvres en hochant la tête. Ce ne fut pas du goût de Sanchez. Il n'avait pas besoin du King pour savoir quand le silence s'imposait. Il voulut justement le lui faire remarquer, mais fut coupé dans son élan par le bruit des pas de deux hommes sur le carrelage. En les entendant s'approcher lentement des urinoirs, Sanchez pria pour que ces intrus ne remarquent pas la flaque de sang qui s'échappait de la deuxième cabine, et ne s'y intéressent pas de trop près.

18

Pour Emily, c'était l'aboutissement de toute une vie : elle tenait une occasion unique de se faire un nom et de devenir la star attitrée de l'Hôtel Pasadena. Elle aurait aimé de tout son cœur partager ce moment avec sa mère. Nul doute que sa présence à ses côtés aurait suffi à apaiser son anxiété.

Angelina, la mère d'Emily, avait été une grande chanteuse de cabaret itinérante durant de longues années, et aussi loin que se souvînt Emily, elle avait toujours souhaité ressembler à sa mère, et, comme elle, tenir son public dans le creux de sa main. Durant son enfance, elle avait suivi sa mère un peu partout sur le globe. Elles avaient passé des mois entiers à bord de bateaux de croisière, dans des hôtels et des casinos, selon les saisons. Cela avait été merveilleux de grandir ainsi, parmi des milliers de personnes de toutes sortes, toutes plus intéressantes les unes que les autres. Emily se rappelait souvent, avec un plaisir infini, toutes ces heures passées avec des employés d'hôtel, que la voix de sa mère subjuguait. Angelina chantait divinement et possédait une très large tessiture. Cette polyvalence lui permettait de chanter de grands classiques en imitant à la quasi-perfection leurs interprètes originaux, quelle que soit la complexité de la mélodie. Et lorsqu'on lui laissait un peu plus de liberté, elle brillait également par ses interprétations plus personnelles.

Très tôt, elle avait encouragé Emily à suivre cette même voie, et l'avait guidée et conseillée sans relâche. Emily se souvenait surtout de la voir chanter des coulisses, et d'espérer de tout son cœur être un jour exactement comme elle. Elle avait à présent l'opportunité de faire de ce rêve une réalité.

Leur vie itinérante avait pris fin deux ans auparavant. Angelina était tombée malade. On avait d'abord cru à une simple infection de la gorge, mais c'était en réalité bien pire. Pendant des mois, Angelina fut incapable de chanter, si ce n'est, lorsqu'elle retrouvait momentanément l'usage de sa voix, bien en deçà de ses capacités. On finit par diagnostiquer un cancer de la gorge. Elle était alors âgée de 47 ans. La mère et la fille furent anéanties par cette nouvelle.

Emily s'était aussitôt chargée de gagner de quoi survivre : presque chaque *cent* qu'elle empochait partait en frais médicaux pour sa mère. Et même ainsi, ce n'était pas suffisant. Pire encore, sa carrière de chanteuse fut considérablement entravée du fait que sa mère était trop malade pour voyager. Aussi, durant l'année qui venait de s'écouler, Emily avait participé à tous les concours de chant à l'est de Little Rock, bien souvent dans des petits bars miteux, dans l'espoir de réussir à percer. Et lorsqu'elle ne chantait pas, elle travaillait dans des fast-foods afin de joindre les deux bouts.

Guidée par l'énergie du désespoir, Emily savait que c'était le moment ou jamais de prouver qu'elle était capable de suivre la voie jadis empruntée par sa mère. De plus, si elle remportait le concours « Back From

The Dead », ce serait la fin de leurs soucis d'argent. Et elle deviendrait une star. Comme maman. Sa mère l'avait soutenue de tout son cœur, l'avait pressée de tenter sa chance. Malgré sa nervosité, Emily éprouvait une immense fierté en attendant l'heure de son audition. Ce sentiment était toutefois entaché par le fait que sa mère ne la verrait pas chanter.

Des coulisses, elle observait avec bienveillance un imitateur de John Lennon massacrer « Imagine ». C'était une vraie chance de passer après un tel désastre, mais, même ainsi, Emily ne pouvait s'empêcher de prendre en pitié ce pauvre chanteur. Elle avait vu à quel point il était nerveux avant d'entrer sur scène. Manifestement, il avait perdu tous ses moyens : dès le premier vers, une fausse note lui avait échappé. Depuis le début des auditions publiques, il y avait eu un certain nombre de très mauvaises prestations, mais celle-ci était sans doute la pire de toutes. Et le fait que les jurés le laissent chanter bien trop longtemps n'arrangea pas les choses. D'autres chanteurs, bien meilleurs que lui, avaient été interrompus après une petite vingtaine de secondes. On laissa le malheureux concurrent chanter aussi longtemps qu'Otis Redding, à seule fin que le public puisse jouir de son échec complet.

Lorsqu'il se tut enfin, les jurés se montrèrent bien évidemment acerbes. Emily grimaça en entendant leurs odieux commentaires.

« Chéri, mon *chat* chante aussi bien », lança Lucinda, d'habitude la plus sympathique.

Afin de ne pas être en reste, Candy enchaîna aussitôt : « Mon chat chante *mieux* que ça ! »

Nigel administra le coup de grâce dans un profond soupir : « Je crois que mon chat vient de se pendre en vous écoutant. »

Au plus grand soulagement d'Emily, et sans aucun doute du malheureux chanteur, ces remarques désobligeantes suscitèrent l'empathie du public. Vu le degré d'abattement du concurrent, ces critiques blessantes étaient totalement inutiles. Une bonne partie des spectateurs se fit une joie de huer les jurés. Pourtant, il n'y avait aucun doute à avoir : John Lennon ne participerait pas à la finale.

En quittant la scène, le sosie, découragé, sourit fugacement à Emily. Il était au bord des larmes.

« Vous y arriverez, la prochaine fois, dit-elle pour le réconforter.

— Je crois que je vais aller trouver le chat de Nigel pour lui emprunter sa corde. »

Il aurait été déplacé de rire à sa plaisanterie, mais s'abstenir aurait été particulièrement malpoli. Aussi, Emily continua de lui sourire et baissa les yeux sur ses chaussures afin d'éviter son regard.

Sur scène, Nina Forina, la présentatrice du concours, était sur le point d'annoncer le passage d'Emily au public. Nina était une blonde glamour d'une petite trentaine d'années. Elle portait une longue robe argentée qui exagérait sa maigreur, au point de dissimuler toute courbe féminine. Elle arborait également le bronzage orangé apparemment de rigueur en ces lieux, et qu'elle avait dû acquérir de la même façon que Nigel Powell.

Alors que Nina s'adressait à l'assistance, Emily aperçut un homme, debout dans l'ombre sur sa gauche, tout près du bout de la scène. Il la fixait des yeux, comme hypnotisé par quelque chose en elle. D'abord flattée, elle se rendit bien vite compte que ce regard avait quelque chose de profondément inquiétant. L'homme semblait ne pas s'être rendu compte qu'elle l'avait remarqué, et, à chaque fois qu'elle détournait les yeux, elle avait la certitude absolue qu'il continuait à la regarder.

Au bout d'un moment, elle comprit qu'il n'était pas tant en train de la fixer *elle* que sa robe. Décontenancée, elle baissa les yeux pour vérifier qu'aucune tache ne maculait sa tenue de scène. Tout semblait en ordre. Y compris ses chaussures. Elle les avait nettoyées une demi-heure plus tôt, et elles étincelaient littéralement. Ces chaussures étaient un élément clef de sa tenue. Emily jeta un regard par-dessus son épaule en pliant une jambe après l'autre, afin de s'assurer que rien ne s'était collé à ses semelles. Elles étaient impeccables.

Le comportement de l'inconnu inquiétait considérablement Emily, qui n'avait pas besoin de ce regard fixe pour se sentir stressée au plus haut point. Elle tripota nerveusement ses longues couettes de cheveux châtains. Avec un soin infini, elle avait tressé ses cheveux en deux nattes qui tombaient sur le devant de ses épaules. Emily restait convaincue que son déguisement était parfait. Mais sciemment ou pas, son admirateur (s'il s'agissait bien là d'un admirateur) commençait à saper sa belle assurance. Devant le miroir de la loge, elle avait dû vérifier une bonne centaine de fois que tout était en ordre dans son costume et son apparence. Alors pourquoi est-ce que ce timbré la fixait comme ça ?

Elle jeta un nouveau coup d'œil dans sa direction. Le regard de l'homme, toujours rivé à sa robe bleue, s'abaissa alors, pour se fixer sur les chaussures d'Emily. *Ça suffit comme ça*, pensa-t-elle. *Il va falloir le remettre à sa place*. Poliment, mais avec fermeté. La meilleure marche à suivre semblait d'engager la conversation afin de briser la glace. Peut-être cela suffirait-il à comprendre pourquoi il agissait d'une façon aussi singulière.

« Elles brillent pas mal, hein ? » lui lança-t-elle.

L'homme releva alors le regard pour le planter dans le sien. Elle lui adressa un sourire dans l'espoir qu'il le lui renverrait. Mais il n'en fit rien. Au lieu de ça, il quitta les ténèbres dans lesquelles il était resté tout ce temps. Bien malgré elle, Emily se sentait mal à l'aise. Ce type était vraiment flippant. Tout sauf le genre de personnage qu'elle avait envie de croiser avant la prestation la plus importante de toute sa carrière. Les vêtements de l'inconnu, entièrement noirs, donnaient l'impression qu'un peu de ténèbres s'étaient attachées à lui. Lorsqu'il sortit complètement de la zone sombre des coulisses où il s'était tenu, Emily vit qu'il portait un pantalon treillis noir et une veste en cuir noir, avec une capuche dans le dos. En passant devant elle, il tira une paire de lunettes noires d'une des poches avant de sa veste, et l'enfila, dissimulant ses yeux derrière les verres opaques.

Et sans un mot, il disparut.

Emily se réjouit de son départ. Elle décida instantanément d'oublier ce curieux incident afin de se concentrer pleinement sur la prestation de sa vie. Cela s'avéra d'autant plus facile que, quelques secondes à peine après la disparition de l'inconnu, Nina Forina l'invita avec enthousiasme à entrer sur scène : « Mesdemoi-selles, mesdames et messieurs, veuillez encourager notre prochaine concurrente, Emily Shannon ! »

Emily quitta les coulisses et s'engagea sur les planches, ses souliers rouges étincelant à chaque pas. Elle s'immobilisa au beau milieu de la scène, à côté de Nina. Dès le premier coup d'œil à son déguisement, le public comprit qui elle s'apprêtait à imiter, et se mit à l'applaudir.

Et au cas où certains n'auraient pas compris, Nina se fit un plaisir de clarifier tout à fait les choses : « Emily va à présent nous chanter "Over The Rainbow", chanson tirée du film *Le Magicien d'Oz*. Alors on applaudit bien fort… *Judy… Garland !* »

19

L'interprétation de « Over The Rainbow » par Emily mit Nigel Powell d'excellente humeur. Cette fille avait une voix d'ange. Sa prestation était à couper le souffle, et elle avait été récompensée par la *standing ovation* la plus longue et la plus bruyante jusqu'à présent. Emily avait ravi le public, tout comme Nigel Powell s'y était attendu. Ses deux collègues jurées et lui-même s'étaient fait une joie de lui tresser de superbes lauriers. Emily ne l'avait pas déçu. Il l'avait choisie comme l'une des cinq finalistes et, intérieurement, il espérait que ce soit elle qui remporte le concours.

Mais la belle humeur de Powell ne dura pas longtemps. Peu après qu'Emily eut quitté la scène, Tommy, chef de la sécurité, lui avait signalé des coulisses que quelque chose n'allait pas. Nigel avait annoncé une pause de vingt minutes afin de régler ce problème dont il ignorait encore la nature. Il espérait néanmoins que Tommy ne l'avait pas poussé à cette interruption pour rien.

Powell quitta la scène à son tour pour s'engager dans un long couloir qui menait à son bureau. Tommy semblait extrêmement pressé : il ouvrait la marche, un mètre devant. Ils se trouvaient à mi-chemin, et le chef de la sécurité n'avait toujours pas jugé bon d'expliquer à son patron pourquoi il l'avait arraché de son siège de juré. Et tout cela commençait à irriter Powell très sérieusement.

Le couloir était vide, mais suite à la pause inopinée dans le concours, de nombreux spectateurs allaient certainement se diriger vers les bars, les toilettes et le casino, emplissant très bientôt les lieux de leur brouhaha et de leur cohue. En conséquence, Tommy pressa un peu plus son employeur. Cela finit d'agacer Powell. Pour qui se prenait Tommy, pour le pousser ainsi à trottiner ?

« Pourquoi cette précipitation ? finit-il par lancer, sans parvenir à dissimuler son énervement.

— J'ai pas envie qu'on nous entende, patron.

— Ça a intérêt à être important, Tommy. Je ne peux pas me permettre d'interrompre le concours à chaque fois que tu as envie d'échanger quelques mots. On a un *timing* super serré à respecter, tu le sais. »

Il ignorait toujours pourquoi il devait presser ainsi le pas, et pourtant Tommy, un mètre devant lui, continuait à lui faire signe d'accélérer. Powell avait la sensation d'être la cible d'une tentative de meurtre, transporté en lieu sûr par son garde du corps. De tout son être, il espérait que ce ne soit pas le cas. Le chef de la sécurité accéléra encore le pas, au point de faire des petites foulées de jogging.

« Ouais, je sais, répondit-il enfin à son patron. Mais quelque chose de grave est arrivé.

— Quoi ?

— On pense qu'Otis Redding est mort. »

Powell marqua soudain le pas et observa Tommy qui courut quelques mètres avant de se rendre compte que son patron s'était arrêté. Il se retourna alors pour lui faire signe de continuer à le suivre.

« Ramenez-vous, patron !

— Otis Redding ?

— Ouais.

— Sérieusement ?

— Oui. Je plaisante pas. Il est mort. J'ai envoyé quatre gars rendre visite à ce Sanchez Garcia dans sa chambre, comme vous me l'aviez demandé. Ils étaient encore sur le seuil lorsqu'ils ont vu deux mecs dans l'un des ascenseurs, en compagnie d'un cadavre. Ils sont quasiment sûrs que c'était Otis Redding. »

Deux jeunes spectateurs doublèrent Powell, manquant de le bousculer tant ils avaient hâte d'arriver au bar avant tout le monde. Comprenant que, bientôt, les lieux seraient bondés d'une foule aussi empressée que ces deux jeunes gens, Powell reprit sa semi-course en direction de son bureau, rattrapant Tommy qui choisit cette fois de rester à ses côtés, plutôt que loin devant.

« Est-ce qu'on a mis la main sur ces types qui se trouvaient dans l'ascenseur ? demanda Powell.

— Pas encore.

— Quelqu'un d'autre a-t-il aperçu le corps ? Si le bruit se répand, on risque d'avoir à gérer une panique générale.

— Tout porte à croire que personne d'autre ne l'a vu. Mais mes gars sont en train de vérifier. »

Le front de Powell faillit se plisser, mais, fort heureusement, la forte concentration de Botox sur tout son visage l'empêcha de révéler au chef de la sécurité l'inquiétude qui le rongeait. Seule sa voix la trahissait.

« Merde. Alors cette foutue Dame Mystique avait vu juste. Le mec qui occupe la 713 est vraiment venu ici pour buter les finalistes.

— On dirait. Apparemment, il n'était pas tout seul, mais mes gars ont pas pu voir le mec qui l'accompagnait.

— Intéressant. »

Powell repensa aux prédictions hasardeuses d'Annabel de Frugyn. « La Dame Mystique disait qu'il a été engagé par l'un des concurrents. Il faudra rester à l'affût du moindre comportement bizarre chez les autres chanteurs. »

Tout en parlant, il vit Tommy grimacer. Ou bien cette petite course lui avait flanqué un point de côté, ou bien quelque chose d'autre clochait.

« Quoi ? lança Powell en tentant de froncer les sourcils.

— C'est pas tout, patron. Si je vous conduis jusqu'à votre bureau, c'est pour une bonne raison.

— Laquelle ?

— Y a un gros mec intimidant qui vous y attend.

— Quoi ? Et qu'est-ce que fout ce gros mec intimidant dans mon bureau ?

— Il veut vous parler. »

La porte du bureau de Powell se trouvait à l'écart du couloir, au fond d'une petite alcôve. Tommy s'y engagea et tendit la main. Avant qu'il ait pu toucher la poignée, Powell lui attrapa l'épaule afin de l'en empêcher.

« De quoi veut-il s'entretenir ?

— De Sanchez Garcia.

— Putain. Comme si j'avais du temps à perdre avec ces conneries. »

Son ton trahissait la colère qu'il éprouvait.

« Je crois qu'il vaudrait mieux que vous lui parliez. Comme je vous l'ai dit, ce mec est vraiment intimidant.

— Est-ce qu'il a des cornes sur le haut de la tête ? Est-ce qu'il est tout rouge ? Est-ce qu'il tient une grosse fourche ?

— Non.

— Alors il ne me fait pas peur. »

Bien conscient de l'énervement de son employeur, Tommy tâcha de le ramener à un peu plus de raison, afin que tout se passe au mieux. « Il faudrait que vous fassiez un plus gros effort pour vous calmer, vous pensez pas, patron ?

— Tout à fait d'accord, répondit Powell. Et d'autant plus que, jusqu'à maintenant, je n'ai pas fait le moindre effort dans ce sens. »

Il poussa alors Tommy de côté et sortit une carte de la poche de sa veste. Il la fit glisser dans le sabot magnétique de la porte et vit la diode passer du rouge au vert. En adressant un hochement de tête mécontent au pauvre chef de la sécurité, il tourna la poignée de la porte, et celle-ci s'ouvrit vers l'intérieur.

Powell entra d'un pas impérieux, afin d'impressionner l'homme qui l'attendait. Son regard se posa alors sur un véritable géant, assis sur *son* fauteuil, à *son* bureau, en train de fumer l'un de *ses* cigares. Il portait un long trench-coat gris et, en dessous, un T-shirt noir et sale. Il avait les cheveux longs et roux, et un bouc tressé de même couleur. Son visage buriné semblait capable d'encaisser les coups sans broncher et, visiblement, en avait essuyé un certain nombre par le passé. Powell lança un regard à Tommy, haussa les yeux au

174

ciel, puis alla s'asseoir en face de l'inconnu. Tommy referma la porte et se posta face au battant.

Le patron de l'hôtel perçut immédiatement l'arrogance et le dédain qui émanaient de l'homme assis à son bureau. D'un ton d'indifférence absolue, mais non sans politesse, il lui lança : « Vous avez deux minutes. Que puis-je faire pour vous ?

— Je veux que vous me donniez 20 000 dollars.

— C'est non. Question suivante. »

Il dévisagea l'intrus d'un regard dur avant d'ajouter : « Une minute et quarante-cinq secondes. »

L'homme encaissa le refus sans rien laisser paraître. « Vous savez que vous avez un malade mental dans votre hôtel qui s'amuse à crever les chanteurs de votre concours ?

— Oui, je le sais. Et mon équipe de sécurité est en train de s'en charger. D'ici dix minutes, ils auront sans aucun doute appréhendé ce déséquilibré.

— Ah ouais ? Et vous savez qui c'est ? »

Cette série de questions agaçait Powell. « Oui. Et *vous* ?

— Peut-être bien.

— Alors dites-moi, selon vous, qui est-ce ?

— C'est vous qui allez me dire d'abord qui c'est, selon vous.

— Pourquoi moi d'abord ?

— Parce que je crois que vous savez pas qui c'est. »

Trouvant la conversation très pénible, Powell céda le premier. « Très bien. Je crois qu'il s'agit d'un certain Sanchez Garcia », dit-il dans un profond soupir. Même en temps normal, son seuil de tolérance à l'ennui était fort bas. En l'occurrence, il était déjà à bout de patience.

Le rouquin tira sur son cigare, le sortit de sa bouche et en considéra le bout ardent, afin de vérifier l'état de la cendre. Constatant avec plaisir qu'il n'aurait pas à tapoter le cigare au-dessus de la riche moquette du bureau, il reporta son attention sur Powell en lui adressant un petit sourire satisfait.

« C'est juste. Mais voici la vraie question. Savez-vous qui est ce Garcia ?

— Quelle différence ça fait ?

— Ça a sa petite importance.

— Alors allez-y. Éclairez-moi de vos lumières.

— Sanchez Garcia est plus connu sous le surnom de Bourbon Kid. »

S'il s'attendait à une réaction, il fut certainement assez déçu. Powell s'adossa à son siège et s'adressa à Tommy, qui se tenait raide comme un piquet face à la porte, les mains jointes devant lui.

« Tommy. Qui est le Bourbon Kid ?

— Sans doute le plus gros tueur en série encore en vie, monsieur. Un malade qui a un sérieux problème de boisson. En gros, quelqu'un à qui il vaut mieux pas avoir affaire.

— Humm. » Nigel se retourna vers l'homme assis à son bureau. « Et vous, qui êtes-vous ?

— On m'appelle Angus l'Invincible.

— Et pourquoi vous appelle-t-on comme ça ?

— Parce que c'est comme ça que je m'appelle.

— Je vois. Et vous voudriez que je vous verse 20 000 dollars pour que vous assassiniez ce Sanchez Garcia qui, à en croire Tommy, est le plus gros tueur en série de l'histoire ? »

Tommy toussa. « Euh, en fait, j'ai dit "encore en vie". »

176

Son patron essaya de froncer les sourcils. « Ça fait une grosse différence ?

— Euh. Bah, ça veut dire que lui est toujours vivant, et que les autres tueurs en série aussi dangereux que lui sont morts.

— Ça t'arrive de réfléchir cinq secondes à ce que tu dis ?

— Non, monsieur.

— Alors ferme-la. »

Powell se retourna de nouveau vers Angus. Bien qu'il eût hâte de relancer le concours, le géant avait piqué sa curiosité. « Bon. Donc ce Bourbon Kid est un tueur en série. On est bien d'accord sur ce point, n'est-ce pas ?

— Carrément.

— Un instant, je vous prie. »

Powell s'adressa au chef de la sécurité de son hôtel. « Tommy, vois si tes hommes ont retrouvé la piste de Bourbon Garcia.

— Bien, monsieur. »

Il détacha le petit talkie-walkie qui pendait à sa ceinture, appuya sur un bouton et, le portant à sa bouche, parla : « Sandy. Ici Tommy. À toi. »

Quelques secondes s'écoulèrent avant qu'une voix crépite à l'autre bout des ondes, assez fort pour que les trois hommes présents dans le bureau puissent l'entendre.

« Ici Sandy. On a un souci, chef.

— Qu'est-ce qui se passe ? Je suis avec M. Powell. On veut savoir où vous en êtes.

— Ça va pas vous plaire.

— Dis toujours.

— En fait, le truc, c'est que Tyrone et moi, on est dans les toilettes pour hommes du rez-de-chaussée, et on vient de trouver Otis Redding dans l'une des cabines W.-C. Il est mort, pas de doute. La nuque brisée, apparemment.

— Aucune trace des mecs qui ont fait ça ?

— Non, mais c'est pas tout. Y a deux autres macchabées ici. Kurt Cobain et Johnny Cash ont été tués, eux aussi. Et encore plus salement qu'Otis. »

L'humeur de Powell s'assombrit plus encore. Il avait perdu trois de ses cinq finalistes. L'heure était grave. Tommy voulut conclure l'échange : « OK, continuez à rechercher ces types. Ils ont pas dû aller bien loin.

— Bien reçu, Tomm... *OH ! PUTAIN !* »

Empreinte de terreur, la phrase de Sandy fut ponctuée d'un brusque fracas. Tommy s'empressa de répliquer : « Sandy, c'est quoi, ce bordel ? »

L'autre ne répondit pas. Un véritable pandémonium s'échappa du talkie-walkie de Tommy. Durant près de dix secondes, les ondes ne relayèrent que chocs sourds de coups de poing s'enfonçant dans la chair, jappements désespérés, et les cris de Sandy qui tentait de décrire ce qui se passait. Il semblait que Tyrone et lui venaient d'être attaqués mais, bien malheureusement, le vacarme qui régnait couvrait l'essentiel de ses mots. Puis, tout à coup, le contact fut rompu.

Tommy ne laissa pas tomber pour autant : « Sandy ? *Sandy ?* T'es toujours là ? Qu'est-ce qui se passe, bordel de merde ? »

Durant une vingtaine de secondes, ils attendirent une réponse de Sandy. Ou même de Tyrone. Mais aucune ne se fit entendre. Powell regretta soudain de ne pas avoir posé tout un tas d'autres questions à Annabel de Frugyn. En inspirant profondément, il adressa un bref mouvement de tête à Tommy.

« Va chercher 20 000 dollars pour ce mec », lui dit-il en pointant du doigt l'homme assis en face de lui.

Affichant un large sourire, Angus tapota son cigare, dont la cendre tomba en plein centre du bureau de Nigel. « Le prix vient de passer à 50 000 », dit-il en lui décochant un clin d'œil.

Powell savait que le temps lui manquait pour négocier. « Va lui chercher ce qu'il demande », ordonna-t-il à Tommy. Le chef de la sécurité acquiesça et quitta le bureau en refermant la porte derrière lui.

« Heureux que vous ayez enfin vu la lumière, dit Angus en tirant sur son cigare, sans se défaire de son petit air satisfait. Mais vous auriez mieux fait de m'écouter dès le début, pas vrai ?

— Si vous croyez que je suis en train de vous écouter.

— Hé ! pas de problème. Du moment que vous me lâchez ce putain de pognon. »

Powell hocha la tête en secouant son index à l'intention d'Angus. « Vous n'y êtes pas. Vous allez tuer ce Sanchez, et toute personne susceptible d'être son complice. Vous vous y prenez comme vous voulez. Tout ce que je vous demande, c'est de faire ça hors de l'hôtel. Trouvez-les, attrapez-les, emmenez-les dans le désert et tuez-les. Ensuite, enterrez-y ces enfoirés. Les 50 000 dollars vous attendront ici. Et je veux un Polaroid.

— Et moi, je veux 20 000 d'avance.

— Pas besoin d'avance. Une fois que vous aurez fini votre boulot, vous n'aurez aucune difficulté à me retrouver. »

Ce refus de toute avance, de quelque montant que ce soit, était pour Powell une façon d'établir clairement qui était le boss. Aussi redoutable qu'eût pu être Angus, s'il acceptait de travailler pour Nigel Powell, il recevrait exactement le même traitement que n'importe quel employé de l'Hôtel Pasadena. Il devrait d'abord bosser, pour ensuite empocher.

Manifestement, cela ne plaisait pas du tout au tueur à gages. Et il exprima clairement son mécontentement en écrasant son cigare sur le superbe bureau de chêne massif. Même après que la braise se fut éteinte, il continua à tordre le tabac entre ses doigts, sans quitter une seule seconde Powell des yeux. Son visage se contorsionna d'un côté, comme si un hameçon s'était planté à la commissure de ses lèvres, et qu'un pêcheur remontait sa ligne. Il reprit le contrôle de ses muscles faciaux, et quitta le fauteuil. Son tout nouvel employeur comprit alors pleinement ce que Tommy avait voulu dire en le qualifiant de « gros mec intimidant ». Ce type était vraiment un putain de titan.

Quelle que soit la véritable identité de ce Sanchez Garcia, il était sur le point de passer un sacré mauvais quart d'heure.

20

La dernière fois que Sanchez s'était retrouvé recroquevillé dans un coin, en train de se chier dessus de peur presque littéralement, tandis qu'Elvis gérait la situation, remontait à exactement dix ans. Cela s'était passé dans une église, et Sanchez s'était servi d'un gamin comme d'un bouclier humain, pendant que son ami tueur à gages avait massacré du vampire à l'aide d'une arme non conventionnelle en forme de guitare. Cette fois-ci, le King ne fit usage que de ses poings. En une minute et demie, les gros costauds de la sécurité de l'hôtel se retrouvèrent sur le carreau, inconscients et recouverts de sang. Une fois de plus, Elvis venait de sauver la peau du cul de Sanchez.

Alliant rapidité, talent et force brute, le King avait désarmé et mis KO les deux vigiles, Sandy et Tyrone. Durant l'essentiel du combat, Sanchez était resté dans la cabine des toilettes, les yeux clos, élaborant une version exagérée de la lutte qu'il se ferait un point d'honneur à raconter une fois de retour au Tapioca. Le plus important, c'était qu'Elvis avait réglé le problème, et qu'il l'avait réglé avec classe. Lorsque le bruit de l'affrontement cessa enfin, Sanchez rouvrit un œil, puis l'autre. Elvis lui tournait le dos, juste devant la cabine.

Les vigiles étaient étalés par terre, dans la flaque de sang qui continuait de couler de la deuxième cabine. Impossible de dire si le sang qui souillait le dos de leur uniforme noir appartenait exclusivement à Johnny Cash. Le vigile le plus proche avait la joue écrasée contre le carrelage blanc des toilettes, et du sang coulait doucement de son nez, salement tuméfié. De là où il se cachait, Sanchez ne pouvait voir le visage de l'autre vigile.

« Ramène-toi, Sanchez ! lui cria Elvis. Putain de merde, aide-moi un peu à les cacher ! » Le King avait déjà commencé à traîner le vigile vers la troisième cabine, mais il était clair que l'aide de Sanchez serait indispensable pour dissimuler au plus vite les deux hommes, avant que quelqu'un n'arrive.

« Ouah ! Tu leur as vraiment mis leur compte, alors ? lâcha Sanchez assez inutilement, sans parvenir à dissimuler sa surprise.

— Putain, tu t'attendais peut-être à autre chose ?

— Non, mais… ils étaient armés, quoi. »

Elvis laissa lourdement tomber le premier vigile inconscient aux pieds de Sanchez, dans la cabine, et lança un regard désapprobateur au patron de bar le plus lâche de tout Santa Mondega.

« Ouais, et dans une minute, c'est toi et moi qui serons armés, Sanchez. On a deux flingues, maintenant. J'espère franchement qu'on aura pas à s'en servir, parce que mon putain de petit doigt me dit que tu serais même pas capable de te mettre une balle dans le cul. » Il observa une courte pause avant d'ajouter : « Et Dieu sait que c'est une cible bien assez grosse. »

Sanchez ignora ce commentaire désobligeant. Il saisit par les aisselles le type qu'avait laissé tomber Elvis, le traîna jusque dans le fond de la cabine, à côté de la cuvette, et tâcha de son mieux de l'asseoir. Il commençait à bien maîtriser cette technique.

« Euh… peut-être qu'il vaudrait mieux que tu gardes les deux flingues, tu crois pas ? » proposa Sanchez. Elvis tirait certainement mieux avec sa mauvaise main que Sanchez avec sa main directrice. Et, en plus de ça, il était impossible que le King hésite avant d'ouvrir le feu sur quelqu'un. En revanche, dans une situation qui requerrait de tirer sur autrui, Sanchez, lui, avait toutes les chances de se dégonfler.

Elvis ne répondit pas tout de suite. Il pénétra à reculons dans la cabine, traînant le deuxième vigile.

« Pas moyen, dit-il enfin en laissant tomber l'homme inconscient par terre. Chacun le sien. Si on est obligés de se séparer et que tu te retrouves tout seul, ton flingue te sera utile, même si c'est juste pour intimider les autres. »

Les deux hommes calèrent le second vigile au fond de la cabine, à côté de son collègue. Sanchez les considéra tous les deux, et eut soudain une idée. Il venait en effet de constater qu'Elvis et lui allaient avoir du mal à passer inaperçus. Lui portait une chemise hawaïenne rouge pétant, et le King avait sur le dos une veste dorée étincelante et, sur le nez, une paire de lunettes de soleil en or assez peu discrètes.

« On devrait peut-être enfiler leurs costumes, qu'est-ce t'en penses ? proposa Sanchez. On pourrait plus facilement se casser d'ici. »

Elvis dévisagea Sanchez d'un regard dur, puis soupira en hochant la tête. « T'es quand même sacrément con, Sanchez, tu sais. Ces types viennent de s'écrouler dans cette mare de sang. Ils en ont plein le dos de leur veste et plein leur pantalon. Alors si ta définition de la discrétion, c'est de sortir d'ici dans un costard noir recouvert de sang, je t'en prie, fais comme ça te chante. Perso, je me contenterai d'un flingue et d'une paire de *cojones*. » Il tendit l'un des deux pistolets. « Tiens, prends ça. Maintenant, il te manque plus qu'une paire de *cojones*. »

Sanchez saisit l'arme à contrecœur. On aurait dit qu'il tenait un serpent par la queue en évitant de se faire mordre. Elvis secoua une nouvelle fois la tête, incapable de dissimuler son mépris.

« Ah, putain de merde, c'est pas vrai ! Coince-le derrière ton froc et rabats ta chemise dessus. Il te reste quand même un peu de place dans le bermuda, non ? »

Sanchez ignora cette deuxième vanne sur les dimensions de son postérieur et obéit au King. L'élastique du bermuda plaquait solidement l'arme contre son dos, et le canon froid se logea à la perfection entre ses deux fesses humides de transpiration. Le temps leur était compté. Ils devaient sortir de ces toilettes aussi vite que possible.

« Qu'est-ce qu'on fait, maintenant ? demanda Sanchez.

— On fout le camp. Vaudrait mieux éviter le hall de réception. Trop de monde : on se ferait facilement remarquer. Je propose qu'on tourne à gauche en sortant d'ici, direction la première porte coupe-feu qui donne sur le parking, derrière l'hôtel. Il nous restera alors à peu près deux minutes pour retrouver ma caisse et nous tirer de là.

— Cool, dit Sanchez. Tu passes devant ?

184

— Ouais. Si on rencontre le moindre problème, tu pointes ton flingue et tu tires dans le tas, OK ?

— Pas de problème.

— Ça va ?

— Au poil. »

Elvis fit la grimace. « C'est ça, ouais. Suis-moi. On a assez perdu de temps comme ça. »

Il fourra le pistolet sous sa ceinture dorée qui le dissimula entièrement, puis se dirigea vers la porte des toilettes qu'il entrouvrit. Il jeta un coup d'œil prudent d'un côté. Sanchez en fit de même par-dessus son épaule. Apparemment, personne en vue. Elvis traversa alors le seuil en tournant la tête de l'autre côté.

POUM !

Avant que Sanchez ait pu réagir, un homme très grand, vêtu d'un trench-coat gris, était apparu. Il venait de surprendre Elvis en lui délivrant un violent coup à la nuque qui le fit tomber à genoux. L'homme releva le bras et, encore plus fort que la première fois, le frappa de nouveau à la base du crâne avec son pistolet. Elvis s'écroula à terre, inconscient.

Merde ! se dit Sanchez. *Vite, pointe ton flingue et tire dans le tas !*

Sans perdre une seconde de plus, il tira son pistolet de derrière son bermuda. L'arme sortit bien plus facilement qu'elle n'était entrée, principalement parce qu'elle était à présent lubrifiée par la sueur de son cul. Abaissant maladroitement la sécurité du pistolet, il braqua le canon en direction de l'homme qui se dressait à côté d'Elvis. Sanchez le reconnut instantanément. C'était le gigantesque tueur à gages dont il avait pris la chambre et les 20 000 dollars.

Angus l'Invincible se retourna et, face au patron de bar et à l'arme à feu qu'il braquait sur lui, ne broncha même pas. Sanchez, lui, tremblait de tous ses membres. Il ferma les yeux en appuyant sur la détente, redoutant la violente détonation qui s'ensuivrait.

Et effectivement, une violente détonation s'ensuivit.

Malheureusement, Sanchez ne parvint à toucher que le plafond. La puissance du recul le précipita en arrière, et son crâne percuta le mur qui se trouvait derrière lui. La douleur fut intense, et immédiatement suivie d'un flou artistique de tout ce qui l'entourait, tandis qu'il glissait contre le mur.

Avant même de toucher terre, Sanchez avait perdu connaissance.

21

Julius acheva son interprétation de « Get Up I Feel Like Being A Sex Machine » par un « Hey ! » typique de James Brown. Il avait tenté de caser un grand écart à la fin de sa prestation, mais avait tout juste eu le temps d'initier le mouvement. Résultat : il se trouvait à présent immobile, à moitié accroupi, le bras tendu en direction des jurés.

Malgré ce détail, le public adora, et les jurés (sachant pertinemment qu'il figurait sur la liste des cinq futurs finalistes) le noyèrent sous un déluge d'éloges, en particulier Nigel Powell, qui le désigna comme le chanteur le plus énergique qu'il ait vu depuis le début du concours.

Les efforts de Julius avaient quelque peu malmené son costume violet moulant. La couture arrière de son pantalon avait failli craquer lorsque, essayant d'accomplir son grand écart, il s'était retrouvé à moitié accroupi. Il se délectait à présent des acclamations de la foule, grandement soulagé d'avoir échappé à la honte de voir son pantalon se déchirer en deux.

Après avoir suffisamment profité des hourras, il disparut dans les coulisses en saluant vigoureusement le public. En se dirigeant vers le couloir, il croisa les quelques concurrents qui attendaient encore de passer leur audition. *Quelle bande de couillons. Si seulement ils savaient qu'ils n'ont aucune chance de se qualifier.* Le petit attroupement de sosies se fendit à son passage comme la mer Rouge face à Moïse, et beaucoup le félicitèrent. Mais à présent qu'il en avait fini, Julius n'avait qu'une envie : s'éloigner le plus possible des autres concurrents. Tous seraient bientôt éliminés, aussi n'y avait-il aucun intérêt à se montrer poli. Ses chances de gagner étaient à présent au plus haut. Tout ce qu'il lui restait à faire, c'était de chercher à savoir si le Bourbon Kid avait rempli sa part du marché. S'il avait, hum, s'il s'était *occupé* des quatre autres finalistes.

Dans le couloir jaune, Julius sautillait littéralement de joie en direction de l'ascenseur. En arrivant au bout, il commença enfin à retoucher terre. Il n'y avait personne alentour, sans doute parce que toutes et tous se pressaient dans l'auditorium pour assister au reste du concours. Il appuya sur le bouton d'appel de l'ascenseur. Les portes argentées s'ouvrirent aussitôt, et il pénétra dans la cabine. En tendant le doigt vers le bouton correspondant au septième étage, il remarqua les minuscules gouttes de sang qui recouvraient le cadran. Il baissa les yeux et aperçut une petite flaque de sang à ses pieds. Il esquissa un sourire. C'était sans doute là l'œuvre du Bourbon Kid. Quelqu'un avait été grièvement blessé (au minimum) dans cet ascenseur. *Tué*, avec un peu de chance. Il appuya sur le bouton du septième étage, puis se retourna pour faire face au couloir qu'il venait d'emprunter.

Il y vit alors son nouvel associé.

Le Bourbon Kid s'avançait vers l'ascenseur, avec l'air sinistre qu'il affichait continuellement. La capuche sombre de sa veste recouvrait sa tête, et Julius remarqua qu'il portait toujours ses lunettes noires. À l'intérieur de l'hôtel. Son allure funèbre lui donnait vraiment un air de croque-mitaine. Cet homme suintait le mal par tous les pores de sa peau, même malgré lui. *Avoir ce mec dans son camp quand on a besoin d'éliminer quatre innocents, c'est du pain bénit*, pensa Julius. Il appuya sur un autre bouton du cadran afin de bloquer les portes, et laisser entrer l'homme qu'il avait engagé. Un peu de sang semi-coagulé macula le bout de son index. Il s'empressa de l'essuyer sur son pantalon.

« Ça vous va, le septième étage ? demanda Julius alors que le Kid entrait dans la cabine.

— Peu importe. »

Les portes se refermèrent et la cabine commença son ascension. Julius poussa alors un profond soupir de soulagement et enleva son épaisse perruque noire. Après tout ce temps passé sous les projecteurs, son crâne rasé suait abondamment, et c'était une véritable joie que de sentir de nouveau l'air frais glisser sur son cuir chevelu.

« Qu'est-ce qu'elle peut gratter, cette saloperie, vous n'imaginez pas, dit-il en secouant la perruque comme si elle fourmillait d'insectes.

— Je suis pas ici pour entendre vos pleurnicheries à la con, répliqua le Kid.

— Qu'est-ce que vous avez ? »

Julius se reprit aussitôt. « En fin de compte, laissez tomber. Je m'en fous complètement. Vous en avez fini ?

— J'en ai fini.

— Alors ils sont tous morts ? *Déjà ?*

— Non.

— Non ? Qui est encore en vie ?

— Dorothy.

— Qui est Dorothy, bordel ?

— Judy Garland.

— Qu'est-il arrivé ? Elle a réussi à vous échapper ?

— Non.

— Alors quoi ?

— Je ne tue pas les Dorothy.

— J'vous demande pardon ?

— Je ne tue pas les Dorothy.

— Conneries. Vous tuez n'importe qui.

— Pas les Dorothy.

— Vous vous foutez de moi ou quoi ? Quelle différence ça fait ?

— J'ai mes raisons.

— À savoir ?

— Rien qui vous regarde. »

Julius observa son reflet sur les battants métalliques. Son costume violet de James Brown était encore impeccable. À côté se dressait la silhouette sombre du Bourbon Kid, qui, lui aussi, était tourné vers les portes argentées de l'ascenseur. Ses yeux étaient invisibles derrière ses lunettes noires, et son visage ne trahissait pas la moindre émotion.

Julius ne put retenir plus longtemps l'agacement et la confusion que lui causait ce brusque renversement de situation. « Laissez-moi résumer un peu, dit-il d'une voix tremblant presque sous le coup de la colère. Vous tuez *n'importe qui*, sans distinction d'âge, d'origine ou de sexe, mais quand il s'agit soudain de Dorothy du *Magicien d'Oz*, subitement vous avez une conscience, c'est ça ?

— C'est à peu près ça, ouais. Ça vous pose un problème ? .

— Bien sûr que ça me pose un putain de problème ! »

Se rendant compte qu'il venait d'élever la voix, Julius crut sage de baisser d'un ton. « Elle est le principal obstacle sur le chemin qui peut me mener à la victoire. Si elle est qualifiée pour la finale, c'en est fini pour moi. *Game over*. Je *dois* remporter ce concours, et c'est la seule concurrente encore en vie qui chante mieux que moi.

— J'ai un autre plan. »

À chaque syllabe, la voix du Kid se faisait plus grave.

« Eh bien, je suppose que c'est déjà ça. C'est quoi, votre plan ?

— Apprenez à chanter mieux. »

La cabine de l'ascenseur s'immobilisa et les portes s'ouvrirent. Julius sortit et se retourna brusquement vers l'autre homme. « Vous êtes vraiment un petit comique, vous savez ? »

Le Kid appuya sur le bouton du rez-de-chaussée et recula d'un pas, pour se retrouver au centre de la cabine.

« Et vous croyez aller où, là ? demanda Julius.

— J'ai fait ce que j'avais à faire. »

Les portes commencèrent à se refermer. Julius avança d'un pas et, tendant la main gauche, les bloqua.

« Vous ne serez pas payé pour ces trois meurtres, vous savez ? précisa-t-il. Le contrat portait sur les quatre concurrents.

— Rien à foutre.

— Eh bien, tant mieux, parce que je vais offrir ces 50 000 dollars à quelqu'un d'autre, et pour le meurtre d'une seule personne : Judy Garland. »

Le Kid hocha lentement la tête. « Personne ne touche à un cheveu de cette fille. Pas aujourd'hui. » Sa voix était un pur torrent de rocaille.

« Désolé, mon vieux, c'est comme si elle était déjà morte. J'irais jusqu'à engager la Méchante Sorcière de l'Ouest pour m'assurer qu'elle crève. Il est hors de question qu'elle remporte ce foutu concours.

— Peut-être qu'elle ne gagnera pas, mais elle passera en finale. »

D'un mouvement de la tête, le Kid fit signe à Julius de laisser les portes de l'ascenseur se refermer.

Le chanteur scruta une dernière fois les verres opaques, et hocha la tête, exaspéré. « J'aurais mieux fait de ne jamais compter sur vous. Espèce de putain d'abruti ! »

Le Kid plongea la main sous sa veste en cuir. Julius s'imagina ce qu'il en ressortirait. Un paquet de clopes, peut-être. Ou une arme. Selon toute vraisemblance, plutôt une arme. Il prit donc la sage résolution de laisser les portes se refermer.

L'euphorie de Julius s'était évaporée comme une goutte de rosée au milieu du désert. Bien que son crâne, libéré de sa perruque, se fût considérablement rafraîchi, il se remit à transpirer. *Putain ! Putain de bordel de merde !* Les choses avaient pris un tour plus que désastreux. La chanteuse qui imitait Judy Garland était toujours en vie. Julius devait tout faire pour qu'elle soit sur la touche avant le début de la finale.

Et par « sur la touche », il entendait « morte ».

22

Sanchez avait la sensation qu'on avait collé ses paupières avec du beurre de cacahuète. Il les ouvrit lentement, d'abord celles de gauche, puis celles de droite, et cligna des yeux. Il avait presque l'impression d'avoir la gueule de bois, même s'il n'avait aucun souvenir de s'être saoulé. Quelqu'un venait de le gifler. Cela, il en était certain. Il connaissait bien cette sensation : il y était habitué. Cette fois-ci, en revanche, la baffe venait d'un homme : sa joue brûlait un peu plus que d'habitude à la suite d'une claque. Mais c'était la douleur qu'il éprouvait à la base du crâne qui le préoccupait le plus. À présent, il se souvenait vaguement de ce qui s'était passé. Il s'était cogné contre un mur en voulant sortir des toilettes pour hommes. Ça devait remonter déjà à un certain temps. Il cligna de nouveau des yeux dans le but d'y voir plus clair, mais sans résultat. En partie parce qu'il venait à peine de reprendre connaissance. Mais également parce qu'il était allongé sur un lit amovible à l'arrière d'une sorte de camping-car tout équipé, et qu'il se faisait sérieusement secouer par les cahots. Le lit était fixé à l'une des parois, et le véhicule roulait à très grande vitesse.

« Où est-ce que je suis, putain ? » grogna-t-il, ayant épuisé le peu de ressources dont il disposait en matière d'observation et de déduction.

« Cimetière du Diable, répondit une voix. D'ici dix minutes, t'auras plus mal à la tête. »

Sanchez se redressa, et se rendit alors compte qu'il lui était impossible de se servir de ses mains. Il baissa les yeux et constata qu'on lui avait lié les poignets avec du gaffeur gris argenté. Relevant le regard, il aperçut deux vigiles de l'hôtel, assis en face de lui, sur la banquette qui courait le long de l'autre paroi du van. Tous deux portaient le costume noir de service de sécurité de l'hôtel. Celui qui se trouvait le plus en face de Sanchez avait des cheveux noirs hérissés en pointes, et un visage que seule une mère aimante aurait pu embrasser. Sanchez, dont les yeux avaient fini par s'adapter à la pénombre, parvint à lire le badge qu'il portait à la poche de poitrine de sa veste : Tommy Packer, chef de la sécurité. L'autre type avait une tête de militaire, et le crâne complètement rasé. Chacun pointait un pistolet dans sa direction. Celui qui s'était exprimé était le brun, Tommy. L'autre restait silencieux, mais semblait sur ses gardes. Prêt à faire usage de son arme.

« Ça va, Sanchez ? » demanda une voix plus familière. Elvis était assis à sa gauche.

« J'ai un de ces putains de mal de crâne, geignit Sanchez pour éveiller l'empathie de son ami.

— Apparemment, tu t'es assommé toi-même.

— Pourquoi j'aurais fait ça ?

— Parce que t'es un putain d'abruti.

— Ah ! tout s'éclaire, effectivement. »

Oubliant un instant qu'il avait les mains liées, Sanchez fut soudain pris du désir irrésistible de se frotter la base du crâne. Ses tentatives furent totalement vaines : tout ce qu'il réussit à faire, ce fut de se frotter le sommet de la tête avec le gaffeur qui enserrait ses poignets. Une petite inspection sur sa gauche, et il s'avisa du fait qu'Elvis était confronté au même problème. Sanchez reporta son regard sur Tommy, dans l'espoir d'en savoir un peu plus.

« Qu'est-ce qu'il se passe au juste ? demanda-t-il.

— Nous sommes en train de vous emmener dans le désert, où vous serez exécutés et enterrés. »

Sanchez avala difficilement sa salive. « Euh… vous êtes sûr que c'est vraiment nécessaire ? Non, parce que là, j'ai l'impression qu'il y a un gros malentendu. Tu leur as expliqué, Elvis ?

— Je leur ai dit exactement la même chose, et ils ont rien voulu entendre, mec.

— Oh ! »

Sanchez avait le plus grand mal à dissimuler sa déception. Sans parler de son inquiétude. « Et t'as un plan pour nous sortir de là ? demanda-t-il à Elvis, plein d'espoir.

— Ouais.

— Cool. C'est quoi ?

— Je vais quand même pas t'exposer le plan en face d'Ernest et Bart, pas vrai ? Espèce de pauvre con. Tu m'as pris pour qui ? Pour *toi* ?

— Ah ouais, bien vu. Putain, ma tête… »

Le van s'arrêta sur le côté de la route, et Sanchez entendit le conducteur sortir. On ne pouvait le voir, mais on percevait très bien ses pas sur l'autoroute, crissant sur le gravier, faisant le tour du véhicule jusqu'à la porte à double battant qui se trouvait à l'arrière. Au plus grand déplaisir de Sanchez, les battants s'ouvrirent brusquement sur Angus l'Invincible, qui tenait deux pelles dans ses mains.

« Allez, on se bouge. Tout le monde dehors ! » ordonna le colosse.

Sanchez jeta un coup d'œil à l'extérieur. L'autoroute n'était éclairée que par la pleine lune qui s'était levée. Le désert était par définition un coin merdique. Et, à cet instant précis, c'était un coin merdique et sombre, balayé par un vent glacial. Là où, durant la journée, il n'y avait eu que poussière, sable et plantes mourant au soleil, on entendait à présent les bruissements, couinements et hurlements d'animaux invisibles, accompagnés d'ombres fugaces.

De la pointe de leurs pistolets, les deux vigiles indiquèrent les battants ouverts, signifiant à Sanchez et Elvis de sortir du van. Elvis se leva et, dans un bond leste, mit le pied sur l'autoroute déserte. Sanchez s'empressa d'en faire autant, mais dans des gestes beaucoup plus anxieux que son ami. Il faisait très sombre dans le van. En sautant à l'extérieur, il trouva le moyen de trébucher sur quelque chose, et alla s'écraser le nez contre l'épaule gauche d'Angus l'Invincible, avant de s'écrouler par terre.

« Bien essayé, dit Angus d'un ton laconique. Un vrai réflexe de tueur à gages. Toujours tenter sa chance. »

Les deux vigiles sortirent à leur tour. Tommy se pencha, attrapa le patron de bar par l'aisselle droite, et le releva.

« Vous êtes sûr que ce type est bien un tueur à gages ? demanda-t-il, incrédule.

— Les apparences sont trompeuses, oublie jamais ça. Ce mec est une vraie machine à tuer. Ses airs de débile maladroit, c'est pour nous piéger, rien d'autre », dit froidement Angus.

Elvis ne put se contenir. « Tu déconnes, là, pas vrai ? lança-t-il avec mépris. Sanchez est un putain de patron de bar, pas un tueur à gages. »

Angus hocha la tête. « Nan. Aucun barman n'est capable d'exécuter trois hommes, avant d'assommer deux vigiles, le tout à mains nues.

— Espèce de gros con. Il a rien fait de tout ça.

— Alors c'est qui ? *Toi ?* répliqua Angus d'un ton de moquerie.

— Je dois t'avouer que j'ai tué personne. Par contre, c'est bien moi qui ai mis les deux mecs de la sécurité sur le carreau. »

Angus afficha un sourire supérieur. « On dirait que tu m'as pris pour le roi des cons. Mais vous savez quoi, tous les deux ? Je vais vous donner une chance de me prouver qui de vous deux est tueur à gages. » Il jeta les deux pelles par terre. « Tenez, mesdemoiselles. Attrapez-en une et suivez-moi. »

Sanchez baissa les yeux sur les pelles. « *Génial*, dit-il d'un ton sarcastique. On va faire des châteaux de sable dans le désert, c'est ça ? Ça doit vraiment être mon jour de chance, aujourd'hui. »

Jusque-là, Angus avait presque eu l'air joyeux. Mais à présent, sa voix témoignait de son irritation : « Tu sais, le sarcasme, c'est quelque chose de vraiment très vilain. Et vu ta position, t'as tout intérêt à baisser d'un ton, gros lard. »

Sanchez et Elvis se penchèrent et, les mains jointes, parvinrent à attraper tant bien que mal une pelle chacun. Les deux vigiles étaient plus que jamais sur leurs gardes, au cas où l'un d'eux tenterait quelque chose.

« C'est reparti, ordonna Tommy en enfonçant le canon de son pistolet dans le dos de Sanchez. Par ici. »

Sanchez et Elvis suivirent Angus l'Invincible, quittant l'autoroute pour s'avancer dans le désert, précédant les deux vigiles qui, de temps à autre, leur plantaient leur canon entre les côtes pour les faire avancer.

À cinq bons mètres devant, Angus marchait à grandes enjambées dans un fouillis d'arbrisseaux épars et de petits genévriers qui lui arrivaient au mollet. Il se dirigeait droit vers un coin particulièrement désolé du désert, à une vingtaine de mètres. Sanchez profita de la distance qui les séparait du tueur à gages et des deux agents de sécurité pour demander à Elvis comment il comptait retourner la situation.

« Alors, c'est quoi ton plan ? murmura-t-il.

— On attend.

— On attend quoi ?

— Que quelque chose arrive.

— Génial, ton plan. Il t'a fallu beaucoup de temps pour le trouver ?

— Ben, en fait, oui. »

Devant eux, Angus s'immobilisa dans un cercle de sable et de poussière, vierge de toute végétation. Il désigna le sol.

« OK, voilà comment ça va se passer, déclara-t-il. Tous les deux, vous allez commencer à creuser. Il me faut un trou assez gros pour enterrer l'un de vous. Vous voyez, les gars, je suis réglo. Je veux simplement savoir lequel d'entre vous est le tueur à gages qui m'a volé mes 20 000 dollars. »

Elvis lâcha soudain : « Putain, mais qu'est-ce que tu racontes, mec ?

— Une enveloppe m'était destinée. Y avait 20 000 dollars dedans. Quelqu'un a pris le fric et a déposé l'enveloppe à la réception. Lequel de vous deux a fait ça ? »

Même les deux vigiles se demandaient ce qu'Angus était en train de raconter. Seul Sanchez savait que l'enveloppe avait contenu 20 000 dollars, pour la simple raison qu'il les avait volés. Et les avait dépensés. Tommy, qui se tenait derrière Sanchez, lança à Angus : « C'est quoi, cette histoire de 20 000 dollars ? À quoi bon s'emmerder avec ça ? De toute façon, c'est ce que M. Powell vous versera une fois que vous aurez fini le boulot. Plus encore, même. »

Angus sortit alors deux pistolets de sous son trench-coat, et adressa un signe de la tête à Tommy et à l'autre vigile.

« Écartez-vous. »

Tommy et son collègue obéirent. Puis, à la plus grande surprise de Sanchez, Angus l'Invincible tira à deux reprises, une balle par pistolet. Ce qu'il y avait d'étonnant, c'est qu'il n'avait pas visé Sanchez et Elvis. Les deux vigiles eurent tout juste le temps de gémir, avant de s'écrouler par terre, une balle dans la tête.

« Je savais que ce mec était de notre côté ! » s'écria Sanchez, tout joyeux.

Angus croisa le regard d'Elvis. « Il est toujours aussi con, ton pote ? »

Elvis acquiesça. « Bien peur que oui. Mais on s'y fait.

— Quoi ? lâcha Sanchez. Qu'est-ce qui se passe ?

— Il vient de buter ces sous-fifres, histoire de nous montrer à quel point il est méchant, répondit Elvis. Ce mec est un vrai cliché ambulant. T'avais pas encore remarqué ?

— En vérité, t'y es pas du tout, contredit Angus. Ces types ignoraient qui je suis. Ils croyaient que j'étais en train de donner un coup de main à leur boss. Mais, en réalité, j'ai bien plus important à faire. Je suis ici pour buter des concurrents bien précis de "Back From The Dead". »

Elvis était loin d'avoir fini de chambrer Angus. « T'as vu ça, Sanchez ? Je te disais bien que c'était un vrai cliché, ce mec. Le voilà maintenant qui nous explique son plan machiavélique dans le détail avant de nous éliminer. Tu lui enfilerais un costard gris et tu lui raserais le crâne à blanc, t'aurais devant toi Dr Evil en chair et en os.

— Ferme ta gueule ! » lui lança Angus.

Mais Elvis l'ignora : « Et c'est quoi, la prochaine étape de ton plan ? demanda-t-il. Tu vas nous laisser ici au milieu de nulle part, et rentrer à l'hôtel en *partant du principe* qu'on mourra ? »

Sous les vannes d'Elvis, l'irritation d'Angus se changea en colère, et son visage commença à se déformer sous le coup de la rage.

« Vous allez ouvrir bien grand vos oreilles, et vous allez m'écouter très attentivement, grogna-t-il en pointant ses pistolets sur leurs poitrines respectives. Je vous laisse une alternative. L'un de vous peut espérer survivre, à condition de me dire où se trouvent mes 20 000 dollars.

— Putain, mec, on n'en sait rien, répliqua Elvis. Il y avait pas un seul billet dans l'enveloppe, je peux te le jurer.

— Il a raison », confirma Sanchez, assez secoué.

Il aurait été incapable de dire ce qui l'effrayait le plus : le fait de dire à Angus où se trouvaient les 20 000 dollars, ou le fait qu'Elvis découvre que l'enveloppe avait renfermé tout cet argent.

« OK, dit Angus. Dans ce cas, commencez à creuser ce foutu trou. Mais dès que l'un de vous d'eux se rappellera où se trouvent mes 20 000 dollars, qu'il prenne la peine d'assommer son pote avec sa pelle. Celui qui restera debout aura le privilège de rentrer avec moi à l'hôtel pour me rendre mon fric, après avoir enterré le perdant. »

Sanchez lança un regard soupçonneux à Elvis. Le King allait-il le trahir ? Sanchez aurait-il le cran de frapper en premier ? À moins qu'Elvis n'ait vraiment un plan pour les sortir de cette situation cauchemardesque ?

« Alors faut croire qu'on n'a plus qu'à creuser », lâcha Elvis. Pour un homme qui, selon toute probabilité, allait très bientôt mourir, il semblait particulièrement détendu.

Entravés par leurs liens, les deux hommes enfoncèrent maladroitement leur pelle dans le sol, et se mirent à creuser un trou. Angus rangea un de ses pistolets sous son trench-coat et sortit un paquet de clopes. Alors qu'il en sortait une avec les dents, Sanchez chuchota à Elvis :

« Sérieusement, t'as un plan, non ?

« — Quelque chose va arriver, mec.

— Et comment tu le sais ?

— Il finit toujours par arriver quelque chose.

— C'est tout ? *Il finit toujours par arriver quelque chose ?* C'est ça, ton plan ?

— T'en as un meilleur à proposer ?

— Pas encore.

— Alors arrête de grogner.

— C'est toi qui arrêtes de grogner. »

Angus avait rangé son paquet de cigarettes et allumait à présent sa clope à l'aide d'un Zippo en métal patiné. Il tira une longue bouffée de fumée et rangea le briquet dans son trench-coat. Il semblait sur le point de décider lequel de ses deux prisonniers il allait tuer.

« Hé ! on arrête de causer et on creuse », s'écria-t-il en expirant la fumée par les narines.

Sanchez et Elvis plongèrent leur pelle dans la tombe qui peu à peu prenait forme. Ils continuèrent à creuser durant plusieurs minutes en s'envoyant des regards suspicieux. Elvis était de loin le plus efficace : son bout de tombe était plus profond de quelques centimètres que celui de Sanchez. Le King avait atteint une profondeur de 30 centimètres lorsque sa montre sonna, signalant qu'il était 21 heures. Le « bip » délicat retentit très distinctement dans le vaste désert silencieux. Sanchez vit alors son ami balancer sa pelle dans la tombe qu'ils étaient en train de creuser.

« Hé ! s'écria Angus en pointant son pistolet sur le King. Ramasse ça et continue à creuser, fils de pute ! »

Elvis hocha la tête. « Pas possible, répliqua-t-il.

— Et pourquoi ça ?

— Quelque chose vient d'arriver. »

23

La spécialité du Bourbon Kid n'était pas vraiment de sauver des vies. Du reste, Emily-la-sosie-de-Judy-Garland ne méritait sans doute pas qu'on lui sauve la vie. Mais le Kid ne pouvait simplement pas rester les bras croisés tandis que quelqu'un qui lui rappelait Beth s'apprêtait à vendre son âme au diable. Et pour le Kid, la seule façon vraiment efficace de résoudre n'importe quel problème, c'était le meurtre. Ce qui n'était pas sans lui poser un certain dilemme.

Il n'avait eu aucune difficulté à tuer les autres concurrents. Pour lui, ce n'était qu'un tas de cons qui, sciemment ou pas, étaient prêts à vendre leur âme au diable pour acquérir fortune et célébrité. *Un gros tas de losers.* Julius/James Brown, lui aussi, n'était rien d'autre qu'un raté. La seule chose qui le différenciait des autres, c'était qu'il souhaitait gagner encore plus désespérément qu'eux. En plus de ça, sa tête ne revenait pas au Kid. S'il remportait le concours et vendait son âme au diable, ce serait parfait. Seulement, c'était précisément là que le bât blessait.

Julius n'était pas assez bon pour l'emporter sur Emily. Même pas en rêve.

Son imitation de Judy Garland écrasait littéralement les pirouettes jamesbrownesques de Julius. Il fallait absolument trouver quelqu'un susceptible de battre Emily, et l'empêcher ainsi de vendre son âme au diable, en supposant que c'était bien ce sort qui était réservé au gagnant ou à la gagnante : là-dessus, on ne pouvait s'en remettre qu'à la parole de Julius. Si le Kid pouvait trouver quelqu'un de meilleur qu'Emily, ça foutrait complètement en l'air les plans de ce connard de Julius, qui avait refusé de payer le Kid pour l'assassinat de trois de ses rivaux. En temps normal, le Kid l'aurait tué rien que pour ce manquement, mais Julius semblait cacher bien des choses. Si l'hôtel allait bel et bien être le théâtre d'une confrontation avec les créatures du mal, mieux valait se garder Julius sous le coude jusque-là. Le fait qu'il en sache plus à ce sujet rallongerait d'autant son espérance de vie. Mais pour autant, ça ne lui ferait remporter ni le prix d'un million de dollars du concours, ni le contrat avec le diable censé aller avec. Le Kid comptait bien s'assurer que tout cela revienne à quelqu'un d'autre. Et il avait un nom bien précis en tête.

Il trouva Jacko au casino, assis à une table de roulette. Dans son ridicule costume en cuir rouge, le faux Michael Jackson dépareillait avec l'ensemble du décor. Les lieux étaient relativement calmes : la majorité des clients se pressait en effet dans l'auditorium, assistant aux tours de chant des derniers concurrents, et aux salves de critiques cinglantes de Nigel Powell. Les quelques personnes qui se trouvaient entre le Kid et la table de jeu s'empressèrent de s'écarter à son passage. Il portait toujours ses lunettes noires. Personne ne pouvait voir ses yeux. Et en vérité, personne n'en avait envie.

Quatre joueurs étaient assis sur de hauts tabourets autour de la table de jeu. Jacko, dans le coin le plus proche du Kid, venait de placer un unique jeton sur le numéro 13, une mise désespérée, s'il en est. Le croupier, un homme aux cheveux argentés âgé tout au plus de 40 ans, fit tourner la roulette, puis lança la boule sur le bord, dans le sens de rotation inverse de celui de la roulette. Jacko avait les yeux rivés sur le cercle tourbillonnant, mais avant qu'il puisse en voir l'issue, le Kid posa une main sur son épaule et l'obligea à se retourner pour le regarder droit dans les yeux. Jacko parut surpris de le revoir, mais il le salua d'un sourire enthousiaste.

« Hé, salut ! Comment ça va ? lança-t-il.

— Écoute-moi bien, espèce de petite merde.

— Moi aussi, je suis ravi de vous revoir », répliqua Jacko d'un ton plein de reproches, en embrassant du regard les trois autres joueurs de la table.

Tous semblaient un brin choqués par les mauvaises manières et la grossièreté du Kid. Mais très sagement, personne (pas même le croupier) ne s'avisa de lui en faire la remarque, et tous se concentrèrent de nouveau sur la roulette.

« Tu n'avais pas l'intention de participer à ce concours, pas vrai ? demanda le Kid.

— Hein ? Mais bien sûr que si.

— Conneries. Tu voulais juste te faire conduire jusqu'ici. »

Le ton rocailleux que Jacko avait déjà entendu faisait son grand retour.

« Pas du tout. Je le jure sur mon âme. J'ai voulu m'inscrire, mais j'ai appris que plusieurs concurrents

206

ne pouvaient pas imiter le même chanteur. Un autre Michael Jackson s'était déjà inscrit avant moi. J'ai plus qu'à assister au concours en espérant avoir une chance d'y participer l'année prochaine.

— Tu vas y participer cette année. Je t'ai pas conduit jusqu'ici pour que tu t'asseyes à une table de roulette avec… » Le Kid scruta les autres joueurs. « … tous ces putains de losers. » Les losers en question parurent s'indigner, mais restèrent muets. Un simple coup d'œil au Kid suffisait à les convaincre qu'une altercation ne tournerait pas à leur avantage.

Jacko soupira. « Vous avez entendu ce que je vous ai dit ? Il y a déjà un sosie de Michael Jackson. Il a chanté "Beat It". Et plutôt bien, en plus.

— Quelle tenue il portait ?

— Hein ?

— Quelle tenue ? »

La question parut surprendre Jacko. « Euh… j'en sais rien, c'était, je crois que c'était la même que portait Michael dans le clip.

— Forcément. Ça tombe sous le sens, pas vrai ?

— Ouais. On en a fini, alors ? » demanda Jacko en se retournant vers la table pour voir s'il avait gagné.

Au même instant, la boule se logea dans une case de la roulette, et le croupier annonça le numéro gagnant. 13 noir. Les yeux de Jacko s'illuminèrent, et il laissa s'échapper un cri de joie. Il avait misé sur le 13, et, par conséquent, venait d'empocher une coquette petite somme. Alors que le croupier encaissait déjà les mises perdues et distribuait leurs gains aux gagnants, le Kid obligea de nouveau Jacko à se retourner en le saisissant par l'épaule. Cette fois-ci, cependant, il le fit tourner beaucoup plus violemment sur son tabouret.

« Tout à l'heure, tu m'as dit que tu allais chanter "Earth Song".

— Tout à fait.

— Alors pourquoi avoir mis la tenue en cuir rouge du clip de "Thriller" ?

— Je l'aime bien, c'est tout.

— Mon cul. »

Jacko avait l'air mal à l'aise. Il avala sa salive avec difficulté, et finit par dire : « Merde, mais c'est quoi votre problème ?

— Tu passes sur scène dans vingt minutes maxi ou je fais de ta vie un putain d'enfer.

— Putain, ça suffit, l'ami. Combien de fois il faut que je te dise que…

— Tu vas imiter John Belushi.

— *De quoi ?*

— John Belushi. »

Jacko était complètement paumé. « C'est un comique, non ?

— C'était.

— Ouais, bah moi, je sais pas faire de sketch.

— C'était un chanteur, aussi.

— John Belushi ? »

Jacko réfléchit un instant à ce que venait de dire le Kid. Puis il eut une soudaine illumination. « Ah ouais, c'était un des Blues Brothers, c'est ça ?

— Ouais.

— N'empêche, tu es complètement à côté de la plaque. John Belushi était blanc.

— Michael Jackson aussi.

— Peut-être bien. Mais je ne peux pas interpréter une chanson des Blues Brothers habillé comme ça. » Il

208

désigna sa tenue. « Et en plus, je n'aurais pas le temps de répéter.

— Ce sera pas la peine. »

Le Kid enleva ses lunettes noires et les tendit à Jacko. « Mets ça et rejoins les coulisses. Je t'y retrouverai dans cinq minutes avec le reste de ton déguisement. » Il attendit un instant que ces informations soient enregistrées par le cerveau de Jacko, puis ajouta de ce ton rocailleux qui lui était caractéristique : « Si tu essaies de t'esquiver, je te retrouverai et je te ferai un nez identique à celui du vrai Michael Jackson. »

Convaincu que Jacko avait parfaitement saisi cette importante mise au point, le Kid se retourna et se dirigea vers la sortie du casino. Comme à son arrivée, les clients s'écartèrent de son chemin. Mais cette fois-ci, ils pouvaient voir ses yeux. Et ça ne les réjouissait guère plus que ça.

Jacko appela dans son dos : « Tu sais quand même qu'il va me falloir un peu plus qu'une putain de tenue de scène pour gagner ?

— Je m'occupe du reste », répondit simplement le Kid avant de disparaître derrière un groupe de personnes.

24

Poussant à pleine vitesse sa Harley alors qu'il dépassait le panneau souhaitant la bienvenue au Cimetière du Diable, Gabriel se dit que cette nuit risquait d'être un véritable enfer. Il avait rendez-vous avec le destin. Rien de moins.

Gabriel Locke était un disciple de la Nouvelle Ère, entraîné à protéger le monde du mal par le plus grand chasseur de primes de Dieu. Gabriel ne ressemblait pas franchement à l'image que la plupart des gens se font des serviteurs de Dieu. La brosse proprette, les bonnes manières, les sourires amicaux, le petit complet bleu mal coupé, tout ça, ce n'était pas pour lui. C'était un *biker* lourdement tatoué, crâne rasé et balafre horizontale de 5 centimètres sous l'œil gauche. S'il avait eu l'air un tout petit peu moins patibulaire, peut-être son destin aurait-il été différent.

Après un début de carrière en tant que prédicateur, il avait rencontré un homme du nom de Rodeo Rex, qui lui avait montré qu'être un serviteur de Dieu ne se limitait pas qu'au fait de répandre la bonne parole et d'avoir la foi. Il existait un autre côté. Un côté *bien plus obscur*. Une autre voie, où, pour protéger l'humanité, on tuait au nom de Dieu. Rex lui avait appris à traquer et tuer adorateurs du diable, vampires, loups-garous et autres pourritures maléfiques, ainsi que certains individus profondément mauvais qui n'avaient pas leur place sur terre (et qui ne l'emporteraient pas non plus au paradis).

Assez récemment, ils s'étaient rendus à Plainview, dans le Texas, pour exterminer un groupe de vampires à la tête d'un casino clandestin, qui faisait également office de buffet nocturne. Ceux qui y perdaient étaient libres de quitter les lieux (la plupart finissant tôt ou tard par revenir), mais ceux qui empochaient de grosses sommes y restaient. Ils servaient de banquet aux immortels, et, d'une pierre deux coups, devenaient eux aussi des vampires, qui grossissaient d'autant les rangs du gang.

Gabriel, son mentor Rex et deux autres disciples de la Nouvelle Ère étaient arrivés en ville, avaient localisé le tripot, et, une nuit, avaient procédé à une descente en bonne et due forme, armés jusqu'aux dents. Les vampires n'avaient opposé qu'une piètre résistance, rien de bien étonnant de la part de ces créatures qui ne s'attaquaient qu'aux plus faibles. En fait, la moitié d'entre eux préféra se suicider plutôt que mourir dans d'atroces souffrances, aux mains de la bande de Rex. L'opération se solda par un formidable succès.

Leur séjour d'un mois à Plainview avait cependant été marqué par deux événements d'importance. En premier lieu, ils avaient croisé le chemin d'un petit Black au crâne rasé, qui prétendait avoir 2 000 ans. Il était sorti de nulle part, et leur avait dit que le bon Dieu l'avait chargé de retrouver les disciples, afin de leur confier une nouvelle mission. Cet homme se faisait appeler Julius. Il était aussi agréable que poli et instruit. Et en matière de religion, il en connaissait un bout.

Aux yeux d'une majorité, un type prétendant avoir 2 000 ans aurait passé pour un menteur et un fou. Mais pas aux yeux de Gabriel. Dieu guidait souvent ses pas dans toutes sortes de lieux, où des gens tenaient des propos aussi improbables que ceux de Julius. Gabriel croyait en Dieu, et, pour cette raison même, croyait profondément que Julius disait la vérité. Aussi, lorsque le petit homme demanda à Rex et son équipe de l'aider à mener à bien une mission au nom du Tout-Puissant, consistant essentiellement à lutter contre les forces du mal, ils surent qu'ils avaient affaire à un type bien.

Assuré de leur soutien, Julius leur avait expliqué qu'il avait besoin d'eux pour lever la malédiction qui pesait sur l'Hôtel Pasadena, au Cimetière du Diable. C'était véritablement une mission de rêve. Les créatures du mal étaient directement impliquées, il était question de pactes et de contrats signés avec le diable, d'un concours de chant auquel participaient des sosies imitateurs de stars défuntes, et, détail non négligeable, leur aide serait récompensée à hauteur de 50 000 dollars.

Au nom de la bande tout entière, Rex avait accepté la mission (en réalité, ils crevaient d'impatience de s'y mettre), mais ce fut alors que survint le second événement d'importance. Le lendemain de leur descente triomphale dans le casino de vampires, ils s'étaient rendus à la nuit tombée dans le quartier rouge de Plainview, et s'étaient retrouvés dans un bar miteux et enfumé où se déroulait un championnat de bras de fer. Un homme battait systématiquement tout nouveau challenger. Un personnage assez louche, à la barbe de trois jours et aux cheveux noirs et sales qui lui tombaient aux épaules. Il avait tout du *biker* qui savait comment se sortir de n'importe quelle situation délicate.

Rien d'étonnant à ce que, dans l'instant, Rex s'assoie face à lui et pose son coude sur la table. Il s'ensuivit alors un bras de fer sans précédent. Pendant près de quarante minutes, ni l'un ni l'autre ne céda le moindre centimètre. Rex était fou furieux : jamais il ne s'était retrouvé aussi proche de la défaite au cours d'un bras de fer. La rumeur avait vite relayé ce combat homérique de par les rues de la ville, et des centaines de personnes s'étaient agglutinées dans le bar pourri afin d'y assister, et miser leur argent sur l'issue de la partie.

L'un des deux hommes prit le dessus, puis ce fut au tour de l'autre, mais Rex finit par l'emporter, comme cela avait toujours été le cas. L'autre avait paru abandonner d'un coup, comme si toute sa force l'avait soudainement quitté. Le match s'acheva sans que personne s'en aperçoive. Les deux mains s'étreignaient en un nœud inextricable, et, l'instant d'après, Rex aplatissait le bras de son adversaire sur la table en poussant un rugissement victorieux. Gabriel assista alors à quelque chose d'aussi étrange qu'inattendu. Une chose qu'il n'avait jamais vue jusqu'alors. Le perdant refusa de lâcher la main de Rex. Il se mit même à la serrer lentement dans sa paume.

« Putain, qu'est-ce que tu fous ? Lâche-moi, espèce de tête de nœud ! » avait hurlé Rex.

Son adversaire n'avait rien répondu. En principe, il aurait dû le lâcher et féliciter Rex de sa victoire. Mais ce mec n'avait rien fait de pareil. Il était totalement dépourvu de classe. Il avait continué à serrer la main de Rex. Gabriel et les deux autres disciples assistaient à la scène, sans savoir quoi faire. Les os de la main de Rex se mirent à craquer, l'un après l'autre. Gabriel se souvenait encore du visage impassible du bourreau, tandis que Rex grimaçait et se débattait pour se libérer de cette étreinte, tentant désespérément d'attraper son adversaire avec sa main libre. Mais l'homme silencieux se contentait de l'esquiver, et le serrait toujours plus fort. Rex avait enseigné à Gabriel qu'un combat à la régulière, un contre un, était la seule façon de régler noblement les choses. Aussi, les deux disciples et lui s'étaient contentés de regarder.

Et ils l'avaient regretté.

L'homme avait fini par lâcher Rex, s'était levé de sa chaise et était sorti du bar sans féliciter son adversaire, et sans s'excuser pour ce qu'il venait de lui faire subir. Rex avait ramassé l'argent qu'il avait gagné et, dans une cascade de jurons, s'était précipité vers l'hôpital le plus proche, afin de sauver sa main. Gabriel l'avait accompagné afin de le soutenir moralement. Il n'avait jamais vu son mentor en proie à d'aussi atroces souffrances. De leur côté, Roderick et Ash, les deux autres disciples de la Nouvelle Ère, avaient pris en filature l'homme qui avait brisé la main de Rex. Leur objectif était de lui faire payer ce qu'il venait d'infliger à leur chef révéré.

À l'hôpital, les docteurs avaient procédé d'urgence à une intervention chirurgicale. Ils ne mirent cependant pas longtemps à constater que la main de Rex avait subi des dégâts qui dépassaient les compétences de n'importe quel chirurgien, et ils avaient été contraints de l'amputer pour la remplacer par un crochet. Cela avait été un véritable traumatisme, et pas que pour Rex. Comment réconforter quelqu'un qui venait de se faire couper la main au niveau du poignet ? Gabriel n'avait su quoi lui dire. Il se souvenait très clairement de la furie qui avait alors possédé Rex. Sans consulter son chef dépassé par ces sinistres événements, Gabriel n'avait rien trouvé de mieux à faire que de téléphoner à Ash, et lui donner le feu vert pour venger Rex.

Ce qui n'avait fait qu'empirer les choses.

Lorsque Gabriel téléphona, Ash et Roderick étaient assis dans une voiture, sur le parking d'un motel auquel était rattaché un petit restaurant. Ash informa Gabriel que l'homme que Roderick et lui avaient pris en filature conduisait une Pontiac Firebird noire. Ils l'avaient suivi jusqu'à ce motel des environs de Plainview, où il s'était arrêté pour manger quelque chose. Ils s'étaient garés sur le parking et avaient attendu que Gabriel les appelle afin de leur transmettre les instructions de Rex. Gabriel ne se souvenait que trop bien de cette conversation avec Ash : ce fut en effet la dernière. Il ordonna à Ash d'aller chercher l'homme dans le restaurant. Pourtant, une fois à l'intérieur, Ash ne vit sa cible nulle part. Avec la bénédiction de Gabriel, il s'était redirigé vers la voiture afin d'y guetter une éventuelle réapparition de l'homme.

Ce que Gabriel entendit alors par le biais de son téléphone portable continuait encore de le hanter à chaque instant, malgré les semaines qui s'étaient écoulées depuis.

« Gab. Aucun signe du type, ni dans le resto, ni au motel. Le mec de la réception dit ne l'avoir jamais vu, avait dit Ash.

— Pourtant tu l'as vu entrer, non ?

— Ouais, mais le réceptionniste dit que personne n'est passé.

— Il ment sûrement. Retourne dans le motel.

— Attends une seconde. Je dois retourner à la bagnole. Je sais pas trop ce que fout Roderick.

— Qu'est-ce qui se passe ?

— Deux secondes. La caisse bouge dans tous les sens, mec. »

Gabriel entendit Ash ouvrir une portière.

« Ash, n'entre pas dans la bagnole ! hurla-t-il.

— Rod ? *Rod ?* Putain de merde ! Gab ! *Rod est mort.*

— N'entre pas dans la caisse !

— On lui a tranché la gorge. Oh ! mon Dieu ! Qu'est-ce que… »

Sa phrase, empreinte de panique et de désespoir, s'était soudain tue : la communication avait été brutalement coupée. Gabriel avait tenté de le rappeler, mais sans succès. Il avait fini par se rendre au motel, où il avait retrouvé la voiture et les sinistres dépouilles qu'elle contenait. Aucun signe de l'inconnu.

Quelques jours plus tard, la police du coin avait conclu que l'assassin était le conducteur de la Pontiac Firebird. Après avoir tué Roderick, il avait attendu patiemment sur la banquette arrière, et avait tranché la gorge d'Ash peu après qu'il eut ouvert la portière.

Rex étant occupé à se construire une nouvelle main, et Roderick et Ash ayant trouvé la mort, Gabriel s'était retrouvé seul à pouvoir honorer la mission du Cimetière du Diable. Et à en croire la rumeur qui courait, c'était précisément là que comptait se rendre le mec qui avait écrasé la main de Rex et tué les deux disciples. Il était même fort probable qu'il comptait empocher la somme offerte par Julius pour sa fameuse mission. Aussi, si tout se passait au mieux, Gabriel tenait là une occasion en or de le buter. Et il entendait bien ne pas la laisser filer.

Le vent du désert le glaçait jusqu'à la moelle alors qu'il sillonnait l'autoroute déserte sur sa Harley, dont il avait fait chromer à peu près toutes les pièces en métal, qui scintillaient d'un éclat d'argent sous la lune. Depuis toujours, Gabriel aimait les temps froids. Le fait de sentir la peau de ses bras rougir et se contracter lui donnait l'impression d'être vraiment vivant. Pour cette raison, de jour comme de nuit, il ne roulait jamais que vêtu d'un simple T-shirt noir sans manches, sous un gilet en cuir, noir lui aussi. C'était un motard accompli, qui aimait tout spécialement rouler sans casque, et en limitant au minimum l'équipement de protection. Son seul compromis en la matière consistait en une grosse paire de bottes de *biker* aux boucles chromées, ainsi qu'un pantalon de cuir noir, même si leur fonction était plutôt d'ordre esthétique.

Sur son biceps droit, il portait trois dés tatoués, présentant respectivement les chiffres un, deux et trois. La chose qu'il désirait le plus au monde, et qu'il se devait encore d'acquérir, était de porter sur le biceps gauche trois autres tatouages de dés avec les chiffres quatre, cinq et six : ils signifiaient en effet que leur propriétaire faisait pleinement partie des disciples de la Nouvelle Ère. Et c'est précisément ce que lui vaudrait le fait de mener à bien cette mission. Sur la face postérieure du crâne rasé de Gabriel, on pouvait voir un autre petit tatouage, celui d'un crucifix. Pas de doute là-dessus : il avait tout d'un gros salopard homicide.

Et pour cause : c'était bel et bien ce qu'il était. Si Rex l'avait pris sous son aile, c'était pour ses talents d'assassin, et rien d'autre. L'aspect religieux de ce genre d'affaires était tout à fait nouveau à ses yeux. Bien sûr, ce qu'il apprenait à ce sujet lui plaisait, mais pas autant que les meurtres. Dans sa prime jeunesse, il avait tué quelques personnes qui ne le méritaient pas. À présent, Rex et les disciples de la Nouvelle Ère lui apprenaient à tuer pour les bonnes raisons. À tuer pour le bien de l'humanité.

La nuit était tombée soudainement, et les étoiles brillaient déjà intensément lorsqu'il passa à toute vitesse devant le resto Sleepy Joe, dont la façade lui renvoya l'écho des puissantes détonations de son V-twin. Grâce à un plan que Julius avait passé à Rodeo Rex, il savait comment se rendre de ce point jusqu'à l'hôtel. Dans l'incapacité de se déplacer, Rex le lui avait passé, avec l'ordre de s'acquitter de la mission. Le fait que Rex le charge d'une tâche aussi importante avait une très grande valeur aux yeux de Gabriel. Il avait à cœur de prouver à son mentor qu'il était à la hauteur de sa confiance. Il avait pris pas mal de retard, mais il toucherait bientôt au but. À quelques kilomètres de là, l'Hôtel Pasadena enflammait le ciel nocturne. L'heure de tuer était proche.

Gabriel était impatient de s'y mettre. Tout ce qui était arrivé à ses compagnons au cours de ces dernières semaines avait nourri sa fureur, et il était fin prêt à lui donner libre cours. La première occasion de se déchaîner arriva plus tôt que prévu.

À un peu moins d'un kilomètre, sur le côté droit de l'autoroute, Gabriel aperçut une silhouette dépenaillée qui titubait dans sa direction. Il ralentit, passant de

95 km/h à un petit 50 km/h. De sa main droite, il sortit un revolver patiné d'un étui réalisé sur mesure, fixé sur le flanc de sa moto. Lorsque la silhouette trébuchante qui agitait les bras à son attention fut assez proche, Gabriel visa, et tira.

Malgré les grognements de la Harley, la déflagration du coup de feu retentit puissamment dans le silence de la nuit. Avec une précision mortelle, la balle fusa en plein milieu du visage du piéton qui divaguait sur le bord de la route.

Joli coup, se dit Gabriel en passant devant le corps qui gisait à terre. Tout ce qui sortait des étendues sableuses du Cimetière du Diable par les nuits d'Halloween méritait de crever.

Gabriel rangea son revolver dans le holster qu'il portait sous son gilet en cuir, prêt à s'en servir de nouveau s'il croisait encore quelqu'un. À un peu moins de 2 kilomètres de là, il vit une sorte de van garé sur le côté de la route. Un large sourire de justicier vicieux barra son visage balafré.

La nuit s'annonçait définitivement sous les meilleurs auspices.

Loin derrière lui, le corps de l'homme qu'il avait abattu était étalé là où il s'était écroulé, la partie postérieure de son crâne crevée, son uniforme sombre recouvert de poussière et de sang.

L'existence et la trop brève carrière de policier de Johnny Parks étaient arrivées à leur terme.

25

Des coulisses, Jacko assista à la volée de bois vert que les juges firent pleuvoir sur un imitateur de Frank Sinatra. Celui-ci s'était montré très nerveux dès le début de sa prestation, et cela n'avait fait qu'empirer de seconde en seconde. Il y avait eu une première fausse note dès le début de son interprétation de « My Way », qu'il avait du reste transformé en « *I know the end is near* », au lieu de « *And now, the end is near* ». Après cela, toute notion de justesse (de même que tout souvenir exact des paroles) l'avait totalement quitté. À plusieurs reprises, on aurait cru entendre un chat en train de se noyer, et à un moment précis, particulièrement atroce, il parut chanter en une langue vaguement cousine du flamand. En guise de bouquet final, il finit son numéro par une horrible quinte de toux.

Jacko s'était inscrit auprès des organisateurs du concours une dizaine de minutes à peine avant que Sinatra monte sur scène. On avait consenti à le laisser tenter sa chance à la seule condition qu'il se trouve un meilleur déguisement que la tenue en cuir rouge qu'il portait. Il lui fut assez difficile de les convaincre qu'il allait interpréter une chanson des Blues Brothers, notamment parce qu'il ignorait lui-même laquelle il

chanterait. Mais les organisateurs avaient fini par l'inscrire, s'imaginant sans doute qu'il irait grossir les
rangs des ratés distrayants.

Depuis qu'il s'était campé dans ce coin des coulisses pour attendre le Bourbon Kid, il avait assisté à
trois interprétations. Toutes avaient été terribles. Et
une fois que Frank Sinatra aurait fini de se faire
écharper par les jurés, ce serait à son tour de passer.
Dans deux minutes à peine, il était censé monter sur
scène, et il n'avait toujours pas de costume à la Blues
Brothers promis par le Bourbon Kid. Ses efforts pour
le trouver prenaient plus de temps que prévu, ce qui,
du point de vue de Jacko, n'était pas nécessairement
une mauvaise chose. Si le Kid ne se pointait pas avec
le déguisement, il aurait la parfaite excuse pour se
désister. Parti comme ça l'était, il lui faudrait monter sur les planches déguisé en Michael Jackson,
avec une paire de lunettes noires. Comme tenue de
Blues Brothers, ça manquait quand même un peu
d'authenticité.

Il descendit les quelques marches qui reliaient le
bord de scène au reste des coulisses, et jeta un coup
d'œil dans le couloir afin de voir si le Kid arrivait.
À trois reprises, il tourna la tête d'un côté et de l'autre,
avant de se dire qu'il allait devoir s'éclipser. C'est
alors qu'au bout du couloir apparut l'assassin tout vêtu
de noir. Il tenait dans une main un costume noir et une
chemise blanche, et, dans l'autre, une petite cravate à
clip noire. Il rejoignit Jacko au pas de course.

« Tu aurais dû prendre encore plus ton temps, lança
d'un ton sec le chanteur, en proie au trac. Je ne sais même
pas quel putain de morceau je suis censé interpréter, et,

inutile de se le cacher, j'aurais même pas le temps d'apprendre les paroles de "Chicken Dance" [1].

— Ferme ta gueule et enfile ça », grogna le Kid.

Il lança le costume et la chemise à Jacko qui les attrapa. Il les étendit sur la moquette et, à contrecœur, enleva sa veste de cuir rouge pour la tendre au Kid. Celui-ci ne tendant même pas la main, il la laissa tomber à ses pieds.

« Tu as quand même conscience que c'est un plan complètement merdique, non ? geignit Jacko. Je suis censé passer dans trente secondes et je ne sais toujours pas ce que je dois faire.

— Tout va bien se passer, répondit le Kid en tirant un petit objet argenté de sa poche. T'auras un petit plus.

— Ah ouais ? Et c'est quoi, ce petit plus ? demanda Jacko en ramassant la chemise blanche pour l'enfiler.

— Je t'ai trouvé ça. »

Le Kid brandit alors l'objet argenté long de 15 centimètres qu'il venait de tirer de sa poche. Jacko y jeta un bref coup d'œil, et hocha instantanément la tête.

« Oh, non ! Non, non, non, non. Sérieusement, tu crois que c'est en jouant de l'harmonica que j'aurai une chance de gagner ?

— Je me suis dit que tu pourrais miser sur l'effet de surprise. Personne n'a joué d'un instrument jusqu'à présent. Ça te fera sortir du lot.

— Ça va surtout me couvrir de ridicule.

— Je suis prêt à courir ce risque. »

La voix du Kid évoqua le bruit d'un pas lourd sur du gravier.

---

1. « La danse des canards » *(N.d.T.)*.

« Ouais, tu m'étonnes. Et qu'est-ce qui se passe si je refuse ?

— Tu peux pas savoir ce que je te ferai.

— Et si je me plante ? Après tout, j'ai même pas de chanson.

— Impossible que tu te plantes. Tu vas grimper sur scène et dire aux jurés que tu dédies ce morceau à ta femme qui est morte récemment. Dis-leur qu'elle s'appelait Sally. Et ensuite, tu chantes "Mustang Sally". Sur le refrain, le public pourra faire les chœurs. Ils seront touchés, même si tu chantes comme une merde. Il faudra que tu les encourages à t'accompagner. Après ça, t'auras plus qu'à jouer de l'harmonica pendant qu'ils chanteront le reste de la chanson à ta place. »

Jacko boutonna le dernier bouton de la chemise dans un soupir. « Et merde. Où est-ce que tu as trouvé un plan pareil ? Dans une putain de boîte de corn flakes ? »

Le Kid fit un pas en avant et le saisit soudain à la gorge. « Je trouverai mieux si t'arrives en finale. Et t'as tout intérêt à te qualifier. J'ai dû improviser. »

Sur ce, il lâcha la gorge de Jacko, fixa la cravate à clip au col de sa chemise, et l'ajusta.

Jacko se baissa pour ramasser la veste qui reposait par terre.

« Au fait, tu les as trouvées où, ces fringues ? demanda-t-il.

— Sur un mec qui se trouvait dans le hall de réception.

— Et qu'est-ce qu'il a sur le dos, lui, maintenant ?

— Probablement un sac de la morgue.

« — Charmant. Je porte donc les sapes d'un mort. Encore chaudes. Depuis le temps que j'en rêvais. »

Alors qu'il enfilait la veste, on annonça son nom. Le grand moment était arrivé. Le Kid le poussa en direction de la scène. Ils croisèrent l'imitateur de Frank Sinatra qui en sortait justement, au bord des larmes. Il tâcha cependant de faire bonne figure et adressa un mouvement de la tête à Jacko.

« Bonne chance, mec. Ils sont plutôt du genre brutal. »

Jacko vit le pauvre chanteur abattu s'engager dans le couloir, en direction de l'ascenseur. Le Kid le laissa parcourir tout juste 10 mètres avant de l'appeler : « Yo, Sinatra. Viens voir par ici. »

Sinatra se retourna. Il avait laissé une minuscule larme couler sur sa joue droite. C'était un jeune type d'une vingtaine d'années, et, à en juger par sa tristesse et son abattement, le fait d'être rejeté était pour lui une expérience toute nouvelle. Il s'approcha de Jacko et du Kid, espérant qu'ils le réconforteraient par quelques mots d'encouragement.

« Ouais, quoi ? » demanda-t-il en s'arrêtant à moins d'un mètre du Bourbon Kid.

Celui-ci lui envoya un coup de poing au nez qui le mit K.-O. Sinatra vacilla un bref instant, le regard révulsé, avant de tomber à la renverse. Avant qu'il ait touché terre, le Kid tendit la main et se saisit de son borsalino. Aussitôt après, la tête de Sinatra heurta la moquette dans un impact sourd et puissant.

Le Kid se retourna vers Jacko, posa le chapeau sur sa tête, fit un pas en arrière, et pencha légèrement le borsalino de côté. La transformation en Blues Brother était presque totale. *Il ne manquait que le pantalon.*

Jacko avait eu beau se changer en moins de deux minutes, le temps lui manquait pour enfiler le pantalon du costume : il allait devoir monter sur scène avec son pantalon en cuir rouge.

« Hum, pas mal, dit le Kid. Faudra juste remplacer ce putain de fut' rouge pour la finale.

— Je suis d'accord, répliqua Jacko. Il faut bien avouer qu'il ne va pas très bien avec le reste de ma tenue.

— Avec rien, tu veux dire. T'as vraiment l'air d'un con avec ce pantalon.

— Sympa. Souhaite-moi bonne chance.

— Pas besoin. »

Le Kid lui tendit l'harmonica. « Cours faire ton petit numéro. »

Jacko inspira profondément et, avec sa nouvelle tenue et cet harmonica qu'il n'avait même pas essayé, il se précipita au fond des coulisses, juste avant les planches. Il s'immobilisa quelques instants pour reprendre son souffle, puis s'avança sur la scène, dans les puissants faisceaux des projecteurs. Son imitation s'avérerait peut-être désastreuse, mais, au moins, il ressemblait assez à un Blues Brother. Au-dessus de la taille, en tout cas. Et puis il avait un petit plus. Aucun concurrent n'avait joué d'un instrument. S'il parvenait à convaincre les jurés qu'il était capable de sortir une ou deux bonnes notes de son harmonica, peut-être réussirait-il à décrocher miraculeusement une place en finale.

26

Sanchez ne savait pas trop comment prendre la décision soudaine d'Elvis de lâcher sa pelle, pas plus qu'il ne savait comment interpréter sa remarque hermétique, selon laquelle « quelque chose » venait « d'arriver ». Qu'est-ce qu'il voulait dire au juste ? Ça faisait sûrement partie d'un plan, mais lequel, précisément ? Sanchez espérait que ce nouveau plan visait à les tirer de là, tous les deux. Car la possibilité qu'Elvis ait décidé de le trahir était franchement loin de le réjouir.

En tout cas, si le but du King était de plonger Angus l'Invincible dans la plus grande des confusions, il fallait bien reconnaître que c'était réussi. Le tueur à gages parut vraiment perdu lorsque Elvis déclara que quelque chose venait d'arriver. La moitié droite de son visage était crispée en une grimace, et, de toute évidence, il grinçait des dents. Il était littéralement remonté comme un ressort, et sa patience semblait avoir atteint ses limites. Les yeux écarquillés, il braqua son pistolet en direction de la tête d'Elvis.

« Ramasse cette saloperie de pelle et remets-toi vite à creuser ou je te jure que je te fais un putain de trou dans ton putain de crâne », ordonna-t-il d'une voix menaçante.

Mais cela ne suscita aucune inquiétude chez Elvis, et encore moins de l'intérêt. Il semblait distrait par quelque chose. « Écoute, petit nerveux. Va falloir qu'on se casse vite d'ici », dit-il simplement. Illuminée par les rayons de la lune, l'expression du King reflétait sa détermination à agir, d'un instant à l'autre. Sanchez était aussi paumé qu'Angus. *Qu'est-ce qu'il est en train de tramer ? Et est-ce que j'ai ma place dans son plan ?*

« Je vais compter jusqu'à trois, reprit Angus. Et à trois, si tu t'es pas remis à creuser avec cette pelle, alors c'est que t'auras décidé de pas me laisser de choix. Un… »

Sanchez se dit qu'il était temps d'agir. Elvis venait de tenter quelque chose, peut-être dans l'espoir que Sanchez enchaîne par une ruse dont il avait le secret. Il releva donc le regard en direction d'Angus et, pointant du doigt un bout de terre derrière le pied gauche du tueur à gages, s'écria : « Oh ! Regarde ! Derrière toi !

— Putain, dites-moi que je rêve, répondit Angus avant de regarder Elvis. Il le fait exprès, ou quoi ? Ça doit être la plus vieille ruse de tous les temps. Et dire que ce mec est censé être un tueur à gages connu dans le monde entier.

— Ouais, dit Elvis. Par contre, tu ferais bien de regarder derrière moi. »

De nouveau, Sanchez se sentit perdu. Quel que soit le nouveau plan d'Elvis, il semblait être complètement pourri. Le coup du « regarde derrière toi » était déjà assez nul en soi, alors si Elvis en était maintenant réduit à lui demander de regarder derrière lui, c'est que leur peau ne valait vraiment plus rien. Sanchez se décida pourtant à regarder dans le dos du King, en priant intérieurement pour que ça en vaille vraiment la peine. Tenant maladroitement la pelle entre ses mains, il se retourna. Au début, il ne distingua pas grand-chose dans les ténèbres, à part les silhouettes sombres des cadavres des vigiles qui gisaient par terre. Puis, dans le silence de mort qui avait suivi les mots d'Elvis, il entendit soudain quelque chose.

Un grondement sourd. Le bruit de la terre qu'on retourne, comme si des centaines de taupes s'étaient mises tout d'un coup à creuser en direction de la surface. Du coin de l'œil, il perçut du mouvement du côté du cadavre qui se trouvait derrière Elvis. De petits monticules de poussière et de sable se soulevèrent du sol, projetant cailloux et graviers dans l'air. Sanchez sentit un petit tas de terre tomber sur sa chaussure. Il provenait de la tombe qu'Elvis et lui avaient commencé à creuser. Il se retourna de nouveau afin de savoir d'où ça venait, précisément. Le remous rocailleux semblait à présent venir de partout à la fois, mais les sons les plus proches sourdaient de la tombe, qui paraissait cracher des panaches de poussière. Quelque chose était en train de s'extraire de sous la terre.

« C'est quoi, ce bordel ? » s'écria Angus. Lui aussi entendait parfaitement le roulement des gravats qui s'amplifiait à chaque seconde.

Sanchez avait les yeux rivés aux cailloux et à la terre sèche qui jaillissaient de la tombe. Sous la faible lueur de la lune, il ne savait pas trop s'il pouvait se fier à ses yeux. Soudain, quelque chose de livide parvint à la surface.

Une main.

Une vieille main décomposée, aux ongles brisés et noirs de terre. Les doigts gigotaient dans tous les sens, comme pour saisir quelque chose, comme si la main tentait de toutes ses forces de s'arracher au sol. Sanchez releva les yeux vers Angus, qui pointait son pistolet sur lui.

« Y a une putain de main là-dedans ! cria-t-il.

— Hein ? »

Ça lui avait pris un certain temps, par ailleurs très précieux, mais Sanchez venait enfin de comprendre où Elvis voulait en venir. Quelque chose était bel et bien *en train* de se passer, pas de doute. *Encore un truc que cette putain de Dame Mystique a pas prédit*, se dit-il.

« Oh ! mon Dieu ! Derrière toi ! » hurla soudain Sanchez. Il avait les yeux fixés au sol, derrière Angus, et, cette fois-ci, il avait *réellement* vu quelque chose. Et c'était bien plus qu'une simple main. Il s'agissait en l'occurrence d'un cadavre en putréfaction sur le point de sortir complètement de terre. La moitié supérieure du corps était déjà à l'air libre, et l'un de ses bras était tendu vers le mollet gauche d'Angus. Son visage était un immonde amas de chairs déchirées et pourries. Son abdomen squelettique n'était qu'à peine dissimulé par les haillons qu'il portait. Il lui restait encore des cheveux (gris et pleins de terre), des yeux et des dents, mais toute graisse qu'avait pu contenir son corps semblait avoir été mise à profit durant son hibernation souterraine. Ses yeux noirs, pleins de rage, révélaient une faim démente. Une faim de chair humaine.

Et ce n'était là qu'un début. Alors qu'Angus, comprenant enfin que quelque chose était bel et bien en train de se passer, se décidait à regarder derrière lui, deux autres mottes de terre surgirent du sol, de part et d'autre du tueur à gages. Des corps s'arrachaient à leurs tombes, au beau milieu du désert. Les corps de tous les morts qui y avaient été enterrés au cours des cent dernières années.

Le véritable show « Back From The Dead » venait de débuter, le festival annuel des morts-vivants. Et selon toute probabilité, le premier menu de la fête se composerait de Sanchez, Elvis et Angus l'Invincible.

Ces zombies anthropophages et grossièrement déformés avaient hiberné une année entière.

Et manifestement, ils avaient vraiment les crocs.

chanté au volant de sa voiture sur le premier tube diffusé à la radio.

Sur la pointe des pieds, Emily s'approcha du bord de la scène afin de mieux voir sa prestation, en veillant bien à rester dissimulée derrière l'épais rideau rouge. Elle se croyait seule, mais finit par remarquer la présence de quelqu'un d'autre qui, comme elle, regardait Jacko des coulisses. L'individu se tenait à environ un mètre sur sa gauche, adossé à un mur peint en noir. Tel un caméléon, il se fondait sur la surface sombre.

Elle le reconnut aussitôt qu'elle le vit : c'était l'homme étrange qu'elle avait aperçu plus tôt, juste avant qu'elle passe son audition. Il portait toujours sa veste de cuir noir, avec cette capuche qui lui tombait sur les épaules. Cet homme avait vraiment le pouvoir de se mouvoir dans les ténèbres sans se faire détecter. Bien que sa simple présence suffit à la mettre mal à l'aise, Emily saisit cette nouvelle chance de parler avec ce mystérieux inconnu.

« Vous lui avez prêté vos lunettes noires ? » demanda-t-elle en désignant d'un mouvement de la tête le Blues Brother qui chantait.

L'homme était si absorbé par la prestation de Jacko qu'il ne s'était pas aperçu de sa présence. Le regard qu'il posa sur elle indiqua de prime abord qu'il n'appréciait pas d'être dérangé, mais il se radoucit aussitôt qu'il l'eut reconnue.

« Ouais. Faut rien négliger.

— Les premiers vers sont toujours les plus difficiles. Après, on regagne toujours confiance en soi.

— C'est sûr. »

La voix rocailleuse était teintée d'un épais scepticisme.

27

Lorsque le dernier participant au concours mit le pied sur scène, la majeure partie des autres concurrents était terriblement anxieuse. Tous voulaient savoir s'ils avaient été retenus pour la finale. Pour ceux qui avaient chanté en premier, l'attente était insupportable. Beaucoup d'entre eux avaient cherché refuge dans l'un des bars de l'hôtel, où ils tâchaient de calmer leurs nerfs dans l'alcool. D'autres avaient rejoint leur chambre dans l'espoir de se reposer un peu. Une petite poignée avait eu la malchance de se faire tuer, et un seul d'entre eux tous, Elvis en l'occurrence, avait été conduit au beau milieu du désert.

Parmi les rares qui étaient restés pour voir le dernier concurrent se trouvait Emily. Elle n'était pas aussi nerveuse que les autres parce qu'elle savait que sa place en finale était assurée. Depuis des mois, elle savait que, à condition d'être bien présente au concours et de ne pas complètement foirer son interprétation, elle se mesurerait aux quatre autres finalistes. Elle avait surmonté cette épreuve avec succès, et soutenait à présent chaleureusement les autres participants qui, elle le savait, n'avaient aucune chance d'être qualifiés. Cette sollicitude était sincère. Sans doute cela lui donnait-il meilleure conscience.

À première vue, le type qui se tenait sur scène, déguisé en Blues Brother (au-dessus de la ceinture, en tout cas), ne représentait pas une menace. En outre, il avait l'air un brin nerveux. Emily, qui avait été au bord de la crise de nerfs lors de sa prestation, lui souhaita silencieusement toute la chance du monde. Il fallait reconnaître que le pantalon en cuir rouge qu'il portait n'arrangeait rien. *Le pauvre.* Des coulisses, elle le vit répondre aux quelques questions de Nina Forina en tripotant son harmonica. Emily avait eu la chance de ne pas passer sur le gril avant de chanter. La plupart du temps, quand Nina demandait à un concurrent d'en raconter un peu plus à son sujet, cela signifiait qu'il s'agissait ou bien d'un allumé, ou bien de quelqu'un qui traînait une histoire très triste.

« Alors, Jacko, on a un peu le trac ? demanda Nina en posant sur son épaule une main orangée, manucurée à la perfection.

— Ouais, un petit peu, marmonna-t-il tout bas.

— Est-ce que vous avez des amis ou de la famille dans le public ?

— Euh... non. Mon unique amie était mon épouse Sally, mais elle est morte récemment. »

Le public laissa s'échapper de concert un « oooh » plein d'empathie.

« Je suis désolée pour vous, dit Nina avec une mine qui aurait pu paraître compatissante sans Botox. Comment est-elle décédée ?

— Hein ?

— Votre épouse, Sally. Quelle a été la cause de sa tragique disparition ? À moins que ce ne soit trop douloureux pour vous d'en parler ? »

Emily eut la sensation que la question gênait considérablement Jacko, presque comme si la réponse lui était inconnue.

« Euh, ouais... enfin je veux dire, oui, ça a été très douloureux. Elle s'est fait dévorer par un léopard.

— Pardon ?

— Un léopard. »

À l'unisson, le public laissa s'échapper une expression de surprise. Pour autant, Nina ne perdait pas de vue le fait que cette micro-interview ne devait pas s'éterniser. Elle se tourna donc vers le public et s'écria dans son micro : « Et c'est une bien triste histoire, en effet. Sur ce, mesdames et messieurs, veuillez applaudir... *le Blues Brother !* »

Le Blues Brother en question resta planté là, immobile, à inspirer profondément. *Mon Dieu*, pensa Emily, *il est paralysé par la peur*. Les applaudissements se turent, et il fallut attendre une vingtaine de secondes supplémentaires pour que Jacko se mette enfin à chanter. Il avait choisi d'interpréter « Mustang Sally », pourtant, les premiers mots de la chanson ne franchirent ses lèvres qu'au prix d'un énorme effort.

« Mustang Sally,
Someone better slow your Mustang. »

S'il n'avait pas eu devant lui un pied de micro, les jurés qui se trouvaient à moins de 10 mètres l'auraient à peine entendu. Et ce n'était pas plus mal ainsi, parce que, manifestement, il se plantait complètement dans les paroles. Il semblait marmonner sciemment chaque fois que les paroles lui échappaient, comme s'il av

Pourtant, Emily avait raison. Malgré son début hésitant, Jacko s'améliorait à chaque vers, donnant de plus en plus de la voix et gagnant en assurance à chaque nouveau mot. Et lorsque le chorus à l'harmonica arriva, il brilla littéralement. Ce type savait vraiment bien jouer. L'attention du public fut aussitôt piquée au vif, et tous se mirent à marquer le tempo par leurs applaudissements.

« Je vous l'avais dit, lança Emily. Finalement, il s'en sort bien, pas vrai ?

— Il est meilleur que vous, ça, c'est clair. »

Emily fut prise de court par cette remarque aussi agressive qu'inattendue. « Je vous demande pardon ? demanda-t-elle d'un ton indigné.

— Votre interprétation était merdique. Vous feriez mieux de rentrer chez vous. Vous n'avez aucune chance de gagner.

— J'ai autant le droit d'être ici que les autres. »

Malgré elle, Emily sentait monter sa colère, et ses joues s'empourprèrent légèrement.

« Votre audition était bidon », ajouta le sombre inconnu.

Les joues d'Emily étaient à présent tout à fait écarlates. Il était très désagréable d'entendre quelqu'un souligner, et assez fort, le fait que sa qualification en finale avait été prédéterminée. Un bref instant, cela la fit douter de son talent.

« Je ne vois pas du tout ce dont vous voulez parler, bégaya-t-elle en espérant noyer le poisson.

— Le show est truqué. Et au cas où vous l'auriez pas remarqué, trois des finalistes prévus originellement ont disparu. On dirait que quelqu'un apprécie pas trop ce genre de tricheries. Dans votre propre intérêt, vous feriez mieux de retourner dans le Kansas en quatrième vitesse. »

Il la scruta d'un regard dur. Ses yeux étaient encore plus inquiétants que ses lunettes noires. Elle se refusait à croire à la disparition des trois finalistes. Il avait dit ça juste pour la stresser.

Et il fallait bien reconnaître que ça marchait. Emily déglutit à grand-peine, luttant pour retenir les larmes qui gonflaient ses yeux. Les mots de l'inconnu étaient extrêmement blessants. C'était quoi, son problème ? Elle ne lui avait rien fait, pourtant. Sur scène, Jacko était à présent lancé dans un solo d'harmonica électrisant qui avait fait se lever l'ensemble des spectateurs.

« C'est vraiment très méchant, ce que vous dites », bafouilla-t-elle avant de tourner le dos au sombre inconnu pour se déplacer sur sa droite, piétinant le bas du rideau rouge. Elle décida de l'ignorer et se concentra sur ce qui se passait sur les planches.

Après une ovation qui dura une bonne minute, les trois jurés soumirent leur verdict. Les deux premiers, Lucinda Brown et Candy Perez, livrèrent des commentaires relativement positifs qui soulevèrent dans le public des cris de joie et des applaudissements. Puis vint le tour du juré qui se trouvait entre elles, dans son costume blanc aveuglant, Nigel Powell, celui dont l'avis pesait le plus lourd dans la compétition. Il semblait autrement plus irrité que lors du passage d'Emily, et avait manifestement hâte de faire une pause.

« Bon. Que dire, Jacko ? lança-t-il. Votre façon de chanter est, au mieux, passable. » Les spectateurs le huèrent, et il se retourna à moitié vers eux. « Excusez-moi, c'est vrai ! protesta-t-il. Cependant, votre solo d'harmonica était excellent. » Des huées, le public passa aux acclamations. Lorsque le niveau sonore redevint tolérable, Powell poursuivit. « Mais l'enjeu de ce concours, c'est de montrer qu'on sait chanter, et, de mon point de vue, votre interprétation est à mille lieues des Blues Brothers. Sans l'harmonica, cela n'aurait même pas valu la moyenne. »

Il y eut de nouvelles huées, et, du coin de l'œil, Emily remarqua un soupçon de colère sur les traits de l'homme qui se trouvait à côté d'elle. En vérité, il semblait sur le point de tuer quelqu'un. Mue par son instinct de survie, Emily s'empressa de se retirer pour aller chercher refuge dans la loge commune du septième étage. Elle se dit que là-bas, au moins, elle serait entourée de ses amis, Johnny Cash, Otis Redding, Kurt Cobain et James Brown.

28

Angus l'Invincible appuya sur la détente de son pistolet, et la situation devint infernale. Littéralement. Des créatures d'outre-monde s'arrachaient au sol tout autour de lui. Lorsque l'une d'elles attrapa une jambe de son pantalon pour se relever, il se mit à tirer dans tous les sens. C'était le signal qu'attendaient Sanchez et Elvis pour fuir.

« Cours ! » hurla le King.

Ordre bien superflu. Sanchez avait déjà lâché sa pelle pour se précipiter en direction de l'autoroute, à une allure qui s'apparentait pour lui à une course soutenue, dandinant tant bien que mal malgré le gaffeur qui liait toujours ses poignets. Il avait réussi à éviter les bras tendus d'une ou deux créatures qui avaient fait surface derrière lui, et la chance semblait toujours de son côté. Les cadavres des deux vigiles monopolisaient l'attention des morts-vivants. Il s'agissait là de proies idéales : fraîchement tuées, encore tièdes et incapables de se défendre.

De l'autre côté de la tombe creusée par Sanchez et Elvis, Angus était dans une position bien plus inconfortable. En l'absence de cadavres, les zombies qui apparaissaient autour de lui essayaient de l'attraper. Le fait qu'il venait de loger une balle en plein dans la tête du premier était loin de décourager les autres. En même temps, Sanchez s'en foutait complètement. Cette espèce de sale enculé l'avait bien mérité.

Aucun zombie ne se dressait entre Sanchez et le van. Elvis et lui coururent de toutes leurs forces. En temps normal, Sanchez avait quelque difficulté à courir. Mais avec les mains attachées devant lui, l'exercice s'avérait particulièrement délicat. Faisant de nécessité vertu, il leva les mains, ferma les yeux et pria n'importe quel dieu susceptible de l'entendre pour que les portières du van ne soient pas verrouillées et que les clefs soient sur le contact. Et si en plus un sandwich aux boulettes pouvait se trouver sur le siège passager, alors ce serait vraiment le paradis.

Ils n'étaient plus qu'à quelques mètres de la route lorsqu'ils aperçurent au loin une infime lueur qui leur redonna espoir : c'était le phare d'un véhicule qui se trouvait à moins d'un kilomètre, et grossissait à mesure qu'il approchait. Sanchez jeta un regard à Elvis. Le King l'avait vu, lui aussi.

Se retrouver sur la route leur parut la meilleure option : il était en effet peu probable que les immondes créatures à moitié décomposées parviennent à transpercer l'asphalte. La chance tourna pourtant en leur défaveur au moment même où ils atteignaient la route : une main surgit de terre et saisit la cheville gauche de Sanchez. Cela suffit plus qu'amplement à stopper sa course : il perdit pied et s'écroula lourdement au sol. Une chance pour lui qu'Elvis, qui le devançait d'un ou deux mètres, n'était pas du genre à laisser tomber un pote sous prétexte que des morts-vivants rongés par les vers s'extirpaient de terre. Entendant l'impact sourd, le King se retourna pour voir ce dont il s'agissait.

« Merde ! Sanchez ! T'as une putain de paluche sur la cheville ! » Il avait les yeux rivés sur le pied de son ami, que recouvrait une main décharnée à la peau verdâtre. Reliée à cette main par un bras putréfié, la partie supérieure d'un gigantesque zombie était en train de s'extraire du sable et de la terre. Sa peau était d'un gris sombre, comme recouverte de goudron chaud. Ses yeux jaunes brillaient intensément dans l'obscurité. Si Sanchez s'était retourné, l'horreur lui aurait certainement fait perdre connaissance.

Fort heureusement, le fait d'identifier ce qui le retenait était le cadet de ses soucis, tout occupé qu'il était à essayer de se libérer. Sanchez tira de toute la force de sa jambe gauche, mais le monstre était bien plus puissant que lui : tout en sortant de sa tombe, il tâchait d'approcher le pied de sa bouche. Si les autres zombies avaient apparemment très faim, celui-ci semblait résolu à avaler tout rond le patron de bar, sans même recracher les os. Sa gueule béante, immense, dévoilait des gencives saignantes, plantées de larges crocs jaunâtres, ainsi que, tout au fond, des amygdales tuméfiées. Ces yeux jaune clair, écarquillés de gourmandise, fixaient sans relâche le mollet dodu de Sanchez.

Elvis se pencha pour attraper les mains liées de son ami, et tira de toutes ses forces. En vain : le King avait beau être balèze, ce putain de zombie géant à la con l'était encore plus.

« Allez, espèce de mauviette de merde ! Tu peux y arriver ! » cria Elvis à Sanchez.

La mauviette en question n'était pas tout à fait du même avis. Il venait enfin de voir ce qui lui avait attrapé la cheville.

« Merde ! MERDE ! hurla-t-il. J'arrive pas me libérer ! J'arrive pas à me libérer ! » Il n'avait jamais été terrorisé à ce point. Un grand nombre de trucs l'avaient terrifié par le passé, des petites araignées jusqu'aux gangs de vampires et de loups-garous, mais ça, ça battait tous les records. C'était bien la première fois qu'un machin de cette taille s'en prenait à lui et tentait de lui manger la jambe. En outre, les tentatives d'Elvis pour l'arracher à son étreinte étaient tout sauf fructueuses. Jouant de malchance, Sanchez était tombé sur le Hulk Hogan des morts-vivants. Un titan à la force inimaginable. Et pour empirer encore les choses, trois autres zombies se ruaient à présent dans leur direction. Ils avaient renoncé à planter leurs crocs dans les cadavres des deux vigiles, à présent recouverts d'une cohue grouillante de créatures maléfiques.

« Elvis ! Putain ! Sors-moi de là, bordel de merde ! cria Sanchez, désespéré.

— J'essaie, mec, j'essaie ! T'es sûr que tu peux pas lui mettre un coup de latte, ou t'asseoir sur cet enculé ? »

Se retournant de nouveau, Sanchez s'aperçut que le zombie géant avait réussi à dégager toute la partie supérieure de son corps, et lui secouait la cheville pour le déstabiliser, prêt à croquer sa première bouchée. Sanchez était sur le point de laisser libre cours à ses boyaux, le long de sa jambe, direction la gueule béante du monstre, lorsque soudain…

BOUM !

Stupéfait, Sanchez releva les yeux vers la route. Ce faisant, il sentit l'étreinte du mort-vivant se relâcher. Il se redressa maladroitement, prêt à s'éloigner aussi vite que possible de ce terrain plus qu'instable. Les doigts glaciaux du zombie encerclaient toujours sa cheville, mais, curieusement, sa jambe n'était plus bloquée. Un coup d'œil par-dessus son épaule lui permit de constater que la main de la créature n'était plus rattachée au reste de son corps. Une balle avait sectionné son bras à hauteur du coude. Le *biker* qui venait de le sauver, juché sur sa moto, n'avait pas encore posé pied à terre.

Elvis, qui tenait toujours les mains de Sanchez, hissa le barman grassouillet dans sa direction. Soudain embarrassés par ce contact physique, tous deux se lâchèrent. Le ronronnement du moteur de la moto changea de ton, signe que le *biker* venait de changer de vitesse pour parcourir les derniers mètres qui le séparaient d'eux. Sanchez et Elvis se précipitèrent vers leur héros. Celui-ci finit par immobiliser son véhicule, le mit au point mort, et fit taire le moteur. Dans le silence qui s'ensuivit, il donna un coup de talon à la béquille, inclina légèrement la Harley, et en descendit. Ce type était un vrai géant, même aux yeux d'Elvis, qui était tout sauf petit. Il passa devant le King et Sanchez sans leur prêter la moindre attention, s'avança vers les trois zombies qui rappliquaient, sortit un Dan Wesson PPC .357 du holster qu'il portait sous l'aisselle, visa le zombie du milieu, et lui tira une balle en pleine gueule. Le bruit de la déflagration, ainsi que l'annihilation totale de la tête de leur compagnon, figea instantanément les deux autres. Ils se mirent à reculer lentement, attendant de voir si le massif *biker* avait l'intention de leur tirer dessus. Au lieu de ça, celui-ci reporta son attention sur le mutant géant à moitié enseveli, et à présent amputé d'un bras. Dans une poche de son pantalon de cuir noir, il piocha une poignée de cartouches, et, tranquillement, rechargea son imposant revolver. Une fois prêt, il tua net le zombie d'une balle dans la tête. Le fait de détruire d'emblée l'ennemi le plus imposant avait toujours l'effet recherché. Sans demander leur reste, les autres morts-vivants se rabattirent sur les cadavres des deux vigiles et sur Angus l'Invincible, qui combattait toujours une légion de créatures des ténèbres, au bord du trou fraîchement creusé. *Putain, la classe*, se dit Sanchez.

L'homme à l'énorme revolver se retourna vers Elvis et Sanchez.

« OK, maintenant, foutons le camp d'ici, dit-il. Ça va pas aller en s'arrangeant, dans le coin. » Il ne semblait pas s'inquiéter, même vaguement, du sort du tueur à gages qui luttait plus loin. Il y avait à présent beaucoup trop de zombies sortis de terre pour qu'un homme seul, armé uniquement d'un revolver, puisse tenter une mission de secours. Angus allait devoir se démerder tout seul.

« Amen ! » s'écria Sanchez en levant les yeux aux cieux, dans des remerciements silencieux. C'était en vérité un homme très religieux, mais seulement par intermittence, aux moments où ça lui convenait. En d'autres mots : quand il était dans la merde jusqu'au cou.

À sa grande surprise, le massif *biker* s'approcha d'Elvis, et tous deux échangèrent un large sourire. Le King, qui avait réussi à arracher le gaffeur qui lui liait les poignets, claqua sa paume contre celle du colosse.

« Yo, Gabriel, lança-t-il sans cesser de sourire. Comment ça va, mec ? »

Il était évident que tous deux étaient de vieux amis.

« Connu pire. Et toi, quoi de neuf ?

— Pas grand-chose. C'est un peu mort, dans le coin.

— C'est clair. Je te dépose quelque part ?

— Carrément. »

Gabriel enfourcha sa grosse Harley, rangea la béquille, et ralluma le moteur dans un rugissement. Elvis prit place sur la selle en cuir, derrière lui. Gabriel posa les yeux sur Sanchez, qui priait du fond de son âme pour qu'il lui propose à lui aussi un tour en moto, même si, à première vue, la chose ne relevait pas vraiment du possible.

« Allez, gros tas. Grimpe », ordonna Gabriel en lui faisant signe de se caler devant, dans les quelques centimètres de selle qui subsistaient entre lui et le gigantesque réservoir. Sanchez ne se le fit pas dire deux fois, et, comme par miracle, parvint à enfourcher la moto pour se serrer dans le minuscule espace. Les longs bras de Gabriel l'encerclèrent pour se poser sur les poignées du guidon. C'était tout sauf confortable, mais c'était infiniment plus agréable que de se retrouver seul au milieu du désert cerné par une multitude de saloperies putréfiées mortes depuis des lustres.

« Qu'est-ce que c'est que ces putains de machins ? demanda Sanchez en désignant d'un mouvement de la tête les zombies qui, au bord du trou vide, tentaient toujours de croquer une bouchée d'Angus l'Invincible.

— Sauf erreur, c'est des goules, peut-être même des zombies, répondit Gabriel. À ta place, je m'inquiéterais pas. Angus l'Invincible en viendra à bout. »

Il embraya en première. Par-dessus les ronronnements du moteur, on entendait au loin les jurons du tueur à gages solitaire, dûment ponctués de coups de feu.

« Tu connais Angus ?

— Bien sûr. Une petite seconde. »

La moto s'ébranla pour s'élancer sur l'autoroute, sans que le couple du gros V-twin semblât souffrir de la charge supplémentaire. Le visage fouetté par le vent du désert et toutes sortes d'insectes, Sanchez crut bon de fermer la bouche afin d'éviter toute ingestion involontaire. Il tendit l'oreille de son mieux afin de saisir la conversation qui s'engagea entre Elvis et Gabriel, qui hurlaient tous deux pour se faire entendre par-dessus le bruyant tempo du moteur et les mugissements du vent.

« Qu'est-ce qui t'amène par ici, Gabe ? cria Elvis, à l'autre bout de la selle.

— C'est Rex qui m'envoie. Un petit problème de concentration de créatures du mal au mètre carré, dans le coin. Mais t'as déjà dû t'en rendre compte. Je suis venu régler ça. »

Putain de merde ! pensa Sanchez. Cela faisait tout juste une minute qu'il connaissait Gabriel, et il était déjà fan de ce type.

« T'es venu ici uniquement pour éliminer des créatures du mal ? demanda Elvis.

— Entre autres. Je dois aussi tuer quelques chanteurs.

— J'ai comme l'impression que quelqu'un s'en est déjà chargé à ta place.

— Ça fera un truc de moins à faire, alors. J'aurais plus de temps à consacrer à une tâche un peu plus personnelle.

— Genre ?

— T'as su, pour Roderick et Ash ?

— Ouais, mec. Je suis vraiment désolé.

— Eh bien, à en croire la rumeur, le mec qui les a tués est dans les parages. Je vais avoir tout le loisir de le traquer. »

Durant le reste du trajet jusqu'à l'hôtel, Sanchez ne perdit pas une miette de l'échange des deux hommes, qui ne cessèrent de donner de la voix. Apparemment, les cadavres qu'il avait vus plus tôt dans la journée ne représentaient que la partie immergée d'un gigantesque iceberg.

29

Angus l'Invincible repoussait les zombies avec un talent certain. Au fil des ans, il s'était mesuré à des hommes et des femmes de tous poids et toutes tailles, bardés de toutes sortes d'armes : le combat au corps à corps était devenu pour lui une seconde nature. Bien que surpris de voir des morts-vivants s'attaquer à lui, il avait eu le professionnalisme de repousser cette observation dans un coin de son cerveau pour se concentrer exclusivement sur l'extermination de ces enfoirés. Plus tard, il aurait tout le loisir de se demander ce qu'ils foutaient dans ce désert. Pour l'heure, la première de ses priorités, c'était la survie.

Il s'était très vite rendu compte que ces créatures étaient dotées d'une intelligence assez élevée. Dans la plupart des films de zombies qu'il avait vus, les morts-vivants avaient une très nette tendance à traîner du pied avec un air ahuri, les bras tendus devant eux, en marmonnant toujours les mêmes mots, tels que « cerveau », « cervelle », ou, en version originale, « *brains* ». Ceux auxquels il avait présentement affaire se distinguaient très clairement de ce cliché. Ils attaquaient stratégiquement. Ils évitaient de se retrouver en face du canon de son pistolet. En fait, ces salopards ne l'attaquaient que de dos, ce qui le poussait à pivoter constamment sur lui-même. Ce faisant, il parvint à en buter quatre, mais ce mouvement perpétuel lui fit rapidement tourner la tête. Une des créatures ne tarderait pas à tirer profit de cette sensation de vertige.

L'élément le plus inattendu de cette confrontation était sans doute que le fait de le tuer n'était pas la priorité absolue de l'ensemble des zombies. Lorsqu'une créature particulièrement décharnée, après avoir rampé jusqu'à lui, lui sauta sur le dos, Angus s'attendit à ce qu'elle lui plante ses crocs dans le cou. Or au lieu de ça, cette saloperie de mort-vivant avait simplement glissé sa main dans la poche intérieure de son trench-coat. *C'est quoi, ce bordel ?* Au début, Angus ne comprit pas ce qu'essayait de faire la créature.

À son plus grand déplaisir cependant, lorsqu'il arriva enfin à se débarrasser du zombie, ce dernier avait réussi à lui arracher les clefs de son van. *Putain de sale enculé.* Tandis que les autres continuaient à encercler Angus, le mort-vivant boitilla à toute vitesse en direction du van, suivi d'une de ses congénères qui portait une robe rose particulièrement sale et déchirée. À moins de reprendre la situation en main, Angus risquait de voir deux raclures de zombies à la con lui piquer le véhicule qui faisait sa joie et sa fierté. Et cette perspective était aussi inattendue que désagréable.

« Dégagez, espèce de sous-merdes ! » leur hurla-t-il.

On peut se demander à juste titre pourquoi Angus prit la peine de leur adresser ces mots. Le fait est que, très logiquement, ils ne répondirent pas. Pire encore, alors qu'il aurait dû leur courir après, il resta planté là, cerné par tout un tas de créatures, figé d'effroi à la vue de ces deux putains de zombies qui grimpaient dans son van bleu chéri, refermant les portières derrière eux.

S'il s'avérait que ces deux-là savaient conduire, ses chances d'en réchapper se volatiliseraient purement et simplement. Il entendit le moteur vrombir, et sut qu'il ne lui restait plus qu'une option : se frayer un chemin parmi l'attroupement de monstres et atteindre le van avant qu'il ne s'éloigne. Le bruit du démarrage fut presque aussitôt suivi par la remise sous tension du lecteur CD. Le visage d'Angus s'allongea. Il se rua sur deux zombies qui lui barraient la route, et qu'il repoussa bien plus facilement qu'il ne l'aurait cru. Puis il se mit à courir de toute la force de ses jambes, butant ou frappant tout mort-vivant assez téméraire ou assez débile pour se mettre en travers de son chemin. Pas moyen que ces sales enflures de zombies se cassent avec son van et son CD des plus grands succès de Tom Jones.

« Dégagez, bordel de merde ! C'est mon putain de van, bande de putains d'enculés ! Je vais vous faire crever ! Une deuxième fois ! »

Mais les cris d'Angus furent vains. Le van s'engageait déjà sur l'autoroute. Alors qu'il passait à sa hauteur, Angus entendit les enceintes claironner le refrain de « Delilah ».

Espèces de sales putains de voleurs de morts-vivants à la con !

Si le van d'Angus était l'une des choses les plus précieuses qui lui appartenaient, son CD de Tom Jones, lui, valait à ses yeux tout l'or du monde. *C'était un exemplaire dédicacé par M. Jones en personne.* Angus, qui avait été passablement en rogne jusque-là, bouillait de colère. Malheureusement pour lui, il allait devoir combattre une foule de zombies avant de pouvoir se lancer à la poursuite de son camping-car, jusqu'à l'Hôtel Pasadena.

30

Le Bourbon Kid attendait que Jacko eût fini de saluer le public. Son interprétation n'avait pas été aussi bonne qu'il l'avait espéré. Emily Shannon, la fausse Judy Garland, était bien meilleure. Et après le court échange qu'il avait eu avec elle, le Kid était convaincu d'avoir fait une très mauvaise impression. En tentant de la convaincre d'abandonner, il n'était parvenu qu'à la mettre en colère, et la pousser à le détester. Ç'aurait été parfait si elle avait suivi son conseil en se retirant du concours, mais, apparemment, ce n'était pas là son intention. Et tout cela lui faisait ressentir quelque chose d'assez peu agréable. Quelque chose qu'il n'avait pas éprouvé depuis très longtemps. De la culpabilité. Il se sentait coupable de l'avoir énervée. Et il ne parvenait pas à s'expliquer en quoi ça le dérangeait.

Cela faisait dix ans jour pour jour qu'il s'était éloigné de Beth, le seul véritable amour de sa vie. Emily ressemblait tellement à Beth. Putain de merde, même leur déguisement était identique. Et Emily avait ce même air d'innocence et de fraîcheur. À quoi tout cela rimait-il ? Était-ce une sorte de signe ? L'occasion ou jamais de se racheter pour ce qui s'était passé dix ans auparavant ? L'occasion ou jamais de redresser ses torts ? Et s'il réussissait à sauver Emily, cela allé-gerait-il sa conscience ?

Le visage de sa mère lui revint tout à coup en mémoire. Il se revit, du haut de ses 16 ans, en train de lui tirer dans la poitrine. Puis il se souvint du sourire maléfique de Kione, le vampire qui avait violé sa mère avant de faire d'elle l'une de ses semblables. Ce fils de pute était toujours en vie, plongé dans des souffrances infinies, pendu par les pieds au plafond de la chambre du Kid, prêt à être une énième fois torturé dès le retour de son bourreau. Peut-être était-ce là qu'il était le meil-leur ? Chez lui, à mutiler et à torturer ? Oui, c'était bien dans ce genre d'activités qu'il excellait. Surtout quand il avait une bonne raison de le faire.

« Ça va ? » demanda Jacko.

Le Kid n'avait pas remarqué la présence de son complice déguisé en Blues Brother, juste à côté de lui. Il s'arracha soudain à ses pensées larmoyantes et regarda droit dans les yeux l'abruti vêtu d'un pantalon de cuir rouge et d'une veste noire. Il avait misé tout ce qu'il avait sur ce bouffon. *Tu parles d'une putain de perte de temps.*

« Je suis plus sur le coup, dit-il à Jacko. Tu peux garder les lunettes. Bonne chance pour la finale. Si seu-lement tu te qualifies.

— Hein ? »

Son plan pour empêcher Emily d'être retenue en finale avait échoué. Le Kid avait tout fait pour l'écarter de l'inéluctable, mais elle semblait farouchement résolue à ignorer ses conseils, à remporter le concours, et à signer le maléfique contrat. Les talents du Kid seraient plus utiles autre part. Il n'avait croisé qu'un ramassis de cons à l'Hôtel Pasadena. Il était grand temps de mettre les voiles.

Laissant un Jacko abasourdi derrière lui, il sortit des coulisses. Lorsqu'il arriva à la réception, il était de si mauvaise humeur qu'il pointa son pistolet sur la réceptionniste. Il insista on ne peut plus clairement pour qu'elle s'abstienne d'appeler un valet, et lui remette directement les clefs de sa voiture en mains propres. Il fallut moins de trente secondes à la pauvre employée pour les retrouver et les lui rendre.

Le parking qui se trouvait derrière l'hôtel était rempli d'autocars qui avaient transporté jusqu'ici une horde de crétins sans nombre. Ils étaient tous stationnés au fond. Le Kid eut le plaisir de voir que sa Firebird noire était garée au premier rang, à quelques mètres seulement de la sortie de l'hôtel.

Il ouvrit la porte du conducteur et s'apprêtait à entrer lorsqu'il aperçut une grosse Harley longer le côté de l'hôtel. Sa curiosité avait été piquée par le fait que celui qui la conduisait n'était pas accompagné d'un, mais de deux passagers, l'un devant lui, l'autre derrière. Et plus étonnant encore, le Kid les connaissait tous les trois.

Il s'assit derrière le volant et referma discrètement la portière. Qu'est-ce que ces trois rigolos venaient faire dans cet hôtel ? Et pourquoi étaient-ils ensemble ? Le premier qu'il avait reconnu était le gros couillon qui se trouvait à l'avant de la moto, Sanchez, le patron du Tapioca, à Santa Mondega. Au milieu se trouvait le conducteur de la Harley, un gros *biker* au crâne rasé, et, derrière celui-ci, Elvis, le fameux tueur à gages de la même ville. En allant chercher à l'église son frère cadet, au sortir d'un office nocturne un peu spécial, le Kid y avait trouvé Elvis, Sanchez et tout un tas de vampires morts. Avec l'aide d'un homme d'Église du nom de Rex, Elvis avait tué toutes ces créatures maléfiques, et, pour improbable que cela puisse paraître, Sanchez avait protégé son frère cadet des assauts des vampires. En tout cas, c'était ce qu'on lui avait raconté, et, *a priori*, il n'avait aucune raison de ne pas le croire.

Celui qui conduisait la Harley, pris en sandwich entre Sanchez et Elvis, était le propriétaire du véhicule, un dénommé Gabriel Locke. Un disciple de la Nouvelle Ère, et sans doute un mec bien, mais qui, étant donné ce qui s'était récemment passé à Plainview, devait avoir une dent contre le Kid. Sans doute au point de vouloir lui faire la peau.

Il les vit descendre de la moto pour se diriger vers une issue de secours, derrière l'hôtel. Sanchez, ce gros bouffon, tenta à plusieurs reprises d'ouvrir la porte, avant de comprendre qu'elle ne s'ouvrait que de l'intérieur. Tous trois firent alors le tour de l'hôtel, en direction de l'entrée principale.

Mais pourquoi étaient-ils là ? Elvis était un tueur à gages, mais il était probablement venu ici pour participer au concours. Sanchez était un clown, inutile de s'inquiéter à son sujet, mais Locke, lui, était peut-être venu ici pour finir le boulot que le Kid avait laissé inachevé. *Le boulot consistant à tuer, entre autres, Emily.* Son objectif serait sans doute de s'assurer que Julius remporte le concours et signe ce foutu contrat. Mais Gabriel était un homme de Dieu, dans un sens en tout cas, ce qui signifiait qu'il éviterait certainement de tuer Emily. Ce serait logique, non ?

Le Kid rouvrit sa portière et sortit de sa voiture. Il prit un paquet dans la poche de sa veste en cuir, et en tira une cigarette avec les dents. Puis il s'assit sur le capot et aspira à travers le filtre. La cigarette s'alluma spontanément dans le froid de la nuit. Un minimum de réflexion s'imposait. Qu'est-ce qui se passait au juste dans cet hôtel ? Et dans le désert qui l'entourait ?

Réfléchissant ainsi les yeux rivés à la lune, le Kid entendit un autre véhicule approcher. Ses pneus crissaient, comme s'il enchaînait les tours d'un circuit automobile à vitesse maximale. En l'espace de quelques instants, il apparut dans le coin par lequel la Harley avait fait son entrée sur le parking. C'était un gros van bleu, presque assez long pour revendiquer le statut d'autocar, et il allait si vite qu'il faillit faire un tonneau en contournant l'hôtel. Le Kid ne parvenait pas à distinguer le visage du conducteur. Le véhicule avança droit vers lui et pila brutalement en face de l'issue de secours. Les portes s'ouvrirent d'un coup sec, et deux silhouettes sombres sortirent. Elles se ruèrent vers la porte qu'elles tentèrent d'ouvrir, à l'instar de Sanchez quelques minutes plus tôt. Et à l'instar de Sanchez, leurs efforts furent absolument vains.

Elles se retournèrent alors et virent le Kid assis sur le capot de sa voiture. C'est à cet instant précis qu'il se rendit compte que leurs yeux luisaient. Rouges pour l'une, jaunes pour l'autre, ils brillaient d'un sinistre éclat phosphorescent dans les ténèbres nocturnes.

Des putains de créatures du mal.

Le Bourbon Kid déposa précautionneusement sa cigarette sur le capot et se dirigea droit vers les deux créatures. Elles poussèrent des sifflements menaçants et avancèrent prudemment à sa rencontre, se positionnant à droite et à gauche du Kid, affamées de chair humaine.

Le Kid considéra un bref instant la situation. Il ne lui restait plus que deux balles, bien trop précieuses pour les gâcher dans le crâne de ces deux zombies. Aussi, sans s'arrêter, plongea-t-il la main droite sous le pan gauche de sa veste en cuir, pour en tirer une autre arme que son pistolet.

Le mort-vivant le plus proche portait un vieux pull à col roulé en lambeaux, jadis blanc, et à présent gris de crasse. Il avait en outre un pantalon en guenilles, dont l'une des jambes était quasiment inexistante, ainsi que, détail assez incongru, une paire de lunettes en sale état, à l'épaisse monture noire. C'était apparemment le plus affamé des deux, et le Kid se prépara à son attaque. Comme prévu, le zombie fondit sur lui, et le Kid lui balança à hauteur de la gorge un revers de la main droite. Entre ses doigts se trouvait un poignard à la poignée d'os, dont la lame d'une bonne vingtaine de centimètres de long trancha net le cou du zombie. Sa tête bascula en avant, et un flot de sang sombre se répandit sur sa poitrine. Le zombie moribond tomba à genoux, et un lugubre grasseyement s'échappa de la plaie béante.

Sa complice morte-vivante était vêtue d'une robe rose plus que répugnante. Ses cheveux étaient longs, gris et très peu fournis, et son visage n'était qu'à moitié recouvert de chair. À la vue de son compagnon tombant à genoux, elle resta interdite pendant un bref instant, que le Kid mit à profit pour plonger profondément la lame dans sa poitrine. Le métal s'enfonça dans la chair putréfiée avec une incroyable facilité, et le Kid l'abaissa soudain, dans le but d'ouvrir l'abdomen dans sa longueur. La chair de la morte-vivante était par endroits aussi molle que du beurre, et par d'autres, aussi dure que du cartilage. Il parvint à pratiquer une incision d'une vingtaine de centimètres, et la morte-vivante, suivant l'exemple de son compagnon, s'écroula à terre. Le Kid n'eut pas le temps de retirer son poignard, coincé quelque part dans la cage thoracique de la victime, et le manche lui glissa des mains.

Les deux créatures étaient mortes pour de bon, mais la deuxième était tombée fort malheureusement sur l'arme du Kid. Celui-ci la retourna du bout du pied et se pencha pour tirer la lame du cadavre. Le sang gicla dans tous les sens, en partie sur sa main. Cela l'inquiéta beaucoup moins que l'état du poignard. L'impact du manche contre le sol du parking avait tordu la lame quasiment à angle droit. Le Kid la considéra placidement. En plus d'être pliée, elle était recouverte de tripes de zombies. Dans un geste plein de colère, il jeta le poignard à présent inutile.

Et une arme en moins.

Il ne lui restait à présent plus que deux balles, et plus le moindre couteau. Ça, c'était clairement le signe qu'il était temps de rentrer chez lui. Mais alors qu'il tournait la tête en direction de sa voiture, sur le capot de laquelle sa cigarette finissait de se consumer toute seule, il aperçut quelque chose sur le pull à col roulé du premier zombie. On aurait dit une petite pièce de tissu. Le Kid s'accroupit à côté du cadavre pour l'examiner plus attentivement. Sur la pièce de tissu, un nom avait été brodé en noir.

Buddy Holly.

Il se retourna vers le cadavre à la robe jadis rose. Elle avait glissé face contre terre, aussi dut-il la retourner une deuxième fois de la pointe du pied. Elle aussi portait un petit badge en tissu, cousu sur la robe, à droite de son sternum. Il l'attrapa pour lire ce qui y avait été brodé. Là encore, c'était un nom qu'il connaissait.

Dusty Springfield.

31

Lorsqu'ils eurent garé la moto, ils pénétrèrent enfin dans l'hôtel. Sanchez avait encore bien présent à l'esprit le souvenir de l'attaque zombie. En temps normal, ce trajet en Harley aurait été terriblement excitant, mais, après toutes ces horreurs auxquelles il avait assisté au cœur du désert, la petite balade lui avait paru totalement insipide. Le patron du Tapioca n'avait pas encore digéré le fait d'avoir dû creuser une tombe pour son ami et lui, et que deux hommes avaient été abattus de sang-froid sous ses yeux. Cela juste avant que des morts-vivants sortent de terre pour tenter de le bouffer. Ce fut donc un Sanchez à l'humeur particulièrement sinistre qui suivit Gabriel et Elvis à travers le hall de réception, jusqu'au bar.

L'impressionnante carrure de Gabriel, sa tenue tout cuir de motard, son crâne rasé et ses tatouages le distinguaient nettement du reste de la clientèle de l'hôtel. Grâce à son expérience de barman, Sanchez savait que Gabriel serait très vite servi. Ne jamais faire attendre les gros enfoirés patibulaires.

« Trois bouteilles de bière », lança Gabriel à la fille derrière le comptoir. Valerie lui jeta un bref coup d'œil, marmonna quelque chose, et se tourna prestement vers le frigo qui se trouvait derrière elle. Elle en sortit trois bouteilles de Shitting Monkey, les ouvrit à l'aide du décapsuleur qui pendait à sa ceinture, et les déposa sur le comptoir.

Gabriel lui lança un billet de 50 dollars, se saisit des bières et se retourna vers Elvis et Sanchez. « On va se trouver une table et parler un peu des raisons qui nous amènent tous ici. » Il adressa un petit mouvement de la tête à Elvis. « Tu pourrais par exemple commencer par me dire qui Angus l'Invincible est censé tuer.

— Carrément, Gabe. »

Sanchez regarda autour de lui. La disposition des tables, toutes très espacées les unes des autres, semblait indiquer qu'on pouvait avoir une conversation sensible sans risquer d'indiscrétion. Et ça tombait plutôt bien, parce que la conversation qu'ils allaient avoir était on ne peut plus sensible.

Tout au bout du bar se trouvait une zone surélevée. Dans le reste de la salle, la plupart des tables étaient occupées par une ou deux personnes, mais celles qui se trouvaient sur l'estrade étaient toutes vides. Elvis se dirigea vers celle qui occupait le coin le plus éloigné de l'estrade. Au-dessus, fixée au mur, une grosse enceinte noire diffusait de la musique, qui ne manquerait certainement pas de dissimuler leurs propos à toute personne curieuse de savoir ce qu'un gigantesque *biker*, un sosie d'Elvis et un patron de bar un peu enrobé pouvaient avoir à se raconter.

Sanchez s'assit à côté d'Elvis, sur l'une des chaises à accoudoirs couleur crème. Tous deux tournaient le dos au reste du bar. Gabriel s'assit sur la banquette qui leur faisait face. Manifestement, il souhaitait garder un œil sur les lieux. Son regard parcourut toute la salle, à l'affût de tout élément digne d'intérêt ou sortant de l'ordinaire. Après avoir scruté l'ensemble des clients (une vingtaine au total, assis à des tables éparses) et s'être assuré de la sûreté des lieux, il attrapa la bouteille la plus proche et la brandit pour trinquer.

« *Salud* », dit-il. Elvis et Sanchez l'imitèrent, et tous trois firent tinter leurs bouteilles les unes contre les autres, avant d'avaler une première gorgée.

« Alors, reprit Gabriel après avoir ingurgité une énorme lampée de bière. Vous savez ce qu'Angus est venu faire dans le coin ? »

Sanchez n'en avait pas la moindre idée. Mieux valait laisser à Elvis le soin de répondre.

« Eh bien, dit celui-ci, un peu gêné, pas *précisément*. Sanchez, ici présent, s'est fait attribuer la chambre d'Angus, et il y a trouvé une enveloppe, avec une liste de cibles. Rien qui permette de déduire l'identité de celui ou celle qui l'a déposée. Juste des photos des quatre personnes à abattre. »

Gabriel reposa sa bière sur la table. « Laisse-moi un peu deviner. Il était censé buter Otis Redding, Kurt Cobain, Johnny Cash et Judy Garland, c'est ça ? »

Sanchez était très impressionné. Ce mec était autrement plus efficace que la Dame Mystique. « Wouah ! Comment t'as deviné ?

— J'ai comme l'impression qu'Angus était ma doublure.

— Ta quoi ?

— Il a dit "ma doublure", abruti, lança Elvis d'un ton dédaigneux. T'es sourd, ou juste con ?

— Bref, coupa Gabriel. C'était ma doublure. C'est moi qui étais censé éliminer ces cibles. Ces quatre personnes étaient destinées à devenir des martyrs. Tuées pour le bien de l'humanité. Comme je ne suis pas arrivé dans les temps, le type qui m'a engagé a sûrement dû refiler le contrat à Angus. Faute de mieux. »

Gabriel s'interrompit pour saisir de nouveau sa bière et avaler une autre gorgée. Il demeura un instant pensif, avant de poursuivre : « Vous voyez, il y a encore quelques années de ça, Angus était l'un des meilleurs tueurs à gages au monde, mais il a développé une grosse dépendance aux jeux de hasard. Ça l'a rendu très peu fiable. Il doit un tas de pognon à un tas de personnes, et son vice a obscurci son jugement. Il insiste toujours lourdement pour être payé d'avance, ce qui le pousse souvent à buter le mec qui lui soumet la mission, et pas les cibles. Il est franchement mal luné, ces derniers temps.

— Une dépendance aux jeux de hasard, hein ? répéta Sanchez en hochant la tête d'un air condescendant. Quel loser. Combien de thune il doit ?

— Je crois que ça regarde que lui, répondit Gabriel avant de boire une autre gorgée.

— C'est sûr, dit Elvis après en avoir fait de même avec sa bière. Qu'est-ce que tu veux dire au juste, quand tu dis que ces quatre personnes devaient mourir en martyrs ? Et qui veut les voir mortes ? »

Gabriel se pencha dans leur direction et baissa la voix : « C'est le parrain de la soul qui veut qu'elles crèvent. »

Sanchez fronça les sourcils. « Là, franchement, j'y comprends rien.

— Il veut parler de James Brown, espèce de mongolien, rétorqua sèchement Elvis.

— Quoi ? James Brown ? Mais pourquoi ? Juste pour remporter un concours ? C'est un peu extrême, non ? »

Gabriel répondit, toujours à voix basse : « Non, c'est tout sauf extrême, étant donné ce qui est en jeu.

— Tu veux parler de la récompense destinée au vainqueur ?

— Non, je veux parler d'un très grand nombre d'âmes d'innocents. James Brown, qu'on connaît mieux sous le nom de Julius, est en mission au nom de Dieu. »

Cette révélation fut suivie d'un silence particulièrement lourd. Même Elvis semblait avoir des doutes quant aux propos de son ami. D'une voix posée et bien modulée, il demanda à Gabriel : « Pourquoi est-ce qu'un homme de Dieu voudrait faire tuer les participants d'un concours de chant ? Plutôt contradictoire, ton truc. J'ai beau retourner ça dans tous les sens, ça me semble pas tenir la route.

— Sauf que c'est bien plus qu'un concours de chant, répondit Gabriel. T'as déjà vu le film *Crossroads* ? »

Sanchez, oui. C'était même un de ses films préférés. « Avec Britney Spears ? Un putain de bon film, mec.

— Non, c'est tout sauf un putain de bon film. C'est une merde absolue. Et c'est pas de cette bouse avec Britney Spears que je parle. C'est du film avec Ralph Macchio.

— Macchio ? Le Karaté Kid ?

— Ouais. Il a joué dans un film intitulé *Crossroads* qui est sorti dans les années 1980.

— Carrément, dit enfin Elvis. Je l'ai vu.

— Tu te souviens un peu de l'histoire ? demanda Gabriel.

— Une sorte de *road movie*. Y avait Steve Vai, aussi, dedans.

— Qui ça ? » demanda Sanchez.

Il avait le plus grand mal à suivre cette conversation qui s'obscurcissait un peu plus à chaque instant.

« Steve Vai. Un des plus grands guitaristes de tous les temps. J'ai tapé le bœuf avec lui, y a quelques années de ça. »

Là, Sanchez se sentit un peu plus dans son élément. « Cool, dit-il. Tu crois que tu pourrais le faire jouer au Tapioca ? »

Gabriel fit tinter sa bouteille de bière contre la table afin d'avoir toute leur attention. « Écoutez un peu. Voilà où je veux en venir. Ce film, *Crossroads*, s'inspire d'une légende urbaine, à propos d'un guitariste du nom de Robert Johnson. Dans les années 1930, celui-ci aurait vendu son âme au diable. En échange, Satan aurait fait de lui le meilleur guitariste de son époque. Pour résumer, ce fameux Robert Johnson a été le premier musicien à vendre son âme au diable. Après lui, des milliers d'autres ont fait pareil.

— Ouais, une fois, j'ai vu Bart Simpson vendre la sienne », dit Sanchez en acquiesçant fortement.

Gabriel soupira. « Tu peux lui demander de fermer sa gueule ? lança-t-il à Elvis.

— Pas de problème. »

Elvis se contenta d'envoyer un regard noir à Sanchez. « Je comprends toujours pas le rapport entre l'histoire de ce Robert Johnson et ce qui se passe ici.

— En fait, c'est exactement la même chose. Et c'est ce qui se passe à chaque nouvelle saison de "Back

264

From The Dead". Le vainqueur remporte un contrat d'un million de dollars. Quand il le signe, il vend du même coup son âme.

— À Nigel Powell ? demanda Elvis.

— Nan. Au diable.

— Powell est au courant ?

— Ouais. Il est trempé jusqu'au cou dans cette affaire. Tu vois, il a lui-même vendu son âme au diable, il y a des années de ça, en échange de l'immortalité, de cet hôtel et de son casino.

— Sympa, le deal », commenta Sanchez.

Gabriel hocha la tête. « Pas vraiment, non. Pour honorer sa part du pacte, il doit trouver à chaque fête d'Halloween une nouvelle personne qui vendra son âme au diable. Et c'est précisément ce que font les vainqueurs de "Back From The Dead". Ils vendent leur âme au diable en échange de la richesse et de la célébrité. Sauf qu'ils le savent pas, évidemment. »

Sanchez fronça de nouveau les sourcils. « C'est un peu tiré par les cheveux, tout ça. À mon avis, c'est rien qu'un gros tas de conneries.

— Et les zombies, t'y crois ? répliqua Gabriel d'un ton dur. Ou tu trouves que c'est aussi un peu tiré par les cheveux, bordel de merde ? »

Sanchez était bien forcé d'abonder dans le sens du gros *biker*. « Ouais, concéda-t-il. Je vois ce que tu veux dire. Mais pourquoi tuer ces quatre chanteurs ? Je comprends pas.

— Moi non plus, renchérit Elvis.

— J'y arrive.

— Et tu voudrais pas, je sais pas, moi, accélérer un coup ? »

Gabriel prit la mouche. « OK, dit-il, d'un ton assez brusque. Alors, pour commencer, le concours est truqué. L'ensemble de cette foutue compet' : bidon. »

Elvis frappa la table du cul de sa bouteille : « Ah ! putain, je le savais ! Je te l'avais bien dit, Sanchez ! »

Gabriel poursuivit sans relever sa remarque : « Cinq chanteurs ont été sélectionnés pour la finale, il y a plusieurs mois de ça. En secret. Il n'y a qu'eux et Powell qui sont au courant. Sur les cinq, quatre doivent crever. Comme je l'ai déjà dit, en martyrs. De toute façon, il vaut mieux crever que remporter ce concours et vendre son âme au diable. »

Sanchez, toujours paumé, ne put s'empêcher de l'interrompre : « Donc, si y en a quatre qui crèvent, ça veut dire que le cinquième gagne et signe le contrat ? »

Le visage de Gabriel s'illumina d'un large sourire. « Eh, mais c'est que tu comprends vite, gros lard ! Exactement. Et Julius, le faux James Brown, est le cinquième chanteur. Si les quatre autres disparaissent, il a de bonnes chances de l'emporter.

— Et de vendre son âme au diable ? »

Elvis s'efforçait de trouver un tant soit peu de logique à tout cela. « Qu'est-ce qui pourrait le pousser à faire ça ?

— C'est un sacrifice.

— Sans déconner.

— Mais il est prêt à le faire, et il en a les moyens. »

Gabriel parut soudain changer totalement de sujet. « Vous savez sur quoi cet hôtel a été construit ?

— Sur du sable ? suggéra Sanchez, assez peu finement.

— Nan. Sur l'une des portes de l'enfer. »

Sanchez baissa aussitôt les yeux sur le plancher de bois sombre et souleva les pieds. « Putain, je me disais bien que le sol était super chaud. »

Elvis lui allongea une claque sur la nuque et fit signe à Gabriel de poursuivre.

« L'âme de Julius appartient à Dieu. En signant, il vendra quelque chose qui ne lui appartient pas, et, par conséquent, le contrat sera nul et non avenu. Et si, à la fin de l'heure maléfique, Powell n'a trouvé personne pour vendre son âme au diable, lui et son hôtel iront tout droit en enfer. Ce putain de bâtiment tout entier, avec tous ceux qui se trouveront dedans, disparaîtra dans les entrailles de la terre, sans laisser la moindre trace derrière lui.

— Qu'est-ce qu'il a de si spécial, ce Julius ? demanda Elvis. Je croyais que l'âme de tout le monde appartenait à Dieu ? »

D'une longue gorgée, Gabriel vida sa bouteille avant de répondre : « Julius est le treizième apôtre. »

S'ensuivit un silence encore plus gêné que le précédent : Sanchez et Elvis se demandaient s'il était vraiment sérieux. Le King finit par s'exprimer : « T'es vraiment sûr de ça ?

— C'est ce que croit Rex. Et si Rex est de cet avis, ça me suffit. »

Elvis acquiesça. Rodeo Rex et lui se connaissaient depuis un bon bout de temps. Ils avaient plusieurs fois bossé ensemble, et tous deux étaient de vrais amis.

« Bon. Si c'est ce que croit Rex, je me range de ton côté. Mais je vois toujours pas pourquoi ce putain d'hôtel devrait sombrer au fond de l'enfer, juste parce que ce Julius est un apôtre.

— Écoute, mec », dit Gabriel. Le fait de devoir encore et toujours se justifier commençait à l'agacer sérieusement. « Je sais pas précisément comment ça marche, toutes ces conneries. Tu sais, c'est pas moi qui ai écrit la Bible, et, aux dernières nouvelles, Dieu m'a pas appelé pendant la rédaction pour me demander conseil.

— Mais ça reste quand même un peu tiré par les cheveux, tout ça, non ? insista Sanchez d'un ton plaintif.

— OK, mon pote. Un des fondamentaux, un des dogmes comme on dit, de la religion, de Dieu et compagnie, c'est la foi. Si c'est pas le premier. Il faut avoir la foi. »

Il soupira et tâcha de paraître le plus sensé possible. « Sans trop m'avancer, je crois qu'on sera d'accord pour dire qu'on vient de voir des zombies sortir de terre pour essayer de manger des humains. Et ça, pour moi, c'est une preuve qu'il y a bien une vie après la mort, si on peut appeler ça une vie. Et ça, ça veut dire que Dieu existe forcément. Mon avis, c'est que Dieu a envoyé un de ses mecs, Julius, pour nous sauver tous, une deuxième fois. Et il est hors de question que je reste le cul posé là à pleurnicher parce que je connais pas tous les détails de l'opération. Et je vous suggère fortement de faire comme moi. Quand les choses dégénéreront, ceux qui n'ont pas la foi seront les premiers à succomber.

— Bien reçu, dit Sanchez. Seulement, pendant que tu aideras ton treizième apôtre à précipiter cet hôtel en enfer, moi, je vais appeler un taxi et me casser d'ici. Tu viens, Elvis ? »

Gabriel hocha la tête. « À ta place, j'en ferais rien.

« — Et pourquoi pas, putain ?

— Pour commencer, tu trouveras pas de taxi. Pas plus que tu trouveras un seul flic qui acceptera de venir jusqu'ici. En ce moment même, aux quatre coins du désert, des morts-vivants sont en train de sortir de terre pour se diriger tout droit vers cet hôtel. Ils arriveront dans moins d'une heure. Si tu passes cette porte, tu te feras bouffer tout cru.

— Attends voir si j'ai bien compris. T'es en train de dire qu'on ferait mieux de les attendre ici ? Putain, mec, c'est aussi con que de sortir à leur rencontre.

— Effectivement, ça l'est. »

Sanchez sursauta au son de cette nouvelle voix dans son dos. « Gabriel, suis-moi. Tu arrives juste à temps. »

Affichant un large sourire, le puissant *biker* se leva. Sanchez et Elvis se retournèrent aussitôt. Derrière eux, dans son costume de velours violet, se tenait Julius, le sosie de James Brown.

32

À chaque fête d'Halloween, Nigel Powell était toujours un peu nerveux. En réalité, c'était même un gentil euphémisme, car, pour lui, il s'agissait sans le moindre doute possible du jour le plus stressant de l'année.

En premier lieu, le concours « Back From The Dead » exigeait une sacrée organisation. L'emploi du temps de la soirée était toujours très serré, il y avait tout un tas de chanteurs à juger, certains étaient bons, d'autres mauvais, et d'autres encore si nuls que ça en aurait été marrant, si seulement leur court séjour à l'hôtel n'était pas gracieusement offert par Powell. Le plus difficile, c'était de tenir les délais, en faisant en sorte que le show finisse avant 1 heure du matin. Personne à part Powell ne semblait vraiment se rendre compte de l'importance de ce détail.

Jusqu'à présent, la compétition de cette année était la pire de toutes. Quelque chose ne tournait définitivement pas rond. Par le passé, certains avaient déjà essayé de truquer le concours (sans savoir que Powell s'en était déjà chargé), mais cette année, quelqu'un se démenait pour tirer la couverture à lui. Powell avait déjà trois concurrents morts sur les bras. En outre, il avait été contraint d'engager un assassin psychotique qui répondait au ridicule surnom d'Angus l'Invincible. « Angus », putain. On était où, là ? Dans *Braveheart*, ou quoi ?

Au moins, Angus s'était montré utile. Le rouquin sanguinaire avait apparemment réussi à capturer le mec qui avait tué les concurrents, et celui qui l'avait engagé pour ce faire. Powell espérait de tout son cœur qu'il les bute au milieu du désert, comme convenu. Dans l'espoir d'obtenir quelque confirmation sur ce point, il se rendit dans les toilettes pour hommes du rez-de-chaussée. À son plus grand plaisir, il trouva Cleveland, l'un des membres de l'équipe de sécurité, posté sur le seuil de la porte. C'était un grand type très musclé qui n'avait pas l'habitude de se laisser emmerder par qui que ce soit. Le type idéal pour empêcher tout client d'entrer dans ces toilettes, même en cas de nécessité absolue de pisser.

Powell avait engagé Cleveland en suivant les conseils de Tommy. Il avait été un temps prisonnier de guerre, et cette expérience l'avait durablement traumatisé. Après sa libération, il lui avait été impossible de continuer à servir son pays, mais il se montrait cependant extrêmement efficace dans le rôle moins exigeant de vigile d'hôtel de luxe. Powell remarqua qu'il était en train de manger une glace. Un cône à la fraise, manifestement. Il tirait justement la langue lorsqu'il aperçut son patron. Discrètement, il écarta sa glace.

« Salut, Cleveland. Comment vont les choses, par ici ? demanda Powell.

— Tout va bien, monsieur.

— Tout est en ordre ? »

Cleveland baissa la voix. « Presque, monsieur. Les corps ont été transportés autre part. Sandy est à l'intérieur, il finit de nettoyer.

— Bien, bien. Est-ce que Tommy est ici ?

— Non, monsieur.

— Vous savez où il est ?

— Dans le désert, monsieur. »

Powell fronça presque insensiblement les sourcils. « Qu'est-ce qu'il fiche dans le désert ? Je lui avais dit de rester ici.

— Il est parti avec ce fameux Angus afin de s'assurer qu'il tue bien les deux types responsables de ce qui s'est passé dans les toilettes, monsieur.

— Je ne suis pas sûr que c'était vraiment nécessaire, mais j'imagine que Tommy sait ce qu'il fait.

— Oui, monsieur. »

Powell aurait aimé regarder en face les individus qui avaient tué trois des cinq chanteurs sélectionnés par ses soins pour la finale. Faisaient-ils, eux aussi, partie des concurrents ? Était-ce de simples spectateurs ? Ou juste deux enfoirés qui tentaient de foutre en l'air son show en leur faveur, voire pour leur simple amusement ? Tommy aurait dû se trouver ici afin de lui soumettre toutes ces informations. Remarquez, peut-être Cleveland était-il au courant. « Avez-vous vu les deux types responsables de… de tout ce foutoir ?

— Oui, monsieur.

— Ils ressemblaient à quoi ?

— J'ai pas remarqué.

— Comment ça, vous avez pas remarqué ?

— Bah, j'ai pas remarqué, quoi. »

Powell était terriblement tenté de revenir sur la bonne opinion qu'il se faisait de Cleveland. En définitive, il s'avérait être encore plus idiot que la plupart des agents de sécurité de l'hôtel. Lui qui avait dû être un soldat vif et entreprenant n'était à présent plus qu'un gros bras à l'électroencéphalogramme plat, manifestement dépourvu d'intelligence et de personnalité.

Powell tenta une autre approche. « D'accord. Et est-ce que nous savons comment Kurt Cobain et Johnny Cash ont trouvé la mort ?

— Vous voulez parler des chanteurs ?

— Non, je veux parler des planètes. »

Nom de Dieu, ça devenait vraiment très agaçant. « Bien sûr que je veux parler des chanteurs, bordel.

— Eh bien, pour Kurt Cobain, c'était lié à sa consommation de drogue. Pour Johnny Cash, je crois qu'il est juste mort de vieillesse. »

Powell regarda droit dans les yeux de Cleveland afin de voir s'il était sérieux, ou s'il se moquait de lui. Il conclut qu'aucune de ces deux réponses n'était la bonne. Cleveland était con, tout bonnement. Et cette observation était plus que confirmée par le regard vide qu'il portait sur le mur d'en face, ainsi que par sa bouche bêtement entrouverte.

« OK, dit Powell, avec dans la voix une pointe d'irritation. Et Sandy ? Est-ce qu'il pourrait me décrire ces types et ce qu'ils ont fait à Cash et à Cobain ?

— Je peux pas parler à la place de Sandy, monsieur.

— *Cleveland.*

— Oui, monsieur ?

— Vous êtes un imbécile.

— Oui, monsieur.

— Et je vous confisque votre glace. »

Il lui arracha le cône des mains et en lapa une grosse partie, sans quitter du regard le malheureux vigile. « Bon. Maintenant, laissez-moi passer, conclut-il sèchement.

— Oui, monsieur. »

Le solide vigile s'écarta et poussa la porte à l'intention de son patron. Powell eut le plaisir de constater en entrant que les lieux étaient quasi immaculés, grâce aux efforts de Sandy, un type aux airs de brute épaisse et aux cheveux noirs coupés en brosse. Un balai-serpillière à la main, il venait tout juste de finir de nettoyer le sang répandu sur le carrelage. Il releva la tête et salua Powell.

« Bonjour, patron, dit-il.

— Bonsoir, Sandy », répondit le gérant et propriétaire de l'hôtel en baissant les yeux.

Il ne restait plus la moindre trace de sang par terre. « On dirait que vous avez fait du bon boulot.

— Merci.

— Tenez, je vous ai pris ça. »

Il lui tendit la glace, que Sandy saisit non sans hésitation.

« On dirait celle de Cleveland, remarqua-t-il.

— Eh bien, ce n'est pas sa glace.

— OK. Merci.

— Racontez-moi un peu ce qui s'est passé. Vous étiez en train de parler à Tommy par le biais de votre talkie-walkie, et tout d'un coup, la communication a été coupée. J'étais très inquiet.

— Quelqu'un nous a sauté dessus, Tyrone et moi. Tout s'est passé très vite. On est entrés ici, on a vu les corps dans les cabines et Tommy nous a appelés. Et tout à coup, quelqu'un est sorti de nulle part. Je sais vraiment pas ce qui a pu se passer.

— Comment va votre tête ?

— Un peu mieux.

— Est-ce que Tommy vous a dit qui étaient les types qui vous sont tombés dessus ? »

Sandy avala un morceau de glace. « Nan. J'étais encore dans les pommes quand ils les ont emmenés.

— Hmm. Et Tyrone ?

— Il est parti avec Tommy. Dans le désert. En tout cas, c'est ce que Cleveland m'a dit.

— Oui, eh bien, Cleveland croit que Johnny Cash est mort de vieillesse. Qu'est-ce que vous en pensez, vous ? »

Sandy lécha sa glace. Il avait tout l'air de la trouver particulièrement savoureuse. « Moi ? Je crois que quelqu'un lui a enfoncé le nez dans le cerveau, patron. Aux dernières nouvelles, la vieillesse a jamais provoqué un truc pareil.

— Je suis tout à fait de votre avis. Et pour Cobain ?

— Là, c'est lié à sa consommation de drogue.

— *Quoi ?*

— Il y avait de la coke partout, et il pissait le sang de partout, de la bouche, du nez, des oreilles… partout, vraiment. »

Powell passa devant Sandy et jeta un coup d'œil dans les cabines W.-C., afin de voir s'il restait la moindre trace de violence. Toutes étaient vides et impeccables. Sandy avait vraiment fait du bon boulot.

Arrivé à la dernière cabine, Powell posa les yeux sur le miroir qui se trouvait au-dessus des lavabos. Il vit son propre reflet lui renvoyer son regard. Derrière, Sandy passait son balai-serpillière sur le seuil de la première cabine W.-C. Soudain, Powell aperçut une troisième silhouette.

Derrière Sandy se dressait un grand homme noir, vêtu d'un costume rouge, d'un chapeau melon rouge et de chaussures pointues rouges, et qui lui souriait. Le cœur de Powell bondit dans sa poitrine. Il se retourna vivement.

« Sandy, lança-t-il d'un ton pressé. C'est du très bon boulot. Je vous remercie infiniment. Vous pouvez vous retirer, à présent.

— J'ai pas tout à fait fini, patron.

— Peu importe. Ça ira comme ça. Allez-y. Laissez le balai et le seau. Je finirai ça.

— C'est vrai ? Vous êtes sûr ?

— Foutez-moi le camp d'ici avec votre putain de glace. »

Stupéfié par le ton fielleux de son employeur, Sandy posa le manche du balai contre le mur, à côté de la porte, et sortit en dégustant amoureusement sa glace.

Powell se retourna alors vers le miroir. Derrière lui se tenait toujours l'homme noir au costume et au chapeau rouges. Celui-ci s'avança dans sa direction.

« Quelques menus soucis cette année, Nigel ? » demanda-t-il. Sa voix profonde et richement modulée distillait un ton courtois où perçait un zeste d'ironie, aussi évocateur que ne l'aurait été un sourcil haussé.

« Rien que je ne puisse surmonter. » Par opposition, le ton de Powell semblait presque revêche.

« Vraiment ? En êtes-vous sûr ?

— Ouais. C'est déjà de l'histoire ancienne. C'était juste un connard qui essayait de détourner le concours en sa faveur. Si seulement ils savaient ce que gagnait le vainqueur, hein ? Ils n'auraient jamais l'idée de le truquer à leur avantage, pas vrai ? »

Les yeux jaunes de l'homme brillèrent. Il rejeta la tête en arrière et produisit un rire chaleureux. « Vous savez, Nigel, vous vous aigrissez à chaque année qui passe.

— Et vous adorez ça, n'est-ce pas ?

— C'est le *chaos*, que j'adore. Vous le savez bien. »

L'homme se trouvait à présent juste derrière Powell. Regardant dans le miroir au-dessus de l'épaule de celui-ci, il lui sourit. La chaleur de sa respiration glissait sur la nuque du patron de l'hôtel. L'homme avait un bouc noir impeccablement taillé, qui rejoignait à la commissure de ses lèvres une moustache également irréprochable. Powell entendait se débarrasser de lui aussi vite que possible. Ce n'était pas le genre de personne avec laquelle on avait envie de passer du temps. Pour le dire franchement, ses apparitions étaient toujours synonymes de malheur à venir.

« Joli bouc, lâcha Powell d'un ton sarcastique.

— C'est très gentil de votre part, répondit l'homme. Vous savez, encore un lifting, et vous aussi, vous aurez une barbe.

— Je vous promets d'y réfléchir le jour où ça reviendra à la mode, répliqua Powell d'un ton encore plus sardonique. Alors, vous l'avez, ce contrat, oui ou non ?

— Mais certainement.

— Laissez-le sur le bord du lavabo, je vous prie. »

Powell n'ajouta pas les mots qui lui brûlaient les lèvres : « Et ensuite sortez. »

L'homme en rouge sortit de sous sa veste un contrat épais de deux centimètres et demi. Les pages étaient d'un beau papier blanc, au format A4 réglementaire, recouvertes de lignes denses imprimées à l'encre noire. Il déposa le tas de feuilles sur le lavabo, à côté de la main gauche de Powell.

« Vous savez, dit-il, vous n'êtes pas totalement tiré d'affaire, Nigel.

— Comment ça ?

— Un homme présent dans cet hôtel cherche à faire capoter votre show. Et l'heure tourne. Tic-tac. Tic-tac. Tic-tac.

— Qui est-ce ? »

Powell se retourna soudain. L'homme en rouge avait disparu. Il reposa son regard sur le miroir, et le reflet de son interlocuteur réapparut derrière lui. Souriant, comme toujours. « Qui est-ce ? répéta Powell.

— Vous savez que je ne peux vous aider. Les règles sont ainsi faites. Mais je peux vous dire néanmoins qu'un homme est en train de saboter votre concours. Un homme de Dieu. Je ne puis me permettre la moindre ingérence. Vous feriez bien de mettre ce contrat en sûreté. Veillez à ce qu'il ne tombe pas entre de mauvaises mains.

— Vous pourriez au moins me dire qui est en train de me chier dans les bottes, non ? C'est ce fameux Bourbon Kid, c'est ça ? C'est vous qui l'avez envoyé ? »

De nouveau, l'homme en rouge éclata de rire. « Voyons, vous savez bien que je suis de votre côté, Nigel. Jamais je n'enverrais qui que ce soit pour nuire à vos plans. J'aime votre casino. C'est un lieu très agréable. Vous devez simplement rester à l'affût d'une personne envoyée par Celui qui est en haut. C'est cette personne dont vous devez vous méfier.

— Alors, ce foutu Bourbon Kid travaille pour le compte de Dieu, c'est ça ?

— Ah ! ah ! ah ! Non, non, non. Vous êtes bien loin du compte. Le Bourbon Kid n'œuvre ni pour un camp ni pour l'autre. Un drôle d'oiseau que celui-là. Cherchez un peu mieux. Ce n'est pas lui que vous devez craindre.

— Alors qui ?

— Vous n'avez toujours pas deviné ?

— Non. Manifestement, je ne suis pas assez malin.

— Dans ce cas, vous seriez bien avisé de le devenir. Les finalistes commencent à vous faire cruellement défaut. Au dernier décompte, il ne vous en restait plus que deux. »

Powell s'efforçait tant bien que mal de garder son calme. L'apparition de l'homme en rouge avait fini de le mettre de mauvaise humeur, même si ce n'était pas la première fois, loin s'en fallait, qu'il avait affaire à lui. « Et pourquoi est-ce que je ne prendrais pas le premier venu pour signer le contrat de cette année ? proposa-t-il.

— Oh ! non, non, non, *non* ! Ça ne vaudrait rien, répondit l'homme en rouge. Il faut mériter ce contrat. *Vous le savez parfaitement.* Je veux qu'il revienne à quelqu'un qui ait du talent. Quelqu'un désirant plus que tout devenir riche et célèbre, quel que soit le prix à payer pour ce faire.

— Vous avez fini ? » lança Nigel d'un ton impatient.

Le sourire de l'homme en rouge se fit plus maléfique. « Non. Il reste un petit détail, sans doute un peu trivial au vu des circonstances.

— Quoi ?

— Il y a pénurie de sandwichs au jambon au casino.

— Rabattez-vous sur les sandwichs au thon. »

Sans attendre de réponse, Powell baissa les yeux sur le contrat qui reposait sur le bord du lavabo en faux marbre. Chaque année, c'était toujours le même contrat que lui remettait l'homme en rouge. Il s'en saisit et releva les yeux sur le miroir. Son interlocuteur avait disparu pour de bon. *Merde*.

Son regard retomba sur le contrat. À en croire celui qui venait de se volatiliser, quelqu'un cherchait à tout prix à foutre en l'air son concours. Quelqu'un qui se trouvait dans l'hôtel. Qui est-ce que ça pouvait bien être, putain ? Et qu'est-ce qui pouvait bien le pousser à agir ainsi ? Il ne restait plus que deux finalistes, James Brown et Judy Garland. Le seul indice dont Powell disposait, c'était le fait que la personne qui essayait de tout saloper était un homme de Dieu.

Un *homme* de Dieu.

33

Cela faisait presque vingt minutes qu'Emily se trouvait seule dans la loge. Les cinq futurs finalistes étaient censés se rendre dans cette pièce aussitôt après leur audition. Les quatre autres étaient pourtant absents, et cela l'inquiétait de plus en plus. Y avait-il eu un changement de dernière minute dont elle n'avait pas été informée ? Probablement pas. Il n'en demeurait pas moins qu'elle n'avait aucune envie de rester toute seule trop longtemps.

Peut-être les quatre types avaient-ils décidé d'aller boire un verre sans l'inviter ? Peut-être qu'ils ne l'appréciaient pas ? Elle puait peut-être ? Pire que Cobain ? Évidemment pas, mais ça ne l'empêchait pas pour autant de passer en revue toutes sortes de théories, qui ne faisaient qu'accroître un peu plus sa paranoïa à chaque seconde qui s'écoulait. Autant penser à autre chose, se dit-elle. Et rester concentrée sur la compétition.

Elle s'assit face à son miroir et regarda son reflet. Est-ce qu'une autre coiffure conviendrait mieux pour la finale ? Ou valait-il mieux garder ces nattes, identiques à celles que la vraie Judy Garland portait dans *Le Magicien d'Oz* ? Sa mère lui avait toujours dit que la coiffure qu'on se choisissait était le détail le plus important, détail que du reste la plupart des chanteurs/ sosies négligeaient totalement. Emily réfléchissait à tout cela, et à d'autres choses encore, lorsqu'on tapa à la porte.

« Mademoiselle Shannon ? Vous êtes là ? » s'écria une voix d'homme derrière le battant. Emily la reconnut instantanément. C'était celle de Nigel Powell.

« J'arrive », répondit-elle.

Elle se leva et alla ouvrir. Powell se tenait sur le seuil, flanqué de deux gros costauds du service de sécurité. Emily sourit nerveusement et recula pour les laisser entrer. Les deux vigiles ne bougèrent pas d'un centimètre, mais Powell s'avança sans même attendre qu'Emily l'invite à le faire. Il portait toujours son costume blanc et son T-shirt noir. Ses cheveux étaient toujours impeccablement coiffés, mais quelque chose clochait. Son calme olympien semblait l'avoir abandonné. On lisait clairement sur son visage que quelque chose le tracassait très sérieusement.

« Qu'y a-t-il ? demanda Emily alors qu'il refermait la porte derrière lui.

— Trois des finalistes viennent de déclarer forfait à cause de graves maux d'estomac. Je crains qu'on ne les ait empoisonnés.

— *Comment ?* »

Emily sentit ses jambes flageoler. Elle se souvint immédiatement de la dernière fois qu'elle avait mangé. Cela remontait au petit déjeuner, en l'occurrence, un bagel et un café. Depuis, elle avait été trop nerveuse pour avaler une bouchée de quoi que ce soit. « Oh ! mon Dieu ! Ils vont bien ? Vous savez ce qu'ils ont mangé pour être malades comme ça ? »

Powell tira sur le col de son T-shirt, comme s'il manquait d'air. « Non. Nous soupçonnons un individu louche d'être à l'origine de l'intoxication. Nous tâchons en ce moment même de le retrouver. »

Le souvenir de deux événements très précis s'imposa alors à Emily. « Tout à l'heure, j'ai vu un type vraiment bizarre en coulisses. Il m'a dit que le show était truqué. Il était habillé tout en noir. Est-ce lui ?

— Sans doute. Mais n'ayez aucune crainte. Je vais vous emmener dans un lieu sûr, où il lui sera impossible de vous nuire. »

À l'idée que trois de ses principaux rivaux étaient disqualifiés, Emily se sentit soulagée, et, même si elle n'osait se l'avouer, particulièrement heureuse.

« Qui sont les trois finalistes empoisonnés ?

— Il s'agit peut-être de vos quatre adversaires. Pour lors, James Brown est introuvable. Les trois autres sont définitivement hors du coup.

— Mince alors. Les pauvres, dit Emily avec autant de sincérité que possible.

— Effectivement. Enfin bon. Si vous voulez bien avoir la gentillesse de prendre vos affaires et me suivre. Un groom viendra chercher le reste de vos effets. Et toutes mes excuses pour ce désagrément, bien entendu. »

Il n'avait vraiment pas l'air désolé. En revanche, sa voix indiquait clairement qu'il avait la tête ailleurs.

Emily obéit à son injonction, ramassa deux ou trois choses qui traînaient sur sa petite table, et suivit Powell et les deux agents de sécurité jusqu'à l'ascenseur, et, de là, jusqu'à une chambre au huitième étage. Ils marchaient d'un pas vif et dardaient des regards suspicieux sur toute personne qu'ils croisaient.

La chambre 904 était aussi vaste que confortable. Emily s'assit sur le lit *king size* qui se trouvait au beau milieu, et attendit la suite des instructions. Powell resta quelques instants sur le pas de la porte, à murmurer de nouveaux ordres dans les oreilles des vigiles. Emily inspecta la chambre du regard, et se dit qu'elle était autrement plus agréable que la loge pourrie qu'elle avait partagée avec les quatre autres finalistes, et même plus belle que la chambre qu'on lui avait initialement donnée pour la nuit. Elle s'extasiait encore des dimensions de la pièce lorsque Powell s'approcha d'elle.

« Deux de mes agents de sécurité monteront la garde sur le seuil, dans le couloir, dit-il. Ils ne laisseront entrer personne d'autre que moi. Mais cela signifie également que vous ne pourrez quitter cette chambre tant que les vigiles vous l'interdiront. Lorsque nous annoncerons les noms des finalistes, ils vous escorteront jusqu'à l'auditorium.

— D'accord.

— Tout va bien, mademoiselle Shannon ?

— Oui, oui, merci, euh… Nigel. »

C'était la première fois qu'elle l'appelait par son prénom, et elle se demanda aussitôt si ce n'était pas un peu déplacé. Après tout, il était si riche et si puissant.

« Tant mieux. Je vais de ce pas choisir de nouveaux finalistes, et ce détail réglé, les choses reprendront enfin leur cours. » Il se pencha et caressa le bras gauche d'Emily. La lueur qui scintilla dans ses yeux la mit légèrement mal à l'aise. Lui qui se montrait toujours aussi courtois que rassurant parut un bref instant fourbe, et tout bonnement flippant. Il lui adressa un clin d'œil, avant de la fixer de ses yeux bleus hypnotiques.

« Je pense que vous avez de sérieuses chances de remporter cette compétition, Emily. Jusqu'ici, vous avez été la meilleure concurrente. J'ai la sensation que nous serons amenés à passer beaucoup plus de temps ensemble. Aussi, à moins que vous ne perdiez soudain votre voix, ou... » Il poussa un bref ricanement, très aigu. « ... à moins que vous ne soyez frappée par la foudre, vous pouvez d'ores et déjà vous attendre à prolonger votre séjour ici. »

Il cessa de caresser son bras et se recula. La perspective de la victoire avait considérablement excité Emily, mais, en même temps, ce tout nouvel aspect concupiscent de Nigel Powell la révulsait. Elle résolut de passer sur l'incident. C'était sûrement une maladresse de la part de Nigel. Il avait sans doute voulu la rassurer, rien de plus.

Sur un « On se voit en finale », Nigel Powell sortit de la chambre en refermant la porte derrière lui.

Petit à petit, Emily comprenait pleinement qu'elle avait toutes les chances de remporter la première place. En dépit de sa nature prudente, elle ne pouvait s'empêcher d'imaginer le visage de sa mère malade, rayonnant de joie, lorsqu'elle rentrerait victorieuse, avec un chèque d'un million de dollars. Cet argent qui fournirait à sa mère tous les soins dont elle avait besoin était à présent à portée de main.

Une fois Powell parti, les deux agents de sécurité ouvrirent la porte à l'aide de leur passe et passèrent leur tête dans l'encadrement, adressant un simple acquiescement à Emily, comme pour lui confirmer qu'ils montaient bien la garde. C'étaient deux hommes patibulaires, type videurs de boîte de nuit, et cela suffit à la rassurer considérablement. À présent débarrassée de ses trois adversaires les plus sérieux, Emily était de plus en plus optimiste quant à son éventuelle victoire. Elle aurait aimé appeler sa mère pour lui dire comment le concours se déroulait, mais l'idée de lui faire une surprise en revenant à la maison avec le chèque du gagnant (et un bon gros contrat pour chanter au Pasadena) l'excitait aussi terriblement.

Pendant une demi-heure, elle resta assise sur le vaste lit de la chambre. Il n'y avait ni télévision ni radio. Pas de doute, l'Hôtel Pasadena était un lieu bien étrange. Sans télé ni radio, il était impossible de se tenir au courant de ce qui se passait dans le reste du monde. L'Iran aurait atomisé l'État de Rhode Island qu'Emily n'en aurait rien su.

Faute de pouvoir passer le temps autrement, Emily poussa un peu plus loin sa réflexion sur sa présente situation. Elle n'avait aucun moyen de contacter sa mère pour l'informer du déroulement du concours. Et si elle avait voulu prendre des nouvelles de l'état de santé de sa mère ? Il lui était absolument impossible de contacter qui que ce soit en dehors du Cimetière du Diable. Les téléphones dont étaient équipées les chambres de l'hôtel ne permettaient que de passer des appels internes, et, faute de réseau, les téléphones portables étaient tout aussi inutiles. En vérité, tout cela était assez inquiétant. Elle repensa aux trois chanteurs frappés, à en croire Powell, de troubles gastriques, et ses questionnements gagnèrent là aussi en profondeur.

En cas d'urgence, comment est-ce qu'une ambulance ou une patrouille de police auraient pu se rendre ici ? Comment aurait-on pu les appeler ? Si elle aussi était victime d'un empoisonnement quelconque, les secours arriveraient-ils à temps ?

Soudain, elle fut frappée par un élément autrement plus singulier. Un élément qu'elle aurait dû relever bien plus tôt. Pourquoi Nigel Powell l'avait-il transférée dans une autre chambre ? Il avait dit que c'était pour la protéger. Mais de quoi ? *D'un empoisonnement alimentaire ?* En principe, il aurait suffi de la prévenir de ne rien avaler. Il était inutile de changer de chambre, du moment qu'elle ne commandait rien au room service. S'il y avait des aliments empoisonnés quelque part dans l'hôtel, ils ne viendraient pas l'attaquer dans sa chambre. En revanche, la personne responsable des empoisonnements pouvait très bien s'en prendre à elle, plus directement. Peut-être Nigel Powell ne lui avait-il pas tout révélé du danger qu'elle courait ? Mais si c'était bien le cas, pourquoi ne l'avait-il pas fait ?

Assise sur le bord du lit, à présent dressée comme un piquet sous le coup de l'inquiétude, et la tête pleine de pensées paranoïaques, elle entendit un bruit dehors. C'était l'un des agents de sécurité qui parlait. Il était impossible de comprendre ce qu'il disait à travers la porte close qui étouffait ses mots.

Puis elle entendit un autre bruit, très curieux, comme un pneu qui se serait instantanément dégonflé. Bien qu'il fût lui aussi étouffé, Emily reconnut ce son : c'était celui d'un pistolet silencieux. Suivirent un deuxième coup de feu étouffé et l'impact sourd de deux corps s'écroulant par terre.

Les plus grandes peurs d'Emily étaient en train de se matérialiser. Ce n'était pas à cause d'un simple empoisonnement alimentaire qu'on l'avait emmenée dans un endroit plus sûr, protégé par deux agents de sécurité. Il y avait un assassin dans l'hôtel.

Et plus précisément : devant la porte de sa chambre.

34

Angus était d'humeur massacrante et, au vu des circonstances, ça tombait plutôt bien. *Depuis quand ça
sait conduire, les zombies ?* Les attaques successives et
particulièrement brutales de ces créatures maléfiques
qui tentaient de lui arracher des bouchées de sa propre
chair l'agaçaient considérablement, mais se faire voler
sa caisse, merde, ça, ça le foutait en rogne. *Vraiment en
rogne.*

Il avait buté six morts-vivants, et en avait allongé un
certain nombre qui avaient tenté de lui sauter dessus.
Pourtant, ils ne cessaient de revenir à l'attaque. Quand
ils ne s'arrachaient pas au sol, ils accouraient au loin (à
une vitesse surprenante) dans sa direction. Angus se dit
que, dans son malheur, il avait tout de même la chance
de se trouver à côté des deux cadavres des vigiles. Ces
deux cons, c'était du fast-food pour zombies.

Il devait bien y avoir une vingtaine de créatures de
cauchemar vautrées sur les deux corps, à présent lourdement mutilés, et Angus avait conscience que,
lorsqu'il ne resterait plus rien de ces pauvres cons, les
choses allaient *vraiment* se compliquer pour lui.

Il tira dans les poitrines respectives de deux morts-
vivants, et se précipita vers l'autoroute. Écartant de

puissants coups de pied les mains qui surgissaient du sol pour l'attraper, il arriva bien vite en lieu sûr, sur l'asphalte. S'il courait en plein milieu de la route, il pouvait raisonnablement espérer que rien ne surgirait de terre pour l'entraîner. Certains de ces enfoirés de zombies avaient beau avoir une force inimaginable, Angus doutait fortement qu'aucun d'entre eux fût assez fort pour traverser la couche de gravats, la couche de béton et la couche d'asphalte qui composaient l'autoroute.

Il courut donc au beau milieu de la chaussée en direction de l'hôtel, avec tout un tas de zombies à sa poursuite. Les plus rapides parvenaient à le rattraper. Leur exploit était dûment récompensé par un coup de crosse de pistolet en pleine face ou une balle dans la poitrine. Angus avait assez de munitions pour tuer une centaine de morts-vivants. Ce qui l'emmerdait surtout, c'était d'avoir à recharger constamment ses pistolets.

Au bout de quelques minutes de course, il remarqua que les zombies se mirent à garder leurs distances, à environ 10 mètres de lui. *Putain !* Ces enculés étaient vraiment plus malins que ce que les films de zombies l'avaient amené à croire. Selon ses déductions, ils s'économisaient en attendant qu'il arrive au bout de ses forces. Un Angus exténué et essoufflé ferait une proie bien plus facile à neutraliser, et ces salopards semblaient bien conscients de la chose.

C'est alors que la chance lui sourit enfin. Un véhicule apparut au bout de l'autoroute, dans son dos. Il vit d'abord la route qui s'étendait devant lui s'illuminer dans les faisceaux des phares de la voiture. Il regarda par-dessus son épaule et aperçut une Coccinelle qui roulait au beau milieu de la route, dispersant les morts-vivants qui bondissaient à gauche et à droite pour l'éviter.

Angus devait absolument s'assurer que le conducteur du véhicule ne le prenne pas pour un zombie, et consente du coup à le prendre en stop. Aussi, malgré la fatigue qui commençait à lui ronger les jambes, il tapa un sprint à s'en faire exploser les poumons. Il parvint à prendre 10 mètres d'avance supplémentaires sur le gros de la meute, et lorsque la Coccinelle finit de séparer celle-ci en deux, Angus se mit à agiter frénétiquement les bras pour inviter le conducteur à s'arrêter.

La voiture ralentit en passant à côté de lui. La vitre du conducteur s'abaissa, et le visage terrifié d'une femme d'une quarantaine d'années apparut. C'était une blonde permanentée, avec du rouge à lèvres étalé partout sur la figure, sans doute pour avoir tenté de se refaire une beauté tout en traversant le peloton de zombies. C'était l'excuse parfaite pour qu'Angus la prenne instantanément en grippe. Il avait besoin d'une bagnole pour retourner à l'hôtel, mais la pauvre conne hystérique incluse dans le pack était tout à fait superflue.

Elle lui lança un regard désespéré : « Qu'est-ce qui se passe, ici ? » lui demanda-t-elle d'une voix de petite fille effrayée. Les morts-vivants étaient sur le point de les rattraper.

Angus braqua l'un de ses revolvers sur son visage et fit feu. La balle lui perfora le front, la tuant net. Elle s'écroula sur le siège passager, et la voiture avança au pas. Sans cesser de courir, Angus tendit le bras et ouvrit la porte du conducteur de l'intérieur. Alternant pas de jogging et petits bonds, il parvint à pousser le cadavre, et sauta derrière le volant. Atterrissant maladroitement sur son siège, il referma aussitôt la porte et jeta un coup d'œil au rétroviseur latéral. Les morts-vivants étaient toujours après lui, et la tête du peloton était quasiment à hauteur du pare-chocs arrière. Angus écrasa la pédale de l'accélérateur et la Coccinelle prit de la vitesse.

« *Hasta la vista*, bande de cons ! » hurla-t-il par la vitre ouverte.

Il prit consciencieusement de l'avance durant une minute, au bout de laquelle il s'arrêta pour jeter la morte sur l'autoroute. Ça occuperait toujours un peu ces enfoirés de zombies.

Angus avait du pain sur la planche. Il était à présent dans une colère plus que noire, déterminé plus que jamais à exterminer Sanchez, Elvis, Julius, Powell, tous les zombies de ce foutu désert, et toute personne qui s'aviserait de lui casser les couilles. D'une façon ou d'une autre, il rentrerait chez lui avec un bon paquet de fric et quelques nouvelles victimes à son actif.

Et son CD de Tom Jones.

35

Le plan d'Emily était assez nul. Pour dire les choses carrément, dans le long et morne classement des plans idiots de l'histoire de l'humanité, il aurait sûrement trouvé une place assez haut, peut-être même dans le Top 10 des plans à la con. Sur le seuil de sa chambre se trouvait un assassin, qui, dans quelques secondes à peine, enfoncerait sa porte, et tout portait à croire que son but était bel et bien de la tuer. Et dans cette situation, que fit-elle ?

Sa première idée fut de se cacher sous le lit. Mais elle se rendit vite compte que celui-ci était bien trop bas. Emily avait beau être mince, elle ne l'était pas assez pour se cacher sous un lit qui se trouvait à 5 centimètres du sol. Elle passa en revue les alternatives qu'il lui restait. Passer par la fenêtre ? Pas le temps. En plus, elle ignorait si l'on pouvait l'ouvrir. Il y avait aussi la salle de bains. Elle pouvait toujours courir s'y cacher, mais c'était un cul-de-sac, et elle ne pourrait y trouver refuge que dans la baignoire, derrière le rideau de douche. Comme aucune de ces solutions n'était viable, elle se rabattit au bout de cette fraction de seconde de réflexion sur le placard qui se trouvait dans un coin de la chambre.

Les portes du placard, couleur crème, étaient munies de claires-voies. Emily bondit à l'intérieur et les referma précautionneusement, en faisant le moins de bruit possible. Le placard était vide et, à travers les claires-voies, elle avait une assez bonne vue d'ensemble de la chambre.

En revanche, il lui était à présent impossible d'entendre le moindre bruit provenant du palier. L'assassin était-il parti ? Jouait-il avec ses nerfs ? L'attente était une véritable torture. Emily se surprit à inspirer lentement, réflexe instinctif visant à être la plus silencieuse possible.

Au bout d'une vingtaine de secondes, durant lesquelles elle hésita à se ruer sur la fenêtre ou dans la salle de bains, le verrou de la porte cliqueta. Emily inspira soudain, et retint tout à fait son souffle.

Ce placard était définitivement la plus stupide des cachettes.

Emily regarda frénétiquement autour d'elle, en quête de n'importe quel objet susceptible de faire office de bouclier ou d'arme. Dans le placard, il n'y avait rien d'autre qu'elle, une planche à repasser calée dans le fond, et un fer à repasser sur une petite étagère, à sa gauche. Si la situation requérait qu'elle se défende, elle ne pourrait compter que sur ce fer.

Elle approcha des claires-voies et vit la porte de la chambre s'ouvrir doucement. Par l'entrebâillement apparurent une main qui tenait un pistolet muni d'un silencieux et, bientôt, l'homme auquel appartenait cette main. Il dépassait allégrement le mètre quatre-vingt-cinq, et son crâne était rasé. Il portait un pantalon et un gilet, tous deux de cuir noir, et trois dés tatoués sur le bras. À en juger par sa dégaine, un *biker*.

Ses yeux noirs fouillèrent le moindre recoin de la chambre. Il entra et referma délicatement la porte derrière lui. Puis il s'avança vers la salle de bains en brandissant son pistolet devant lui. Emily priait pour qu'il ne la voie pas à travers les claires-voies de la porte du placard. Instinctivement, elle recula sans un bruit, pressant son dos contre le mur. Que lui voulait-il ? Pourquoi diable souhaitait-il la tuer ? Il était évident qu'il n'avait pas l'intention de lui tendre un donut empoisonné. Il projetait de lui tirer dessus, Emily en avait la certitude. Mais elle ignorait tout de ses raisons.

L'homme disparut à l'intérieur de la salle de bains, et Emily se retrouva confrontée à un terrible dilemme. Devait-elle sortir brusquement du placard et tenter de quitter la chambre ? Ou devait-elle rester cachée à l'intérieur ? Il fallait vite faire un choix. Si elle décidait de rester cachée, elle allait devoir se saisir de ce fer à repasser, et se préparer à s'en servir. Si elle décidait de s'enfuir, elle allait devoir le faire immédiatement.

Son hésitation lui coûta cher. Elle s'était perdue dans ses pensées, négligeant totalement ce à quoi l'intrus était occupé. La porte du placard s'ouvrit d'un coup. Elle ne put rester que bouche bée face au géant qui pointait son pistolet sur sa poitrine. Il s'était en fait approché en longeant le mur, et avait soudain ouvert le placard.

« Judy Garland, dit-il dans un filet de sourire. Sortez du placard, je vous prie. »

Il semblait assez bien élevé. Peut-être n'était-il pas venu la tuer ? Il s'écarta et lui fit signe de s'approcher du lit. D'un pas peu assuré, Emily obéit. Le canon du pistolet était toujours braqué sur elle. Elle comprit alors que, tant que le *biker* garderait les yeux posés sur elle, ses chances de s'évader resteraient désespérément minces. Mais comment faire diversion ?

« Veuillez vous asseoir », demanda-t-il d'une voix polie. Cet homme connaissait les bonnes manières, c'était évident. Mais c'était également un assassin. Si l'intuition d'Emily était juste, les deux cadavres de vigiles qui se trouvaient dehors pourraient en témoigner.

« Que voulez-vous ? » lança Emily. Son cœur battait à tout rompre, et sa bouche était si sèche qu'elle avait les plus grandes difficultés à articuler.

« Je suis venu vous tuer.

— Oh ! »

Exactement ce qu'elle redoutait. Ce type avait bel et bien l'intention de l'assassiner. Alors qu'attendait-il ? « Tout de suite ? demanda-t-elle d'un ton hésitant.

— Ça dépend de vous. »

Il se tenait à équidistance d'Emily et de la porte de la chambre, bloquant de fait toute tentative de fuite.

« J'aimerais bien continuer à vivre, dit Emily en lui adressant un sourire désespéré, dans l'espoir de le convaincre qu'il avait affaire à quelqu'un de bien qui méritait d'être épargné.

— J'imagine bien. Et ce sera le cas, si vous coopérez.

— Je coopérerai.

— Bien. Vous voyez, le truc, c'est que vous ne devez pas gagner le concours.

— Et pourquoi ça ?

— Parce que quelqu'un d'autre doit gagner. Si vous gagnez, beaucoup de gens périront, dont vous. Et je ne le permettrai pas. »

Emily réprima l'envie de s'écrier : « *Mais je dois gagner ! Pour ma mère !* » À la place, elle opta pour une réponse plus mesurée : « Très bien. Alors qu'est-ce que je fais ?

— Vous partez d'ici. Tout ce que j'ai à faire, c'est de faire croire à mon boss que vous êtes morte. Et du moment que vous vous enfuyez loin d'ici et que vous ne revenez pas, je peux réussir à le convaincre.

— C'est tout ?

— Nan. Pas tout à fait. Je vais avoir besoin d'une photo de vous en train de faire la morte. Il va falloir qu'on mette en scène une fausse scène de crime. J'ai pris des petits paquets de ketchup. Vous vous allongez simplement par terre, on vous met un peu de ketchup dans le cou, et on essaie de faire croire que je vous ai tiré dessus. Ça roule ?

— Est-ce que j'ai le choix ?

— Non.

— Très bien. C'est ce que vous avez fait avec les autres finalistes ?

— Non. Les autres sont morts pour de vrai. »

Emily était sous le choc. « Oh ! mon Dieu ! C'est vrai ?

— Ouaip. Mais c'est pas moi qui les ai tués. C'est un autre mec, qu'on appelle le Bourbon Kid. J'ai pas encore réussi à découvrir pourquoi il vous avait pas encore tuée. En tout cas, c'est ce qu'il fera s'il vous voit en vie.

— C'est un type plutôt flippant habillé tout en noir ?

— C'est son style. Vous l'avez vu ?

— Deux fois. Il s'est montré très malpoli. Et il sait que le show est truqué.

« — Ouais, eh bien, estimez-vous heureuse que je vous ai retrouvée avant lui.

— Et vous, vous êtes qui ?

— Je m'appelle Gabriel. Je bosse pour Dieu. »

Il se redressa et dévissa le silencieux de son pistolet. Il semblait réellement ne pas avoir l'intention de la tuer. De plus, il était apparemment beaucoup plus gentil que ne le laissait supposer son look, même si Emily avait bien conscience de se raccrocher là à un bien mince espoir. Après tout, il avait tué les deux vigiles qui montaient la garde, non ? Avec en outre un pistolet qui, Emily le voyait bien, était assez petit sans son silencieux.

« Il est minuscule, votre truc, en fait », fit-elle remarquer.

Gabriel sourit : « J'allais quand même pas me trimbaler un fusil de chasse dans l'hôtel, non ? Un petit pistolet comme celui-ci, c'est l'idéal pour une mission discrète dans une chambre d'hôtel. » Il se tut un bref instant et, comme s'il craignait de paraître un peu timoré, ajouta : « Mais j'ai tout un putain de tas d'autres flingues beaucoup plus gros, vous savez, de quoi exterminer toute une putain d'armée entière.

— Oh ! je vois. Je disais ça juste comme ça. C'est même plutôt mignon… pour une arme. Est-ce que vous avez vraiment… euh… tué les deux agents de sécurité avec ce pistolet ? »

Gabriel parut surpris, comme s'il avait complètement oublié les vigiles. « Putain, c'est vrai ! Vous pourriez m'aider à rentrer les corps ? Je peux pas les laisser comme ça dehors. Quelqu'un pourrait les voir.

— Bien sûr, pas de problème. »

Emily aurait eu un peu de mal à refuser. Elle n'avait pas encore réussi à cerner tout à fait ce type. Mais c'était un assassin, et, rien que pour ça, elle avait l'intention de lui obéir. La question de savoir s'il s'agissait d'un mec bien auquel on pouvait se fier restait cependant ouverte.

Gabriel ouvrit la porte de la chambre et jeta un coup d'œil à l'extérieur, à gauche, puis à droite. Les cadavres gisaient au sol, en plein milieu du couloir. Pas le comble de la discrétion, même si on ne voyait quasiment pas la moindre goutte de sang. Le choix d'un petit pistolet s'avérait être extrêmement judicieux. Gabriel se pencha, attrapa le corps le plus proche par les aisselles et, tout en reculant, se mit à le traîner dans la chambre. Une fois à l'intérieur, il le jeta en direction d'Emily.

« Essayez de voir si vous pouvez le mettre dans le placard », suggéra-t-il en désignant d'un mouvement de tête le réduit où elle s'était cachée quelques minutes auparavant.

Elle se saisit du corps par-derrière, passant ses bras sous ses aisselles, et joignant les mains sur la poitrine du mort, le traîna en direction du placard. Le fait de déplacer ce poids mort fut pour elle une véritable épreuve. Elle ne réussit qu'à l'allonger de tout son long sur le dos.

De toute sa vie, c'était la première fois qu'Emily touchait un cadavre, et, à plus juste titre, la première fois qu'elle tentait d'en traîner un dans une chambre d'hôtel. Jamais elle n'aurait imaginé que son week-end prendrait une telle tournure. Le fait d'avoir un cadavre dans les bras lui faisait parfaitement sentir le danger qu'elle encourait. En agissant de la sorte, elle se rendait complice du meurtre. Et le fait d'assister un assassin ne correspondait pas à sa conception d'un chouette week-end. Malgré tout ce que Gabriel avait pu lui raconter, sur sa mission et l'identité de son employeur, il n'en demeurait pas moins qu'il avait tué deux innocents. Qu'est-ce qui lui disait qu'il ne la tuerait pas, elle aussi, un peu plus tard ?

Gabriel sortit dans le couloir de l'hôtel pour se saisir de l'autre agent de sécurité. Emily disposait enfin de quelques secondes pour réfléchir au choix qu'il lui avait imposé. Rentrer chez elle, et passer à côté du million de dollars et de l'occasion de devenir ce qu'elle avait toujours voulu être, ou rester ici, et mourir.

Le marché était tout sauf juste. En dépit de ses bonnes manières et de son plan pour lui laisser la vie sauve, cet homme lui demandait tout bonnement de faire un trait sur son rêve, ainsi que sur sa seule chance d'offrir à sa mère mourante une fin de vie paisible et sans douleur.

Du coin de l'œil, Emily devinait le fer à repasser qui reposait sur l'étagère, dans le placard. Si elle voulait vraiment participer à la finale et rester en vie, elle allait devoir s'en servir. C'était là sa seule chance. Si elle parvenait à assommer Gabriel avec le fer à repasser, elle pourrait avertir Nigel Powell et la police, qui la protégeraient de tout individu qui en voulait à ses jours. Il lui resterait une chance de gagner le concours. Et sa mère pourrait bénéficier des soins dont elle avait besoin.

Et merde, pensa-t-elle. Ça valait le coup d'essayer.

36

Lorsque Angus l'Invincible arriva enfin à l'Hôtel Pasadena, il avait eu le temps d'imaginer une bonne dizaine de façons de torturer, estropier et tuer Sanchez et Elvis. De son point de vue, ces deux sous-merdes lui avaient coûté jusqu'ici 70 000 dollars : les 20 000 de Julius évanouis dans la nature, plus les 50 000 promis par Powell. Oh ! il allait s'occuper de ces deux-là dans les règles de l'art, très lentement. Il se réjouissait déjà d'entendre leurs hurlements de douleur.

Cependant, ces joyeusetés n'auraient rien de comparable à ce qu'il réservait à ces salopards de zombies qui avaient tenté de le dévorer, avaient déchiré son trench-coat préféré, et volé son van et son CD de Tom Jones. Ces enculés avaient gagné sans le savoir un aller simple pour l'enfer, qu'Angus se ferait un plaisir de leur délivrer.

Il gravit comme une tornade les marches qui menaient à l'entrée principale de l'hôtel. Une vieille femme aux cheveux gris, dans un manteau blanc, lourd et manifestement très onéreux, sortait justement du hall de réception alors qu'Angus fonçait dans la direction opposée. Elle s'apprêtait à allumer une cigarette et, par conséquent, ne remarqua pas la silhouette massive qui fondait droit sur elle. Angus passa entre les battants de verre et la femme en lui donnant un violent coup d'épaule, et ce fut avec une joie non dissimulée qu'il la vit perdre pied et rouler sur les marches en avalant la cigarette qu'elle allait allumer. Nom de Dieu, ça faisait du bien. Mais il lui en fallait plus. Angus avait un besoin impérieux de se confronter à n'importe qui, et n'importe quoi. La prochaine personne sur laquelle il tomberait allait vraiment déguster. Angus se dirigea droit vers la réception.

Derrière le comptoir ne se trouvait qu'une seule réceptionniste, une jeune blonde qui semblait s'ennuyer comme jamais. Le hall était à présent totalement désert. À cette heure avancée, plus personne ne viendrait demander une chambre. Ce week-end ayant été entièrement organisé autour de ce concours à la con, tout le monde était d'ores et déjà arrivé. Et, en ce moment même, le show était déjà bien avancé.

Angus posa ses deux mains sur le comptoir et se pencha pour lire le nom de la réceptionniste, écrit sur le badge qu'elle portait à la poche de poitrine de sa veste rouge.

« Belinda », lut-il à haute voix.

Elle lui adressa un sourire poli. « C'est bien moi. En quoi puis-je vous aider, monsieur ?

— Passez-moi la clef de la chambre 713. Tout de suite ! »

Le sourire poli s'effaça aussitôt, et Belinda se mit à pianoter sur son clavier tout en consultant le moniteur qu'elle avait en face d'elle.

« Vous êtes M. Sanchez Garcia ? demanda-t-elle.

— Non, je suis le mec qui était censé occuper cette chambre avant que ce salopard de Garcia me la vole.

— Dans ce cas, je suis désolée, monsieur, mais je suis dans l'incapacité de vous remettre un passe. »

Angus sortit l'un de ses pistolets de sous son trench-coat et le pointa sur la tête de la réceptionniste.

« Maintenant tu vas ouvrir tes oreilles bien grand, espèce de connasse. Je viens de me faire attaquer par une centaine de zombies qui ont surgi de terre, en plein milieu de ce putain de désert. Comme ça, sans prévenir. Et à moins que je me trompe, ils essayaient de me bouffer tout cru. J'en ai tué un bon nombre avec ce putain de flingue. » Il secoua l'arme sous son nez. « Et quand je me suis retrouvé à court de putains de cartouches, j'en ai tué un bon tas à mains nues, bordel de merde. J'ai eu le temps de recharger mon *gun*, et je dois t'avouer que je suis carrément pas d'humeur à des phrases du genre *"Je suis désolée, monsieur, mais comme je suis une sale connasse, je ne peux pas vous donner ce passe"*. Alors passe-moi vite ce putain de passe, histoire que j'aie pas à t'exploser la gueule en faisant semblant de t'avoir confondue avec un putain de zombie.

— Autre chose, monsieur ?

— Ce sera tout.

— Un instant, je vous prie. »

Belinda ouvrit un tiroir sur sa droite. Elle en sortit un passe qu'elle déposa sur le comptoir, juste en face d'Angus.

« Ceci est un putain de passe-partout, monsieur. Avec ce putain de passe, vous pourrez entrer dans n'importe quelle putain de chambre de votre putain de choix.

— Merci. Oh ! et en passant, les putains de zombies dont je vous parlais sont en train de se diriger vers ce putain d'hôtel. Vous feriez bien de leur casser un peu moins les couilles qu'à moi. Et vous feriez aussi bien de surveiller un peu votre langage. C'est pas très attirant chez une jeune femme.

— J'en prends bonne note, monsieur. Passez un putain de bon séjour. »

Angus se saisit du passe, traversa le hall de réception et s'engagea dans le couloir qui menait aux ascenseurs. La réceptionniste l'observa tout du long et, dès qu'il se retrouva hors de portée de voix, décrocha le téléphone qui se trouvait sur son bureau en composant un numéro à quatre chiffres. La tonalité retentit deux fois avant qu'une voix réponde à l'autre bout du fil :

« Nigel Powell.

— Bonsoir, monsieur Powell. C'est Belinda, de la réception. Un conna… un homme fort désagréable vient de se présenter avec une arme à feu et un très net penchant pour les injures. Je lui ai donné un passe-partout lui permettant d'entrer dans la chambre de son choix. Si j'avais refusé de le lui donner, il m'aurait tiré en pleine figure.

— Je vois. J'en informe immédiatement la sécurité. Vous leur décrirez l'individu lorsqu'ils vous appelleront. Vous allez bien, Belinda ? Je vous donne votre soirée pour que vous vous remettiez. »

Powell était toujours extrêmement prévenant envers ses employés. Ça n'était pas que pur altruisme : trouver de nouvelles personnes prêtes à travailler au Cimetière du Diable n'était pas chose aisée.

« Je vais très bien, monsieur Powell, merci. Il y a autre chose que vous devez savoir, par ailleurs.

— Oui ? Quoi donc ?

304

— Ce type disait qu'il venait de se faire attaquer par une centaine de zombies. Selon lui, ils se dirigeraient vers l'hôtel. »

Belinda entendit alors son employeur pousser un profond soupir. « Et merde. Alors ils sont déjà en chemin, hein ? On ferait mieux d'accélérer un peu la cadence. Ces salopards arrivent drôlement tôt, cette année. Et, à mon avis, aucun d'entre nous n'a envie de finir en snack pour morts-vivants. Ces imbéciles de spectateurs sont là pour ça.

— Oui, monsieur. »

37

Emily saisit le fer à repasser dans sa main droite et le brandit au-dessus de sa tête. Elle tremblait de peur. Est-ce que c'était vraiment la bonne chose à faire ? Était-ce ne serait-ce qu'à moitié sensé ?

Elle attendit que Gabriel eût traîné l'autre vigile à l'intérieur de la chambre. Il lui tournait le dos, fort heureusement. L'opération aurait été un peu plus délicate s'il l'avait vue en train de brandir un fer à repasser. D'un coup de pied, Gabriel referma la porte, et toujours à reculons, plié en deux, les mains sous les bras du défunt, il se mit à le traîner en direction du placard.

Lorsqu'il fut assez près, Emily inspira à pleins poumons et, de toute sa force et de tout son poids, abattit le fer à repasser derrière le crâne rasé de Gabriel. Un très joli coup, au demeurant.

CLUNK !

Le fer frappa de plein fouet le côté postérieur droit de la tête. Il toucha en partie l'oreille droite, mais le gros de l'impact se concentra sur une partie du crâne protégée par une très fine couche de peau et des cheveux microscopiques. Gabriel tomba comme un sac de patates sur le corps de l'agent de sécurité qu'il était en train de traîner.

Emily baissa les yeux sur sa victime. Il semblait vaguement conscient, à en croire les légers murmures qui s'échappaient de sa bouche. Elle l'avait étourdi, cela, elle en était sûre, mais à quel point ? Ne voulant pas le tuer, elle s'abstint de le frapper une deuxième fois, et tâcha d'enjamber le tas de corps amoncelés qui lui barrait à présent le chemin. Il y avait tout d'abord le cadavre du vigile qu'elle avait traîné devant le placard. Puis il y avait Gabriel, et, sous lui, le deuxième agent de sécurité. En murmurant des excuses légèrement hystériques, elle passa par-dessus le premier vigile, avant d'essayer d'enjamber d'une foulée de géant Gabriel et l'autre agent.

Elle hissait justement sa jambe au-dessus de Gabriel lorsque celui-ci reprit soudain connaissance. La brève perte de conscience qu'elle lui avait infligée appartenait déjà au passé. Il saisit sa jambe gauche et la tira fortement à lui, lui faisant perdre l'équilibre. Elle trébucha et tomba par terre, manquant de peu de se cogner la tête contre une colonne de lit. Sa chute maladroite lui fit lâcher le fer à repasser.

« Espèce de salope ! » cria Gabriel. Tout ce qu'elle avait réussi à faire, c'était de le mettre de très sale humeur.

Il se redressa derrière elle. Alors qu'elle s'efforçait de se relever, il lui asséna un puissant coup de poing à la nuque. Elle retomba, tête la première. À présent, elle avait une petite idée de ce qu'il avait ressenti en recevant le fer à repasser sur le crâne.

« Une putain de mauvaise idée que t'as eue là », grogna-t-il d'un ton mauvais.

Elle releva timidement les yeux et le vit en train de se frotter la tête, là où elle l'avait frappé.

« Je suis désolée. Je voulais pas. »

Le *biker* semblait s'être totalement remis du coup. Il s'accroupit, et Emily sentit son genou appuyer fortement sur son dos, au-dessus de ses hanches, l'épinglant au sol.

« Je t'ai laissé une chance de survivre, sale conne.

— Je sais. Pardon.

— C'est pas ton "pardon" qui va faire passer mon mal de tête. Espèce de putain de connasse de merde. »

Il pressa la tête d'Emily contre la moquette. Ça, plus le genou dans le dos : impossible de bouger. Elle entendit alors le son qu'elle avait le plus redouté : celui de Gabriel tirant son pistolet de sous son gilet. Le canon de l'arme se colla contre son crâne. Emily était au comble de la terreur. Elle avait complètement merdé. Le fait de le frapper avec le fer à repasser était l'idée la plus stupide qu'elle ait jamais eue. Et la plus inutile. Pourtant, elle se dit que si elle avait pu remonter le temps, elle aurait fait exactement la même chose, en tapant cette fois beaucoup plus fort.

« Pas très agréable d'avoir un objet en métal contre la tête, hein ? » gronda Gabriel. Il pressa encore plus violemment le pistolet contre son crâne. « Hein ? Tu vois ce que ça fait ? Franchement désagréable, tu trouves pas ?

— Si. Je suis désolée. »

Emily se mit à sangloter. « Je suis vraiment désolée.

— Tu m'étonnes, que t'es vraiment désolée, putain. En tout cas, je t'aurai laissé ta chance. »

De sa main libre, il attrapa une poignée de cheveux, et l'obligea à relever la tête de quelques centimètres. « Bordel de merde, je t'ai fait une putain de fleur ! »

Il rabattit sa tête contre le sol. Le front d'Emily encaissa l'impact, protégeant son nez. Ça lui faisait vraiment mal. Elle se sentit prise de vertige. Une nouvelle fois, Gabriel releva sa tête pour la précipiter contre la moquette. Le vertige se changea en nausée. Ses larmes coulaient à présent abondamment. Elle allait mourir, sans avoir pu aider sa mère. Elle sentit de nouveau le canon de l'arme de Gabriel contre son crâne. Elle hurla de douleur. Puis elle entendit un déclic métallique. Il venait d'abaisser le cran de sécurité. *C'est fini.*

Elle ferma les yeux et attendit le moment de vérité. Comment cela se passerait-il ? Combien de temps ressentirait-elle la douleur provoquée par la balle qui pénétrerait son crâne ?

Son esprit était submergé par ces questions et un million d'autres pensées lorsque, soudain, elle entendit derrière elle un fracas infernal. Gabriel cessa de presser le canon de son arme contre son crâne. C'était la fin.

BANG !

Elle entendit à la perfection la détonation assourdissante qui emplit la chambre. C'était donc ça d'être abattue ? C'était donc ça d'être morte ? Emily ne ressentait rien. En tout cas, rien de nouveau. Elle se sentait… Curieux, quand même. Elle avait la très nette impression d'être toujours en vie. Qu'est-ce que… ?

BAM !

Malgré sa stupéfaction, elle tourna la tête et jeta un coup d'œil sur sa gauche. Le visage de Gabriel lui parut brouillé. Elle se concentra, et prit conscience qu'il gisait à côté d'elle. Il la regarda fixement un instant, et ses yeux se révulsèrent lentement.

Emily resta immobile, allongée sur la moquette, sans trop comprendre ce qu'il venait de se passer. Sous la tête de Gabriel, du sang coulait sur la moquette, dans sa direction.

Soudain, sans prévenir, sa sensation de vertige s'accrut. Elle releva la tête afin de regarder derrière elle. La dominant de toute sa taille, derrière le cadavre de Gabriel, se dressait l'homme en noir qu'elle avait croisé à deux reprises. Il tenait à la main un pistolet, dont le canon exhalait des volutes de fumée gris-bleu. Juste avant de perdre connaissance, elle comprit que l'homme qu'on connaissait sous le nom de Bourbon Kid était venu la sauver.

Et venait d'exploser la partie postérieure de la tête de Gabriel.

38

Nigel Powell était assis à son bureau, la tête dans les mains, ses doigts recouvrant la moitié supérieure de son visage. Sa frustration crevait les yeux. Ses deux consœurs du jury, Lucinda et Candy, étaient assises face à lui. Ni l'une ni l'autre n'était spécialement futée, mais pas au point de ne pas deviner que Powell était de très mauvaise humeur. Elles attendirent patiemment qu'il écarte les mains de son visage. Son regard se posa tout d'abord sur la veste moulante en cuir blanc de Candy. À mesure que la soirée avançait, ses seins menaçaient de plus en plus d'en jaillir. Cette vision ne parvint à le distraire qu'une poignée de secondes. Le jaune éclatant de la robe de Lucinda lui rappela sa présence, et il détourna le regard du décolleté de Candy pour dévisager les deux femmes.

« Alors, tu vas nous dire ce qui se passe ? » demanda Lucinda, d'un ton un peu plus impérieux qu'elle ne l'aurait souhaité. Elle n'aimait pas vraiment Powell, mais elle préférait ne pas s'attirer son courroux. Et en outre, il la payait grassement.

Le patron de l'hôtel gonfla les joues avant d'expirer. Il les regarda droit dans les yeux, chacune à leur tour, afin de bien leur faire sentir son mécontentement.

« On a perdu trois de nos finalistes, dit-il d'un ton morne.

— On les a *perdus* ? » répéta Lucinda.

Le ton de Powell semblait signifier qu'ils avaient égaré les concurrents, comme on perd de simples objets, par étourderie.

« Ils sont morts, explicita-t-il. Quelqu'un les a assassinés. »

Candy parut franchement décontenancée. Nigel savait qu'elle était bien plus intelligente que ce que la plupart des gens s'imaginaient, mais, malgré tout, sa nature profonde correspondait parfaitement au stéréotype de la blonde écervelée.

« Quoi ? Qui ? Lesquels ? demanda-t-elle en vrac.

— Nous avons perdu Kurt Cobain, Otis Redding et Johnny Cash.

— *Oh ! mon Dieu.* Et les deux autres ? » enchaîna-t-elle.

Son agitation ouvrait un peu plus à chaque seconde l'échancrure de sa veste en cuir.

« J'ai pris soin de les mettre sous garde armée, répondit Powell, d'un ton quelque peu pompeux. Je crains qu'un concurrent n'ait pris connaissance de l'identité des cinq finalistes, et n'ait engagé un tueur à gages pour les éliminer. »

Lucinda secoua la tête. « C'est complètement timbré. J'ai révélé à personne qui seraient les finalistes.

— Moi non plus », s'empressa d'ajouter Candy.

Lucinda se pencha en avant. « T'as une idée de qui est à l'origine de toutes ces conneries ? demanda-t-elle à Powell.

— Et comment. Le tueur à gages et le type qui l'a engagé ont été appréhendés par un autre tueur à gages, il y a quelques heures de ça. Celui-ci et deux gars de la sécurité les ont emmenés dans le désert pour les tuer, mais ils ne sont toujours pas revenus. Impossible de les joindre.

— Doux Jésus ! glapit Lucinda. Mais qu'est-ce qu'on va faire ? On va devoir annuler le concours ? »

Powell hocha la tête. « Non, non, non. Comme on dit, *"the show must go on"*. Nous devons juste trouver trois concurrents qui remplaceront les finalistes morts. » Il considéra les deux femmes à tour de rôle. « Des suggestions ? Nous avons environ deux minutes pour faire notre choix. Je veux lancer la finale aussi vite que possible. Le show de cette année est vraiment en train de tourner au cauchemar. Alors quels sont les nouveaux concurrents que nous retenons ? Qui ont été les plus appréciés du public ? »

Lucinda proposa une autre idée : « Et si on en choisissait un chacun ? Ce serait plus équitable, non ? »

Powell haussa les épaules. « OK, ça me va. Candy, tu choisis qui ? »

Candy parut surprise. « Tu veux que je te donne un nom tout de suite ?

— Non, j'aimerais que tu m'en donnes un au bout du délai de réflexion qui te semblera le plus confortable. Oublie ce que j'ai dit au sujet des deux minutes qui nous restaient pour décider.

— C'est sarcastique ?

— Oui. Très finement remarqué de ta part.

— Très bien. Dans ce cas, je choisis Elvis. Il était mignon.

— Ce n'est pas un critère de sélection, répliqua sèchement Nigel.

313

— Tu étais d'accord pour qu'on en choisisse un chacun, je choisis Elvis.

— Certainement pas. Tu ne vas pas choisir quelqu'un simplement parce qu'il t'excite.

— Donne-moi une seule raison de ne pas le prendre. Une raison qui ne serait pas personnelle.

— Pas de problème : je ne l'aime pas. *Vraiment* pas. »

Candy poussa un profond soupir. « Très bien, lâcha-t-elle dans une moue boudeuse. Alors je prends Freddie Mercury. T'es content ?

— Tout à fait, répondit Powell en souriant pour la première fois depuis le début de l'entrevue. Il était bon, sans être trop bon. »

Il tourna la tête vers l'autre jurée : « Et toi, Lucinda ? »

Lucinda fronça les sourcils et réfléchit un instant. « Le Blues Brother était pas mauvais, finit-elle par dire, encore pensive.

— Le type avec son harmonica ? Et son pantalon en cuir rouge ? »

Candy ne chercha pas à dissimuler son mépris.

« Oui. Il m'a pas mal plu. Il a un petit je-ne-sais-quoi. »

La figure de Powell s'allongea. « Sérieusement ? Moi, j'ai trouvé que c'était un minable qui n'avait trouvé qu'un harmonica pour se rendre intéressant.

— Chacun choisit son concurrent ou quoi ? J'ai dit le Blues Brother et je ne plierai pas. »

Lucinda était clairement plus déterminée que Candy. Et Powell n'avait pas le temps de discuter.

« Fort bien, dit-il. Ça nous fait quatre finalistes. Qui vais-je bien pouvoir prendre ? » Il tambourina des doigts sur son bureau pendant quelques secondes, passant mentalement en revue les chanteurs qu'il avait vus.

« Tu n'as même pas assisté à la moitié des auditions », releva Lucinda. Elle avait raison. À cause de ses allées et venues incessantes durant les prestations, il en avait raté un certain nombre.

« C'est vrai. Et tous les chanteurs que j'ai vus étaient désespérants. » Un nom lui traversa soudain l'esprit. « Je sais. Tout à l'heure, dans le hall de réception, j'ai entendu un grand nombre de spectateurs qui ne tarissaient pas au sujet de Janis Joplin. Apparemment, tout le monde s'accorde à penser que sa prestation était le clou des auditions. Je crois que c'est sur elle que mon choix va se porter. »

Lucinda et Candy étaient totalement interdites. Lucinda parla pour elles deux : « Mais tu ne l'as même pas vue !

— Et alors, quelle différence ça fait ? De toute façon, c'est Judy Garland qui l'emportera. Personne ne peut la vaincre. Et, par ailleurs, je trouve qu'il serait bon qu'on ait une autre femme en finale.

— On est d'accord, mais crois-moi, pas celle-ci, insista Lucinda.

— Ça suffit comme ça, lâcha Powell en balayant les arguments d'un revers de main. Chacun de nous choisit son concurrent, et je choisis celle-ci.

— Mais…

— Y a pas de mais, bordel ! répliqua-t-il en criant presque, avant de poursuivre d'une voix plus mesurée. On a nos nouveaux finalistes. À présent, allons annoncer leurs noms. On a déjà pris un retard considérable. J'ai deux trois appels à passer. Vous pouvez aller soumettre à Nina les noms des finalistes. Allez-y. Allez, allez. Et fermez la porte derrière vous. »

Lucinda et Candy quittèrent toutes deux leur siège et se dirigèrent vers la porte. Avant d'en passer le seuil, Lucinda tenta une dernière fois de lui faire entendre raison : « Nigel, sérieusement, cette Janis Joplin, tu ne peux pas la…

— Bien sûr que je peux, bordel ! Maintenant, sortez d'ici ! »

39

Emily reprit connaissance. Elle y voyait flou, et ses yeux piquaient. Sa douleur au front se rappela bien vite à son souvenir. Elle était couchée sur un lit, les yeux fixés au plafond. Elle sentait sur ses joues des larmes séchées, mais elle ne se souvenait pas d'avoir pleuré, ni pourquoi sa tête lui faisait mal. Elle porta une main à son front, afin de vérifier si elle avait une bosse.

Toute proche, une voix froide et rocailleuse se fit entendre : « Comment vous vous sentez ? »

Surprise, Emily se redressa d'un coup. Et le regretta aussitôt. Sa douleur au front s'aviva. Un homme était assis au pied du lit sur lequel elle se trouvait. Et visiblement, elle n'était plus dans la chambre où Nigel Powell l'avait transférée. Emily regarda rapidement autour d'elle pour se faire une idée de ce qui l'entourait. Ce simple mouvement oculaire, un peu brusque, lui fit encore plus mal à la tête. Pas de doute, elle était bien dans une autre chambre. Elle était assez similaire à celle où Nigel Powell l'avait installée, mais elle était plus petite, avec un lit simple, pas un *king size*. Et l'homme qui était assis au bout du lit était bel et bien le type flippant tout en noir qui lui avait manqué de respect.

« Comment vous vous sentez ? redemanda-t-il.

— Qui êtes-vous ? Qu'est-ce que je fais ici ? demanda-t-elle à son tour, redoutant les réponses qu'il lui soumettrait.

— On aurait dit que quelqu'un allait vous tuer », répondit laconiquement l'homme.

Emily se souvint soudain de Gabriel, le *biker* assassin. Elle se rappela l'avoir assommé avec un fer à repasser. Comme plan d'évasion, ça n'avait pas aussi bien marché qu'elle l'avait escompté. Il s'était réveillé, l'avait immobilisée au sol, et lui avait cogné la tête par terre à plusieurs reprises. Après ça, tout se brouillait. Comment avait-elle fait pour se retrouver dans la même chambre que ce type en noir ? Et quelles étaient ses intentions ?

« Qu'est-ce qui s'est passé ? Je me souviens de m'être battue avec ce *biker* et puis… » L'image du visage de Gabriel par terre, tourné vers elle, s'imposa. Son regard fixe, et ses yeux qui lentement s'étaient révulsés. « Que lui est-il arrivé ? Il est mort ?

— Y a des chances. Je lui ai tiré une balle dans la tête.

— Oh ! mon Dieu ! »

Emily était opposée à toute forme de violence (le coup du fer à repasser n'avait été qu'une brève entorse à cette règle de vie). À plus juste titre, elle abhorrait le meurtre. Pourtant, à cet instant précis, le fait d'être assise à côté d'un homme qui avait tué quelqu'un pour la sauver lui paraissait terriblement cool. Ça n'arrivait qu'au cinéma.

« Vous avez fait ça pour moi ? » lui lança-t-elle, malgré elle. Son mal de crâne l'affaiblissait considérablement. Si elle avait eu toute sa tête, elle n'aurait jamais baissé la garde de la sorte, en lui faisant savoir aussi clairement ce qu'elle pensait.

« Ouais.

— C'est *tellement* cool. »

À peine avait-elle articulé ces mots qu'elle se sentit rougir comme une pivoine. Elle frotta son front qui la lançait, tâchant dans le même mouvement de masquer la rougeur de ses joues derrière sa main. Afin de dissimuler encore plus sa confusion, elle s'empressa de lui poser d'autres questions : « Mais qui êtes-vous au juste ? Et pourquoi l'avez-vous tué ?

— Vous avez déjà entendu parler du Bourbon Kid ?

— Vous voulez parler de ce schizo qui a un sérieux problème avec l'alcool et qui tue des innocents ? C'est un malade mental. On devrait l'enfermer et le… »

Sa voix faiblit progressivement jusqu'à se taire totalement. « C'est vous, c'est ça ? reprit-elle presque dans un murmure.

— Ouais.

— Désolée.

— D'habitude, j'ai pas besoin de raison pour tuer quelqu'un. Mais quand je suis entré dans votre chambre d'hôtel, on aurait dit que ce mec allait vous tuer. Il était en train de braquer son flingue sur votre tête.

— Oh ! mon Dieu. »

Emily venait de se souvenir de la pression du canon contre son crâne. « Il allait me tuer, c'est ça ?

— Non. Pas du tout.

— Hein ?

— En fait, son flingue était pas chargé. Apparemment, il voulait juste vous faire peur. »

Emily plaqua sa main sur la bouche. *En fin de compte, Gabriel n'était pas aussi méchant que ça.* « Mon Dieu, vous devez tellement vous en vouloir de l'avoir tué ! s'exclama-t-elle.

— Non. Je l'aurais tué de toute façon. »

Emily fronça les sourcils. « Pourquoi ?

— Parce que. Rien à foutre, de ce con.

— Euh… bon, d'accord. Qui était-ce, au fait ? Qu'est-ce qu'il faisait dans cet hôtel ?

— 'S'appelait Gabriel. Un homme de Dieu, si on veut.

— Un homme de Dieu ? Mais qu'est-ce qui aurait pu pousser un homme de Dieu à me menacer de mort ? C'est complètement fou.

— Les voies du Seigneur sont impénétrables. »

Emily le dévisagea pour voir s'il se moquait d'elle. Le visage du Kid était, lui aussi, impénétrable.

« Eh ben. Waouh. » Elle s'efforçait de digérer toutes ces informations. Elle se frotta de nouveau le front. Tous ces efforts cérébraux ne faisaient qu'aggraver son mal de crâne. Mais autre chose la gênait. « Écoutez, tout à l'heure, quand nous nous sommes vus, vous ne sembliez pas vraiment m'avoir dans votre cœur. Alors j'ai un peu de mal à comprendre pourquoi vous m'avez sauvée de cet homme de Dieu armé.

— Vous me rappelez quelqu'un. Une personne à laquelle je tenais beaucoup.

— Une petite amie ?

— Quelque chose dans ce goût-là.

— Qu'est-ce qui lui est arrivé ?

— Elle est en prison. Pour meurtre.

— Ça m'étonne pas.

— Quoi ?

320

— Pardon. Je ne le pensais pas. »

Le Kid lui lança un regard dur. « Une chance que vous vous soyez vite excusée, grogna-t-il.

— C'est ce coup que j'ai reçu à la tête. Je ne voulais pas vous manquer de respect.

— Ouais. »

Il parut se perdre un instant dans ses pensées. Puis il reprit, d'un ton un peu plus pressé. « Écoutez, vous devez dégager d'ici. Certaines personnes veulent à tout prix vous empêcher de gagner ce concours. Et ils sont prêts à vous tuer pour arriver à leurs fins.

— Pourquoi ? Qu'est-ce qui se passe au juste, ici ? Ce *biker*, Gabriel, c'est ça ? m'a dit que trois chanteurs avaient été assassinés. Mais Nigel Powell m'a soutenu qu'ils avaient été victimes d'une intoxication alimentaire, ou un truc du genre. Qu'est-ce qu'il s'est passé, en réalité ?

— Ils sont morts.

— Empoisonnés ?

— Non. Je les ai tués.

— *Quoi ?* Vous avez tué Otis Redding, Kurt Cobain et Johnny Cash ?

— Ouais.

— Mais pourquoi avoir fait une chose pareille ?

— James Brown m'a proposé un gros paquet de pognon. »

Emily était abasourdie. « *Julius ?* Mais pourquoi ?

— Il veut gagner. »

Une énième fois, Emily se frotta le front. Elle avait du mal à intégrer toutes ces terrifiantes informations avec cette migraine carabinée.

« Excusez-moi, mais j'ai *vraiment* du mal à suivre. Et j'ai un mal de tête de tous les diables qui ne m'aide pas vraiment à réfléchir comme il faudrait. » Elle se rendit soudain compte qu'elle avait complètement perdu le fil du temps. « Mon Dieu, est-ce qu'ils ont déjà annoncé les noms des finalistes ? Pendant combien de temps suis-je restée inconsciente ? Il faut que je chante pour la finale. »

Elle bondit du lit. Ce mouvement brusque suffit à lui faire tourner la tête et à lui donner la nausée, aussi s'empressa-t-elle de se rasseoir. Le Kid se leva et se planta nettement entre Emily et la porte de la chambre.

« Vous allez bien m'écouter, parce que c'est très important, dit-il. Ce concours est une blague. Une blague pas drôle du tout, en plus.

— Je sais.

— *Non. Vous ne savez pas.* Vous savez que dalle. Alors fermez-la et écoutez. Apparemment, tous ceux qui ont remporté ce concours ont vendu leur âme au diable en signant le contrat de Powell. Et maintenant, c'est plus que des zombies décérébrés. Je viens de me faire sauter dessus par Buddy Holly et Dusty Spring-field sur le parking, et ça faisait visiblement pas mal de temps qu'ils se décomposaient sous terre. »

Un long silence s'installa, durant lequel Emily attendit que le Kid confirme sa curieuse déclaration. Mais il n'en fit rien.

« Mais de quoi vous parlez ? Vous avez pris de la drogue ? finit-elle par lui lancer.

— Non. Ne participez pas à la finale. Cassez-vous au plus vite. Moi aussi, je vais me tirer d'ici. Si vous voulez, je peux vous conduire jusqu'au patelin le plus proche. Au moment où je vous parle, mieux vaut se trouver autre part qu'ici. Y a des putains de morts-vivants partout autour de cet hôtel. »

Ses élucubrations commençaient à agacer Emily. « Des morts-vivants ? Excusez-moi, mais ce que vous racontez n'a ni queue ni tête, dit-elle d'un ton d'institutrice condescendante. Et encore une fois, vous m'en voyez désolée, mais vous êtes notoirement connu pour être un psychopathe, aussi, quand vous me parlez de morts-vivants et de pactes avec le diable, je suis portée à croire que c'est à cause de vos… euh… problèmes mentaux. »

Si elle avait tenté de le provoquer, force était de constater que c'était raté. « Tout ce que je vous demande, c'est de ne pas gagner ce concours, compris ? répliqua-t-il, d'un ton encore plus rocailleux qu'auparavant.

— Écoutez, je suis désolée, vraiment désolée. Et je vous remercie de vous soucier de mon sort. Mais mon rêve a toujours été de gagner ma vie en chantant, surtout dans un endroit comme celui-ci. Et avec cette récompense d'un million de dollars, ma vie changerait du tout au tout. C'est pour ça que j'ai travaillé toute ma vie. Je fais ça pour moi, et pour ma mère. Je veux qu'elle sache que tout ce que nous avons fait, tout ce que nous avons subi en valait la peine. Elle est malade. Ma mère est malade. » Emily sentait qu'elle montait d'un ton, mais elle poursuivit quand même. « Il ne lui reste plus que quelques mois à vivre, et je veux que ces derniers jours se passent au mieux. Nous n'avons pas un sou, et, avec cet argent, je pourrais m'occuper d'elle comme elle le mérite. Et comme ça, elle aura le réconfort de savoir que j'aurai réussi à la suivre sur sa voie. Je ne suis pas arrivée jusqu'ici pour tout envoyer balader, uniquement parce que vous pensez qu'il y a des fantômes dans le coin.

— Alors gagnez le concours, mais ne signez pas le contrat.

— Non.

— Quoi ? »

Emily hocha la tête. « Non. Si votre mère était mourante, et que vous aviez la chance de la maintenir en vie un peu plus longtemps, est-ce que vous ne feriez pas tout ce qui est en votre pouvoir pour y parvenir ?

— J'ai tué ma mère.

— Oh ! »

Un bref instant, Emily fut trop stupéfaite pour parler. Puis elle repartit à la charge, dans l'espoir de lui faire entendre ses arguments. « Mais…

— Rentrez. Chez vous. Votre mère comprendra. »

Un déclic se fit en Emily. « Oui, je suis convaincue qu'elle comprendra parfaitement, quand elle poussera son dernier soupir dans un hospice merdique. Et je pourrai toujours lui dire : "Ouais, désolée, maman, mais j'ai laissé passer ma chance de t'offrir une fin de vie digne parce qu'un schizo qui a un gros problème de boisson m'a dit que je vendrais mon âme au diable si je remportais ce concours." »

Le Kid ne parut pas touché le moins du monde par ces sarcasmes agressifs. « Vous savez pertinemment que ce show est truqué, répliqua-t-il. Vous avez été secrètement présélectionnée pour la finale. Commencez pas à jouer les mères-la-morale. »

Emily haussa un sourcil. « Oh ! *mille excuses*. C'est vous qui êtes en train de me donner des leçons de morale, à présent ?

— Complètement.

— Eh bien, c'est fort, ça. Venant de vous, vraiment ! *Excusez-moi* de penser que vous n'êtes pas tout à fait le mieux placé pour juger les autres. »

Son ton s'adoucit. « Écoutez, je vous suis très reconnaissante de m'avoir peut-être sauvé la vie, mais je dois gagner. Ce concours, c'est toute ma vie. Alors une dernière fois, je suis désolée, mais je participerai à cette finale. Le seul moyen que vous ayez de m'en empêcher, c'est de me tuer. Alors décidez-vous. Ou bien vous me laissez sortir de cette chambre, ou bien vous sortez votre arme, et vous me descendez. Je n'ai pas peur de mourir, vous savez.

— Si, vous êtes terrifiée.

— Pas du tout. Je n'ai pas peur de mourir pour ce en quoi je crois. »

Le Bourbon Kid plongea la main sous sa veste.

« Bon. Alors vous ne me laissez pas d'autre choix. »

40

Sanchez ne l'aurait jamais avoué à personne, mais il était tout excité en attendant l'annonce des noms des cinq chanteurs sélectionnés pour la finale du concours « Back From The Dead ». Il était dans les coulisses en compagnie d'Elvis et de tous les autres concurrents fébriles et pleins d'espoir, qui s'impatientaient d'apprendre quel cours prendrait leur destin.

On voyait de tout dans cette masse de concurrents, de ceux qui ressemblaient comme deux gouttes d'eau aux chanteurs qu'ils étaient censés imiter, à ceux qui étaient tout simplement bizarres, voire flippants. Du point de vue de l'apparence, le meilleur d'entre tous était Freddie Mercury. Ce type était plus que convaincant. Il portait un pantalon blanc moulant, avec une bande rouge courant le long de ses jambes, un cuir jaune et, en dessous, un simple marcel blanc. Son épaisse moustache noire et ses dents proéminentes rendaient la ressemblance proprement stupéfiante. Sanchez n'avait pas assisté à son audition, mais si sa voix ressemblait autant à l'original que le reste, alors il serait sans le moindre doute retenu pour la finale.

Totalement à l'opposé, on trouvait des chtarbés particulièrement peu crédibles. L'un d'eux se distinguait du lot : un nain du nom de Richard censé être le sosie de Jimi Hendrix. Son costume consistait en un pantalon noir moulant, des bottes à talons, une chemise blanche et un manteau violet. Malheureusement pour lui, plusieurs autres concurrents s'appelaient également Richard. Par conséquent, tout le monde se référait à lui sous le sobriquet de « Little Richard », « Petit Richard », ce qui, à juste titre, l'emmerdait sérieusement. Il y avait aussi un imitateur de Frank Sinatra, avec un gros sparadrap sur le nez, qui racontait à qui voulait l'entendre qu'on lui avait volé son chapeau.

Mais ce qui avait piqué la curiosité de Sanchez, c'était le comportement de Julius, le sosie de James Brown. Se pouvait-il que ce type soit vraiment le treizième apôtre ? Il semblait à cran, et ne cessait d'observer les autres concurrents d'un œil suspicieux. À un moment, son regard croisa celui de Sanchez. Julius sourit et adressa un acquiescement à Elvis et au patron de bar, amis de Gabriel. Sanchez lui renvoya poliment son acquiescement. Autant ne pas vexer un chouchou de Dieu. Mieux vaudrait l'avoir de son côté quand arriverait le jour du Jugement dernier. Au fait, savait-il que Sanchez connaissait sa véritable identité ?

Tout cela plongea Sanchez dans une intense réflexion. Est-ce que la prestation de Julius s'avérerait assez bonne pour lui valoir une place en finale ? Et qu'en était-il de Judy Garland ? Est-ce que Gabriel (ou l'autre tueur à gages, Angus) était parvenu à l'éliminer ? Qu'arriverait-il si on appelait son nom et qu'elle ne se présentait pas, pour la simple et bonne raison qu'elle était morte ? Et qui seraient les nouveaux finalistes, étant donné que trois (voire quatre) d'entre eux étaient morts ?

Du coin de l'œil, Sanchez remarqua qu'Elvis ne tenait pas en place, un peu comme un boxeur se motivant avant un combat. Au prix d'un certain effort, Sanchez s'arracha à ses pensées, et se mit à expliquer à son ami que sa qualification en finale ne serait qu'une simple formalité. Elvis n'avait pas vraiment besoin de ce type d'encouragement pour se sentir sûr de lui, mais cette attention le toucha.

« Hé ! mec, qu'est-ce que tu feras si tu passes en finale, hein ? demanda Sanchez. Enfin je veux dire, si t'es qualifié et que James Brown l'est pas ? »

Elvis observait le faux James Brown, à l'instar de Sanchez quelques instants auparavant. Il répondit sans quitter des yeux le parrain de la soul dans son costume violet.

« Je mettrais ma main au feu qu'il va passer en finale. À mon avis, Dieu nous a pas fait vivre ces dernières heures juste pour voir son apôtre se faire recaler.

— J'espère bien que t'as raison.

— J'ai raison.

— Au fait, il est passé où, Gabriel ? Tu crois qu'il s'est déjà occupé de Judy Garland ?

— Bah, ça expliquerait le fait qu'elle soit pas là. »

Elvis semblait s'en moquer éperdument.

Sanchez réfléchit à cet aspect de l'affaire. De ce qu'il en savait, la fausse Judy Garland n'avait rien fait de mal. Et, un peu plus tôt, elle lui avait souri en lui disant bonjour. Aucun de ces sales cons imbus d'eux-mêmes ne s'était abaissé à en faire autant. *Bande de ratés*, pensa-t-il. *S'prennent pour le nombril du monde, alors qu'ils en sont que le trou du cul*. Jusqu'ici, Judy Garland semblait être la seule à ne pas être obnubilée par sa petite personne. Même si Sanchez aimait bien

Gabriel, qu'il ne remercierait jamais assez de l'avoir sauvé des zombies mutants du désert, il était tout sauf enchanté à l'idée que, quelque part dans l'hôtel, son nouvel ami était sans doute occupé à trucider une jeune femme innocente. Une jeune femme qui, de plus, lui avait adressé un sourire apparemment sincère. La plupart du temps, même ses amis en étaient incapables.

Il considérait cet aspect particulièrement lugubre de la situation présente lorsqu'un vigile vint lui demander de quitter les coulisses. Après avoir souhaité une dernière fois bonne chance à Elvis, Sanchez se dirigea vers une zone à l'écart, sur le côté de la scène, d'où il pourrait assister à la suite des événements, à l'abri d'un des gigantesques rideaux rouges encore tirés.

Il avait tout juste atteint ce coin discret lorsque le fond de la scène s'obscurcit et les puissants haut-parleurs firent retentir un roulement de tambour, qui laissa place à la voix suramplifiée de la présentatrice du show, Nina Forina :

« Mesdames et messieurs, dit-elle d'un ton emphatique. Merci d'applaudir… le jury ! »

Les rideaux s'écartèrent et un puissant projecteur illumina le centre de la scène, où se tenaient fièrement les trois jurés. Sanchez demeurait invisible derrière le rideau. Il bénéficiait d'un angle de vue parfait. Il ne lui manquait plus qu'un siège inclinable, un cornet de pop-corn et une ou deux bouteilles de bière.

Sur la scène, les trois jurés récoltèrent les acclamations du public. Après avoir bu tout leur saoul d'applaudissements, ils s'assirent enfin à leur bureau, qui se trouvait au même niveau que Sanchez. Les ovations et sifflements enthousiastes s'apaisèrent graduellement, et la scène s'embrasa de nouveau sous les puissants faisceaux des projecteurs. Avec élégance, Nina Forina s'avança jusqu'au centre de la scène. Elle resta un instant immobile, arborant un sourire rayonnant, pour grappiller la lie des applaudissements. Puis elle leva les bras, et l'auditorium fut plongé dans un silence absolu.

« Re-bonjour à tous. Êtes-vous prêts à découvrir qui sont nos cinq finalistes ?

— Ouaaaaaais !

— Je n'ai rien entendu. Êtes-vous prêts à découvrir qui sont nos cinq finalistes ?

— OUAAAAAAAIS ! »

Nina applaudit à l'unisson du public en délire, avant de se tourner de côté en désignant le fond de la scène d'un ample mouvement du bras. La puissance des projecteurs qui l'éclairaient offrit à Sanchez un spectacle totalement inattendu. Sa robe était devenue quasiment transparente. *Nom de Dieu.*

L'ensemble des candidats qui avaient passé avec succès leur audition s'alignèrent en rang sur la scène, derrière Nina. Il devait y en avoir une centaine, mais on aurait dit qu'ils étaient deux fois plus nombreux. Elvis fut l'un des premiers à apparaître, saluant le public et envoyant des baisers tous azimuts. Il semblait assez confiant, contrairement à Julius qui, à la plus grande surprise de Sanchez, semblait pris d'un trac surnaturel.

Lorsque les acclamations se résorbèrent en un faible murmure, Nina se retourna vers les jurés, qui étaient à présent assis dos au public.

« Nigel, auriez-vous la gentillesse de nous dire qui est le premier concurrent à s'être qualifié pour la finale de ce soir ? »

Powell était assis à la place d'honneur, entre ses deux collègues, et affichait un air très satisfait de sa petite personne. Son visage apparut sur l'écran géant qui se trouvait tout au fond de la scène, soulevant, sans que Sanchez comprenne pourquoi, les cris hystériques de certaines jeunes femmes du public. Comme s'il regardait un miroir, Powell posa les yeux sur l'écran et arbora son sourire tout en dents, trop blanc pour être honnête, et qui contrastait fortement avec son bronzage orangé. Il se délecta si longtemps de ce petit manège que le spectacle finit par donner la nausée à Sanchez. Enfin, il répondit à la demande de Nina.

« Mais très certainement, Nina, déclara-t-il dans un clin d'œil que Sanchez trouva presque aussi répugnant que la scène de narcissisme qui l'avait précédé. Le premier finaliste nous a tous impressionnés par ses talents de show-man. Il n'a peut-être pas la plus grande voix qui soit, mais s'il choisit judicieusement sa chanson pour la finale, il a de très grandes chances de l'emporter. Nina, notre premier finaliste est… » Il s'interrompit durant un moment ridiculement long afin de ménager l'effet de suspense, et annonça : « *Freddie Mercury !* »

Le sosie de Freddie Mercury sauta de joie, poing en l'air, et sifflant entre ses dents un bref *« Yesss ! »*. En deux trois bonds, il rejoignit Nina Forina, qui le serra dans ses bras et l'embrassa sur la joue, pour la forme, avant de lui indiquer l'endroit où il devait se tenir en attendant la suite des nominations, à quelques mètres derrière elle, sur la droite. Freddie porta son regard au loin et, apercevant Sanchez, lui adressa un large sourire. Sanchez le lui renvoya et, sans desserrer la mâchoire ni bouger les lèvres, murmura imperceptiblement les mots « sale », « con » et « prétentieux ».

Powell électrisa de nouveau le public avant d'annoncer que Janis Joplin était la deuxième finaliste sélectionnée. La chanteuse, au comble du bonheur, bondit hors des rangs des concurrents du fond de scène, secouant les bras en l'air comme un sujet hyperactif évadé d'un asile de fous. Elle avait tout d'une hippie, avec ses longs cheveux châtains, ses lunettes de soleil rondes et pâles, et sa robe à fleurs verte qui lui tombait juste au-dessus des genoux. Elle ne s'était pas embarrassée de chaussures à talons, et avait opté à la place pour une confortable paire de tennis. Touche finale au déguisement, un grand nombre de colliers de perles aux dimensions variées pendaient à son cou, avec dans le tas un énorme symbole yin et yang en pendentif qui lui arrivait au niveau du nombril. La sosie de Janis Joplin eut droit à l'accolade et à la bise réglementaires de Nina, ainsi qu'à des ovations étonnamment enthousiastes du public, avant de prendre place à côté de Freddie Mercury.

Et de deux, pensa Sanchez. *'L'en manque plus que trois. J'espère que Julius a un plan de rechange au cas où il serait pas sélectionné. Sans ça, tout risque de partir sérieusement en sucette.*

Formidablement amplifiée, la voix mielleuse de Powell retentit pour la troisième fois.

« Le prochain concurrent sélectionné pour la finale (le troisième sur une liste de cinq, je vous le rappelle) est l'homme au pantalon de cuir rouge le plus ignoble que j'aie jamais vu… le *Blues Brother !* »

Alors que le public exprimait son contentement par un orage de cris et de piétinements, Sanchez vit un

Black déguisé en Blues Brother sortir des rangs des candidats pleins d'espoir. Il portait un costume et une cravate noirs, une chemise blanche et une paire de lunettes de soleil. Sa tête était couverte d'un chapeau qui ressemblait très nettement à celui qu'avait perdu le faux Frank Sinatra. Il s'avança vers Nina Forina, avec un air que Sanchez jugea particulièrement penaud. Elle le gratifia d'une embrassade polie et d'une bise fugace, puis il alla rejoindre la rangée des finalistes, à côté de Janis Joplin. Sanchez se gratta la tête en tentant de comprendre l'allusion de Powell au « pantalon de cuir rouge ». Le Blues Brother portait un costume noir : veste noire, pantalon noir. Peut-être le juré d'honneur était-il daltonien ? Ce qui expliquerait pourquoi il avait choisi un Blues Brother noir.

Sanchez avait espéré de tout son cœur qu'Elvis se qualifie en finale, mais à présent que les trois premiers avaient été nominés, les chances de son ami étaient assez minces. L'idéal aurait été que les deux derniers finalistes soient Elvis et Julius. Elvis pourrait alors faire exprès de se louper en finale, ne laissant plus à Julius que trois concurrents à battre.

Mais en vérité, toutes ces considérations étaient secondaires. Accessoires, même. Sanchez n'avait jamais eu les mains aussi moites. Le fait de savoir que des zombies anthropophages assoiffés de sang se dirigeaient vers l'hôtel était assez horrible en soi. Mais ce qui finissait tout à fait de déprimer Sanchez, c'était de savoir que sa seule chance de ressortir en un seul morceau du Cimetière du Diable reposait sur les épaules d'un sosie de James Brown.

Sur l'écran géant, Powell attendit que le public en délire s'apaise pour dévoiler le quatrième finaliste choisi par les jurés.

« Notre quatrième candidat sélectionné en finale nous a tous époustouflés par sa prestation. C'est quelqu'un plein d'énergie, et sans nul doute l'un des meilleurs show-men de ce soir. Mesdames et messieurs, le quatrième finaliste est… *James Brown !* »

Un sentiment de profond soulagement submergea Sanchez. Il espérait à présent de toutes ses forces que Julius soit vraiment un sauveur, comme l'avait dit Gabriel. *Ce mec a franchement intérêt à être ce qu'il prétend être*, se murmura-t-il à lui-même tandis que Julius se détachait des rangs des aspirants. Il bondissait dans tous les sens comme un vrai malade mental, poussant à tue-tête des « Hey » jamesbrowniens. Le plan était toujours d'actualité. *Même si dans le fond j'y comprends rien, à ce plan*, pensa Sanchez.

Une énième fois, les acclamations cédèrent la place à un silence survolté. « Enfin, déclara Powell, notre cinquième finaliste, qui en nous soumettant ce qui fut sans le moindre doute la meilleure prestation vocale de ce soir, a remporté haut la main sa place dans cette dernière phase du jeu. Mesdames et messieurs, notre ultime finaliste est… *Judy Garland !* »

L'ovation du public fut encore plus bruyante que pour les quatre premiers nominés, mais dura beaucoup moins longtemps. Les acclamations baissèrent en intensité à mesure qu'on s'apercevait que Judy Garland n'était pas sur scène, et, très vite, les murmures confus de la foule recouvrirent tout à fait les syncopes timides des derniers applaudissements. Tout le monde se mit à regarder autour de soi, comme si on s'attendait à voir apparaître la chanteuse absente au détour d'une rangée de sièges, ou derrière l'un des concurrents (à présent abattus de désespoir) qui se tenaient au fond de la scène.

« Judy Garland ? lança Powell. Est-ce que Judy Garland est ici ? »

Nina Forina se joignit à lui. « Judy Garland ? Peut-être est-elle retournée dans le Kansas ? » ajouta-t-elle dans un gros rire horriblement faux. Un silence inconfortable s'empara de l'auditorium tout entier. Sanchez constata non sans soulagement qu'il n'était pas le seul à faire des blagues de merde.

Lui aussi attendit de voir apparaître Judy Garland derrière les rangs des candidats malheureux. Du coin de l'œil, il surprit Julius en train de serrer discrètement le poing en signe de victoire. Gabriel avait dû honorer sa mission. Judy Garland ne participerait pas à la finale. Sanchez se sentait un peu coupable. Son absence signifiait selon toutes probabilités qu'elle avait été brutalement assassinée, tout ça afin qu'un type qui se piquait d'être le treizième apôtre puisse sauver tout un tas de personnes (y compris Sanchez). *Sûr, c'est dur, mais c'est pour le bien du plus grand nombre*, pensa le patron de bar très sentencieusement.

Pendant quelques minutes de confusion, les jurés débattirent entre eux de la marche à suivre. Des membres de l'équipe de sécurité furent chargés de voir si Mlle Garland était en chemin. Les minutes passèrent sans qu'elle apparaisse, et le public finit par sérieusement s'impatienter. Quelques verres en plastique furent jetés sur scène. Les agents de sécurité communiquaient *via* leur talkie-walkie tout en sillonnant les couloirs de l'hôtel. Le show courait droit au désastre. Un à un, les vigiles revenaient en secouant la tête, indiquant que la cinquième finaliste demeurait introuvable.

Nigel Powell allait être obligé d'improviser, mais, manifestement, c'était un exercice dans lequel il excellait. Et il le savait. Toujours assis entre ses deux collègues du jury, il fit signe à la foule de se calmer. Chacun de ses gestes était répété, et agrandi à l'extrême, sur l'écran géant du fond de la scène.

« Très bien, mesdames et messieurs, il semble que Dorothy se soit perdue sur la route de brique jaune ! »

Le public rit de bon cœur (même si sa blague était aussi mauvaise que celle de Nina). Powell reprit : « Alors voici ce que nous allons faire : nous allons nommer le sixième meilleur candidat de notre concours. Je vous prie d'applaudir bien fort ce show-man dont le talent musical nous a tous laissés pantois. Mesdames et messieurs, le cinquième finaliste est… *Elvis Presley !* »

Elvis s'avança vers le devant de la scène, du pas de celui qui ne pouvait qu'atterrir en finale. Il envoya baisers et saluts de la main au public. Après avoir embrassé Nina Forina, et lui avoir promptement mis la main au panier, il alla rejoindre les autres finalistes. Il envoya un regard à Sanchez en levant ses deux pouces à son attention, et prit place à côté de Julius, en fin de rangée.

Nina, qui rougissait encore de cette main aux fesses totalement déplacée (quoique pas totalement désagréable), porta le micro à ses lèvres et fit signe à la foule de se taire.

« Très bien, hurla-t-elle. Nous avons à présent nos cinq finalistes. Alors, on les applaudit tous bien fort ! »

Le public s'était levé et acclamait les nominés à tout rompre, tant en applaudissant qu'en tapant des pieds. Curieusement, au bout de quelques secondes, Sanchez remarqua que le volume sonore des acclamations monta encore de quelques décibels. Il se demanda d'abord si quelqu'un était tombé de la scène, car, à l'entendre, on avait l'impression que la foule avait atteint un degré d'excitation plus élevé encore qu'auparavant. Sanchez tendit le cou et tourna la tête à gauche et à droite, espérant apercevoir un signe quelconque d'une chute horriblement embarrassante pour sa victime. S'il s'avérait qu'il en avait manqué une, il en serait malade de déception. Sanchez n'aimait rien de mieux que voir des gens tomber par terre en public.

Soudain, il aperçut la raison de ce regain d'ovations.

Comme sortie de nulle part, Judy Garland venait de débouler sur scène. Elle avait l'air assez peu à l'aise, mais à chaque pas qu'elle faisait en direction de Nina Forina, à chaque cri enthousiaste du public, elle regagnait un peu de son aplomb. Cette jeune femme était sans nul doute la candidate préférée du public, et à en croire le large sourire étincelant qu'arborait Powell, la sienne aussi. Il se leva de son siège et, une nouvelle fois, fit signe à la foule de le laisser parler. Lorsqu'elle se fut tue, il la fit attendre encore quelques instants, avant de délivrer la déclaration que tous attendaient.

« Très bien, mes amis. Quelqu'un voit-il un inconvénient à ce que nous ayons six finalistes cette année ? »

Le public fut plongé dans une véritable furie. Des hurlements d'approbation, assourdissants, retentirent de toutes parts. Sanchez posa les yeux sur Elvis. Ce dernier lui renvoya son regard, avec un froncement de sourcils inquiet qui assombrissait sa mine. Les chances qu'avait Julius de sortir vainqueur du concours grâce à son imitation de James Brown venaient de prendre un sacré coup.

Et qu'était-il arrivé à Gabriel ?

41

Emily avait vraiment été à deux doigts de ne pas arriver sur scène à temps. Elle se dit qu'elle devait sûrement remercier le Bourbon Kid. Après tout, il lui avait sauvé la vie. (Bon, d'accord, le revolver de Gabriel n'était pas chargé. Mais il aurait très bien pu lui défoncer le crâne avec la crosse. Ou l'étrangler. Ou même… Quand il le fallait, Emily avait un véritable génie pour trouver des justifications.) Et il ne l'avait pas tuée après qu'elle l'eut défié ouvertement. Lorsqu'il avait plongé une main sous sa veste en cuir, elle avait craint qu'il n'en sorte une arme. À la place, il avait tiré un paquet de cigarettes. Il était sans doute capable de tuer quelqu'un avec une cigarette, mais, en l'occurrence, il avait décidé de ne rien en faire. Pour le plus grand soulagement d'Emily. On aurait eu beau tergiverser, cet homme était connu pour tuer des gens sous des prétextes assez mesquins. Comme, par exemple, *rien du tout*.

Alors que, debout sur les planches, elle réfléchissait à tout ce qu'il venait de se passer, elle prit soudain conscience que Julius la regardait. Elle en fit de même et lui adressa un mouvement de la tête, accompagné d'un sourire peu enthousiaste. Le regard de Julius parut se troubler une fraction de seconde, puis il lui adressa en retour un sourire aussi bref que faux. Si ce que le Kid lui avait dit était vrai, Julius devait s'attendre à ce qu'elle soit morte à cette heure. Pas étonnant qu'il la regarde bizarrement. Emily frémit. Elle ne se sentait pas du tout en sécurité. Une seule personne pouvait l'aider. Nigel Powell.

Après l'annonce des noms des finalistes, tout le monde se mit à quitter la scène, et Emily s'approcha timidement du jury. On venait de déclarer une pause de vingt minutes. Beaucoup de spectateurs avaient quitté leurs sièges pour aller se dégourdir les jambes. Les deux collègues de Powell, Lucinda et Candy, avaient, elles aussi, disparu : c'était l'occasion rêvée pour Emily d'échanger discrètement quelques mots avec Powell.

En la voyant approcher, il lui sourit. « Bonsoir, Emily », dit-il en se levant. On pouvait dire ce qu'on voulait à propos de Nigel Powell, mais c'était quelqu'un d'une courtoisie irréprochable. Quand ça lui convenait. « J'ai craint un instant que vous n'arriveriez jamais sur cette scène. Il s'en est fallu de peu.

— C'est vrai. Je suis terriblement désolée. En fait, c'est justement de ça qu'il faudrait que je vous parle. Est-ce que vous avez un instant ?

— Bien sûr. Prenez un siège. »

Il lui fit signe de s'asseoir à sa droite et, une fois qu'elle l'eut fait, se rassit.

Emily remua sur son siège. Il était encore chaud. « J'ai très mal au crâne.

— Je suis navré de l'apprendre. Voulez-vous que je vous trouve des antidouleur ?

— Quelqu'un m'a cogné la tête avec un pistolet. »

Ce n'était pas rigoureusement vrai, elle en avait bien conscience. Mais c'était plus rapide que de se lancer dans un récit exhaustif.

« Je vous demande pardon ?

— Un pistolet. Un homme est entré par effraction dans la chambre où vous m'aviez installée. Il a abattu les deux vigiles chargés de me protéger, puis il a essayé de me tuer. »

Powell n'aurait pas pu paraître plus abasourdi que ça. « Par tous les diables ! Commençons par le commencement. Qui a essayé de vous tuer ?

— Un *biker* très costaud qui s'appelait Gabriel. Le crâne rasé, des bras gros comme des troncs d'arbre.

— Où se trouve-t-il à présent ?

— Il est mort. Son corps est toujours dans la chambre, avec ceux des deux agents de sécurité.

— Il est mort ? Qui l'a tué ? Vous ?

— Non. Un certain Bourbon Kid. Il m'a sauvée. Pour des raisons qui, pour être tout à fait franche, me paraissent très étranges.

— Le Bourbon Kid vous a *sauvée* ?

— Oui. Et selon lui, c'est Julius, le sosie de James Brown, qui a chargé ce Gabriel de me tuer. Apparemment, les trois autres finalistes, du moins ceux qui avaient été présélectionnés pour la finale, sont morts, eux aussi. Vous étiez au courant ? »

Powell acquiesça, sans toutefois prendre la peine d'expliquer ce dont il était au courant. « Julius, hein ? dit-il d'un air pensif. J'aurais dû le deviner. Dès notre première rencontre, il y avait quelque chose en lui qui ne me revenait pas.

— Alors vous croyez que c'est vrai ? Qu'il a bien tenté de tuer les autres finalistes ? »

De nouveau, Powell acquiesça. « Eh bien, oui, je le crois. » Il détourna un instant le regard, plongé dans ses pensées. Puis il se retourna vers Emily et, avec toute la courtoisie qui était la sienne, lui dit : « Merci infiniment d'être venue m'en informer. Je vais de ce pas l'exclure de la compétition.

— Vous allez appeler la police ?

— Bien entendu. Les autorités vont s'occuper de son cas. Elles le jetteront en prison. Et, je l'espère, jetteront la clef de sa cellule. »

Emily poussa un soupir de soulagement. « Dieu merci. J'avais vraiment très peur de vous raconter tout ça.

— Ne vous en faites pas. »

Powell se releva de nouveau. « Allez donc vous mêler aux autres finalistes. Ne dites pas un mot de tout cela à qui que ce soit, et, quoi qu'il arrive, ne vous éloignez pas du troupeau. Restez entourée à tout moment. Je vais nous débarrasser de Julius, ainsi que de toute personne susceptible de travailler à la ruine de ce concours pour son compte. Quant à vous, ne pensez plus qu'à votre prestation. Parce qu'une fois qu'il sera exclu du concours, ce sera pour vous un jeu d'enfant de remporter la première place.

— Ce n'est pas pour ça que je vous ai tout raconté, répliqua Emily, sur la défensive.

— Je le sais. À présent, pressez-vous de rejoindre les autres. »

Il lui décocha un clin d'œil. « On va finir par croire que le concours est truqué, à nous voir bavarder ainsi.

— Merci beaucoup. »

Emily quitta son siège à son tour et se dirigea vers les coulisses. Elle aperçut le dos du cuir jaune de

Freddie Mercury qui descendait une volée de marches, et courut pour le rejoindre. *La sécurité du plus grand nombre*, se dit-elle. *Et aussi loin que possible de Julius.*

Nigel la vit disparaître dans les coulisses et réfléchit à ce qu'elle venait de lui dire. Ainsi donc, Julius était l'agent perturbateur qui tentait de détruire son show. Les raisons qui l'y poussaient restaient un mystère pour Powell, mais cela n'avait aucune espèce d'importance.

James Brown, le parrain de la soul, serait éliminé avant même de pouvoir chanter en finale.

42

Les musiciens de l'orchestre de l'Hôtel Pasadena avaient passé le plus clair de la journée à répéter. Aussi furent-ils extrêmement mécontents d'apprendre que trois des cinq chansons qu'ils s'étaient préparés à jouer avaient été retirées de la liste. À la dernière minute, Nigel Powell les avait informés qu'ils ne joueraient que pour deux finalistes. Les autres chanteraient sur des versions karaoké que le DJ de l'hôtel était en train de télécharger sur Internet. Tout naturellement, les musiciens étaient de fort mauvaise humeur, et exprimèrent leurs plaintes à travers les couloirs qu'ils enfilèrent pour se rendre dans la fosse d'orchestre, juste en face de la scène.

Vingt-quatre musiciens, qui tous à l'exception du pianiste et du batteur portaient leurs instruments, se dirigeaient ainsi vers l'auditorium. Certains fulminaient littéralement à l'idée que leurs talents n'étaient plus requis : ils se contenteraient en effet de rester assis dans la fosse en assistant à la fin du show. L'un d'eux s'appelait Boris, deuxième guitare. Il était à présent totalement inutile. C'était aujourd'hui son vingt et unième anniversaire, et sa participation au show de ce soir aurait dû être le summum de sa brève carrière musicale. Mais pour les deux morceaux qui restaient au programme, seul le premier guitariste, Pablo, serait nécessaire.

Plus que déçu, Boris traînait du pied en queue de cortège, maudissant sa malchance. Alors qu'il parcourait le long couloir qui menait du hall de réception aux coulisses de l'auditorium, il vit soudain les membres de l'orchestre s'écarter de part et d'autre, comme la mer Rouge face au peuple d'Israël. Au beau milieu du troupeau de musiciens apparut un homme apparemment très musclé, vêtu d'une veste en cuir noir, une capuche sombre sur la tête qui plongeait son visage dans les ténèbres. Et cet homme se dirigeait droit sur lui.

Boris voulut s'écarter à son tour afin de le laisser passer, mais l'homme le saisit par l'épaule.

« Hé ! toi, dit-il d'une voix rocailleuse.

— Euh… salut », répondit Boris.

Quelque chose chez cet homme le rendait d'emblée très nerveux.

« J'te cherchais.

— *Moi ?* Pourquoi ?

— Le mec de la régie veut te parler.

— Parler de quoi ?

— Qu'est-ce que j'en sais, putain ?

— Ah oui, mais là, je suis censé participer au show.

— C'est justement à propos du show qu'il veut te voir, mec. Il voudrait que tu fasses un putain de gros solo, je crois. »

Les yeux de Boris s'illuminèrent. « Ah ouais ? » Mais sa soudaine excitation laissa vite la place au soupçon. Selon toute probabilité, ça ne pouvait être

345

qu'une blague. « Vous venez de dire que vous ne saviez pas de quoi il voulait me parler.

— Parce que c'est une surprise. Je voulais pas te la gâcher.

— Ah ! OK. Et sur quel morceau il veut que je fasse un solo ?

— Hé ! mec, je t'en ai déjà trop dit. C'est par ici. »

L'homme indiqua un escalier sur la droite du long couloir, devant lequel Boris était passé quelques instants plus tôt. Soucieux de ne pas se faire oublier de ses collègues musiciens, il leur cria : « Je vous rejoins tout de suite, hein, les gars ? »

Aucun d'eux ne parut avoir entendu. Tous continuèrent leur marche et prirent chacun à leur tour une porte sur la droite afin de rejoindre la partie inférieure de l'auditorium où se trouvait la fosse d'orchestre.

Boris suivit l'homme à la capuche en direction de l'escalier. L'inconnu lui fit signe de passer devant lui. L'escalier ne comptait qu'une dizaine de marches tout au plus, mais se trouvait plongé dans l'obscurité : on ne voyait pas vraiment où il menait. Arrivé en haut de la volée de marches, Boris se retrouva dans un autre couloir dans lequel il s'engagea. À mi-chemin sur la gauche se trouvait une porte flanquée d'une plaque où l'on pouvait lire « RÉGIE SON/LUMIÈRE ». Alors que Boris s'approchait de la porte, l'homme à la capuche passa prestement devant lui.

« Par ici », grogna-t-il en ouvrant la porte.

Boris entra. À l'intérieur, assis devant une énorme console, face à une vaste paroi de verre qui donnait sur l'auditorium en contrebas, se trouvait le DJ du show. C'était un Blanc, petit, gros et dégarni, la quarantaine approchant, vêtu d'un jogging bleu aux manches et aux jambes sillonnées de bandes blanches. Ses oreilles étaient dissimulées sous un casque marron franchement imposant, ce qui expliquait sans doute pourquoi il semblait ne pas avoir entendu les deux hommes entrer. Boris le héla : « Yo, Harry ! Tu voulais me voir ? »

Harry sursauta et se retourna aussitôt en enlevant son casque. Son visage rougeaud reflétait toute sa perplexité. Il hocha la tête.

« Boris ? Euh, nan. Je crois pas. T'es pas censé être dans la fosse, toi ? »

Afin de lui demander quelques explications, Boris se retourna vers l'homme à la capuche, juste à temps pour voir un poing fuser droit vers son visage. Instinctivement, il ferma les yeux, tandis que son nez recevait de plein fouet le puissant impact. La dernière chose qu'il entendit avant de perdre connaissance fut le craquement répugnant de son nez brisé.

Le Bourbon Kid attrapa Boris par les pieds et le tira jusqu'à un coin de la régie. Il saisit ensuite la guitare que le jeune homme avait laissé tomber à terre et l'examina attentivement. Elle semblait en assez bon état. Aucune éraflure visible, et aucune goutte de sang provenant du nez de son propriétaire. Le DJ, qui n'avait pas bougé de son siège, considérait la scène avec intérêt, curieux d'en connaître le fin mot.

« Euh, mec, c'était quoi, ça ? demanda-t-il.

— Il me fallait une guitare.

— T'aurais pas pu simplement lui demander de te la prêter ?

— J'aurais pu.

— Mais t'as préféré pas le faire, c'est ça ?

— C'est ça. Toi aussi, t'as peut-être un truc que je veux.

— Quoi ?

— Un CD des Blues Brothers. T'as ça ?

— Ouais.

— Passe-le-moi.

— Tu me le rends après ?

— Non. »

Harry ne put contenir sa déception, qui se lut instantanément sur son visage. Mais, par ailleurs, il semblait avoir parfaitement conscience de ce qui lui arriverait s'il n'accédait pas à la requête du Kid. Il se pencha pour fouiller dans une grosse boîte noire remplie de CD, posée par terre, sur sa droite. Au bout de quelques secondes de recherche, il tomba sur un album des Blues Brothers qu'il jeta au Kid.

« Voilà. Autre chose ?

— Ouais. C'est toi qui t'occupes de l'accompagnement des finalistes ?

— Pour certains d'entre eux, ouais. L'orchestre de l'hôtel jouera deux morceaux. Pour les quatre autres, je balancerai une version instrumentale.

— Quand ce sera le tour du Blues Brother, tu balances rien du tout. »

Harry était visiblement très étonné. « Hein ? Mais on m'a dit de passer l'instru de "Mustang Sally" pour qu'il chante dessus. Je l'ai déjà chopée sur le Net. »

Le Kid posa contre le mur la guitare dont il venait de faire l'acquisition, et sortit de sous sa veste un pistolet gris sombre. Il en pointa le canon droit sur Harry. « Si tu passes son instru, je te mets une balle dans le crâne. »

Harry se hâta de changer d'avis. « D'accord. Mais ça ruinera complètement ses chances de gagner.

— Ça, c'est moi que ça regarde. »

Harry haussa les épaules. « OK. Comme tu veux. C'est tout ?

— Non. Je reviendrai te voir dans cinq minutes. Et je prendrai ta place.

— Génial. Je m'en réjouis déjà.

— Ah ouais ? »

Un sourire infime s'esquissa sur les lèvres du Kid. Harry se fit tout petit.

Le Kid rangea le pistolet sous sa veste, ramassa de nouveau la guitare et posa la main sur la poignée de la porte. Harry appuyait en même temps sur un bouton du lecteur CD de la console. La chanson « That's Not My Name » des Ting Tings débuta.

Le Kid s'immobilisa dans l'encadrement de la porte.

« C'est toi qui es chargé de la sélection musicale ?

— Ouais. Cool, ce morceau, hein ? Super accrocheur.

— On peut te demander une chanson ? »

Harry hocha la tête. « Non. Bien peur que non, mon pote. J'ai une *playlist* déjà toute prête.

— On peut t'imposer une chanson ?

— Euh… tu pensais à quoi ?

— "Live and Let Die". Ça me mettra dans le bon état d'esprit pour ce qui se passera tout à l'heure.

— Qu'est-ce qui va se passer tout à l'heure ?

— Je vais tuer quelqu'un. »

Harry inspira brusquement et, pour quelqu'un qui était habituellement si rougeaud, parut franchement pâle. Malgré cela, il eut la présence d'esprit de ne pas faire attendre le Kid. Il pivota sur son siège et, avec la promptitude d'un individu ne désirant pas être victime d'un homicide, se pencha vers sa boîte de CD pour y chercher frénétiquement la chanson demandée.

Lorsqu'il mit la main sur le CD de Paul McCartney, le Bourbon Kid avait déjà disparu.

43

Sachant pertinemment qu'une horde de créatures du mal partiellement décomposées se dirigeait droit sur l'hôtel, Nigel Powell avait à cœur de débuter la finale le plus tôt possible. Et, pour ce faire, il devait en tout premier lieu s'assurer que l'orchestre connaissait les chansons qu'interpréteraient les finalistes. Les dernières nouvelles avaient suscité une certaine grogne chez les musiciens, mais Powell n'avait pas la patience pour ce genre de débat : il leur avait clairement signifié que la sélection de chansons à jouer était non négociable. Par conséquent, l'orchestre ne jouerait que les chansons de Judy Garland et de James Brown.

Assurément, cette journée était la plus stressante qu'il ait jamais connue. Le concours « Back From The Dead » mettait systématiquement ses nerfs à rude épreuve, mais cette année, cela avait été un véritable désastre dès le début. Il avait en plus sur les bras un parrain de la soul qui essayait d'assassiner autant de finalistes que possible. Jusqu'à présent, Powell n'avait pas encore décidé de la façon de s'assurer que ce sale con homicide ne participe pas à la finale.

Après avoir réglé les problèmes musicaux et quelques autres détails de dernière minute, Powell revint sur scène où il adressa un acquiescement au machiniste chargé des rideaux. On entendait « Live and Let Die » de Paul McCartney, mais, au signal convenu, le DJ opéra un *fade out*. Lorsque l'auditorium fut de nouveau plongé dans le silence le plus complet, les rideaux s'écartèrent et Powell apparut, soulevant dans le public un rugissement d'ovations. Sans profiter des applaudissements aussi longtemps qu'à l'accoutumée, il s'empressa d'aller s'asseoir entre Lucinda et Candy, qui avaient patiemment attendu son retour. En prenant place, il se pencha vers Lucinda pour lui murmurer à l'oreille :

« J'ai vraiment hâte d'en finir, cette année. Cette édition du concours, il vaudrait vraiment mieux l'oublier.

— C'est sûr, marmonna-t-elle en guise de réponse.

— Au moins, au point où on en est, les choses ne peuvent plus empirer.

— Oh que si !

— J'en doute », murmura Powell.

Il tâchait tant bien que mal de dissimuler la nervosité dont il était victime. « Nous en aurons bientôt fini avec tout ça. »

Lucinda secoua la tête comme en signe de désapprobation. Avant qu'il ait le temps de lui demander ce qu'elle voulait dire par ce hochement, son visage apparut sur l'écran géant du fond de scène, et il garda le silence.

Lorsque la foule se fut calmée, Nina Forina entra dans le faisceau de la poursuite qui enflammait le milieu de la scène.

« Mesdemoiselles, mesdames et messieurs… que la finale commence ! » s'exclama-t-elle, avec un enthousiasme qui n'était pas totalement dénué de sincérité. En réponse, la foule applaudit, siffla, tambourina des pieds et cria. Elle les fit mariner quelques secondes de plus, avant de prononcer les mots que toutes et tous attendaient. « Vous êtes un public formidable ! cria-t-elle. Veuillez applaudir bien fort notre première finaliste, qui va nous interpréter "Piece Of My Heart"… *Janis Joplin !* »

Sous un regain d'acclamations, Nina s'écarta du faisceau, et Janis Joplin s'avança sur les planches. D'un pas timide, elle rejoignit le milieu de la scène, dans sa robe vert criard et ses tennis blanches. Elle s'immobilisa alors, et attendit sous le projecteur que le DJ lance la version instrumentale de la chanson qu'elle avait choisie.

Un bref silence, puis une introduction à la batterie, suivie d'une guitare jouant les premières mesures du morceau. La chanteuse se mit à dandiner des épaules et des hanches. Ses mouvements n'étaient pas tout à fait synchrones avec le rythme de la chanson, et lorsqu'elle se mit à chanter, tout s'expliqua. D'une voix gonflée par l'agressivité, elle hurla pratiquement les premiers vers :

« Didn't I fuckin' make you feel like you were the only fuckin' muthafucker, yeah ?

(Est-ce que je t'ai pas fait sentir que t'étais le seul et l'unique, espèce de putain d'enculé de ta mère de merde, hein ?)

An' didn't I fuckin' give you everythin' that a whore really could, you fuckin' asshole ?

(Et est-ce que je t'ai pas donné tout ce qu'une sale pute aurait pu te donner, espèce de connard à la con ?)

Honey, you fuckin' know I did !
(Baby, putain de merde, tu sais très bien que si !) »

Le public l'acclama dans d'énormes éclats de rire. Pour certains, les jurons agressifs gâchaient complètement la chanson, mais pour d'autres, ils lui donnaient tout son intérêt. Nigel Powell, qui n'avait pas assisté à son audition, fut le seul surpris par sa prestation. Il se pencha de nouveau vers Lucinda pour lui murmurer à l'oreille :

« C'est quoi, ça ?

— On a essayé de te le dire.

— Dire quoi ?

— Qu'elle est atteinte du syndrome de Tourette. »

Powell se frotta le front, désespéré. « Oh ! merveilleux. Vraiment, c'est parfait. *Bien sûr* qu'elle a la maladie de Tourette. Rien que de très logique à tout ça. C'est vrai, quoi : quand on est atteint aussi gravement par cette maladie, le premier réflexe, c'est de s'inscrire à un concours de chant, n'est-ce pas ?

— Apparemment, c'est pire quand elle chante.

— C'est une plaisanterie, *non* ?

— Chut, répliqua sèchement Lucinda. Voilà le refrain. C'est le meilleur moment. »

Powell se boucha ostensiblement les oreilles, afin que nul dans le public ne doute du dégoût que lui inspirait la présente prestation. Pendant les quelques minutes qui suivirent, celle qui était sans aucun doute la plus mauvaise imitatrice de feu Janis Joplin massacra « Piece Of My Heart » à grands coups de jurons particulièrement obscènes.

Lorsqu'elle en eut fini, elle resta plantée à sa place, paralysée par la timidité, attendant les avis du jury. Ceux-ci furent pour le moins variés.

« J'ai adoré, déclara Lucinda d'un ton très enthousiaste. Par contre, ce serait une vraie tragédie si tu gagnais, ma chérie, parce que les autres sont quand même meilleurs que toi. »

Candy, pour sa part, ne trouva rien de plus positif à dire que : « Jolie tenue de scène, interprétation déplorable ! »

Powell fut particulièrement direct. « Vous êtes nulle, lança-t-il. Vous êtes une vraie honte pour tout le métier, et je ne comprends toujours pas pourquoi on vous a retenue en finale. Disparaissez immédiatement, je vous prie. »

Ce n'était pas très délicat, mais c'était tout à fait vrai. Pourtant, la chanteuse atteinte de la maladie de Gilles de la Tourette s'étant bel et bien qualifiée pour la finale, le public ne risquait-il pas de voter en sa faveur, uniquement sur la base de ce comique involontaire ? C'était là une source d'agacement qui venait s'ajouter à la longue liste de Powell. Au sommet de cette liste se trouvait bien évidemment Julius.

Dans le silence qui accompagna la pauvre sosie de Janis Joplin jusque dans les coulisses, Powell aperçut un membre de l'équipe de sécurité qui, sur un côté de la scène, tâchait d'attirer son attention. Il s'agissait de Sandy. Le patron de l'hôtel lui adressa un acquiescement, en pensant, assez mystérieusement : *Il sait ce qu'il convient de faire.*

44

En vérité, Sanchez était bien plus nerveux qu'Elvis. Le King était monté sur les planches un nombre incalculable de fois. Et il y avait peu de choses en ce bas monde qu'il préférait au fait de jouer face à un public. Sanchez, de son côté, était stressé à cause de tout un ensemble de raisons. Si Elvis cartonnait au point de remporter le concours, qu'est-ce qu'il se passerait ? L'hôtel se mettrait-il à grouiller de zombies, et, si c'était le cas, ceux-ci essaieraient-ils de tuer tout le monde ? Ou se contenteraient-ils du public ? Et si Elvis perdait, et que c'était Julius-le-sosie-de-James-Brown qui gagnait, qu'adviendrait-il ? L'hôtel tomberait-il vraiment en ruine avant d'être aspiré par l'une des bouches de l'enfer ?

À quelque égard que ce soit, Sanchez n'était pas du genre cérébral. Pas plus qu'il n'était rationnel, du reste. Tous ces questionnements le rendaient extrêmement anxieux. Aussi décida-t-il de faire ce qu'il faisait à chaque fois qu'il se sentait nerveux. Il se rendit aux toilettes pour hommes pour remplir sa flasque de sa propre pisse, à l'intention de sa prochaine victime. Au demeurant, cette décision fut loin de le soulager, étant donné ce qu'il avait vécu dans ces toilettes. Mais il avait la quasi-certitude que, dans un hôtel tel que le Pasadena, les lieux avaient dû être nettoyés depuis longtemps, et il décida de tout miser sur cette conviction.

Le couloir qui menait aux toilettes pour hommes était désert, à l'instar de la majeure partie du reste de l'hôtel. Toutes les personnes présentes entre ses murs semblaient avoir afflué dans l'auditorium afin d'assister à l'ultime tour de chant et à l'annonce du nom du gagnant. Les toilettes, elles aussi, étaient vides, et Sanchez eut le plaisir de constater que quelqu'un était passé pour tout nettoyer. La flaque de sang qui s'étalait jadis par terre avait complètement disparu, de même que les cadavres des deux chanteurs. Détail presque aussi important, l'odeur répugnante qui régnait naguère s'était également volatilisée, au plus grand soulagement de Sanchez. Il s'enferma dans la quatrième cabine, et, d'une main remarquablement immobile, tint la flasque en argent dans laquelle il se mit à pisser. C'était là un talent qu'il maîtrisait depuis des années, et, en dépit de sa nervosité, il visa en plein dans le mille. Cerise sur le gâteau, la quantité fut au rendez-vous. Alors qu'il finissait, il entendit quelqu'un entrer dans les toilettes et ouvrir sa braguette pour pisser dans les urinoirs.

Sanchez revissa le bouchon de la flasque et déverrouilla la porte de sa cabine, avant de se diriger vers les lavabos pour se rincer un peu les mains. Sans prêter la moindre attention à l'homme qui pissait dans la vespasienne du milieu, Sanchez posa la flasque sur le bord d'un des lavabos et ouvrit le robinet d'eau chaude. Tout en se frottant les mains sous le filet d'eau, il remarqua du coin de l'œil que l'homme le regardait.

Soucieux de ne pas donner l'impression qu'il matait un autre homme en train d'uriner, Sanchez tourna imperceptiblement la tête afin de surprendre le visage de l'inconnu.

Leurs regards ne se croisèrent qu'une fraction de seconde. Mais ce moment infinitésimal suffit amplement. Sanchez attrapa sa flasque et se précipita vers la porte en s'éloignant le plus vite possible des urinoirs. L'homme qui pissait à côté de lui n'était autre qu'Angus l'Invincible. Et il avait reconnu le pauvre patron de bar.

« Attends un peu, espèce d'enfoiré ! rugit Angus. Tu vas me rendre mes putains de 20 000 dollars ! »

Sanchez n'avait plus les 20 000 dollars. Tout ce qu'il avait sur lui, c'était sa flasque pleine de pisse. Il lui faudrait en vendre une sacrée quantité pour réunir 20 000 dollars. En règle générale, sa pisse se vendait 3 dollars le shot, les bons jours.

En traversant le seuil de la porte, il entendit Angus refermer sa braguette. *Lave-toi les mains maintenant !* pensa Sanchez de toutes ses forces dans l'espoir d'influer sur ses actes. Mais, en vérité, il n'y croyait pas trop.

ET MERDE !

La porte des toilettes, assez lourde, se referma très lentement après son passage, dans un grincement sourd. Sanchez ne pouvait pas se permettre le luxe de se retourner pour la fermer plus rapidement. Saisi d'une peur panique, il se rua en direction du hall de réception. Il lui faudrait parcourir une bonne cinquantaine de mètres au pas de course pour atteindre la porte en verre à double battant qui, tout au bout du couloir, donnait sur le hall. Il suffisait de regarder Sanchez pour en déduire très précisément sa vitesse de pointe. Et elle était tout sauf fameuse.

Il atteignit cependant la porte de verre, épaula violemment le battant de gauche qui s'ouvrit immédiatement. Dans sa terreur, ses jambes ne répondirent pas aussi rapidement qu'il l'aurait souhaité aux instructions de son cerveau. Il trébucha en traversant le seuil de la porte, et tomba par terre, dans le hall de réception. Il se relevait déjà lorsqu'il aperçut, à l'autre bout du couloir, Angus l'Invincible qui, sorti des toilettes, pointait son revolver dans sa direction. Sanchez n'avait aucune envie de le voir appuyer sur la détente. Il regarda autour de lui, cherchant la meilleure voie à suivre pour s'enfuir.

BANG !

**

Angus sortit des toilettes telle une tornade, sans se laver les mains après avoir écourté sa miction. Il regarda d'abord à gauche, puis à droite, et aperçut au loin Sanchez qui se relevait. Ce gros con s'était manifestement emmêlé les pattes après avoir poussé la porte de verre. Angus ne perdit pas une seconde : il sortit son pistolet de sous son trench-coat et en pointa le canon droit sur cet enfoiré de voleur qui n'était bon qu'à lui compliquer la vie. Sans prendre le temps de viser avec précision, il ouvrit le feu.

BANG !

Le battant gauche se brisa. La balle l'avait transpercé, et avait manqué de peu l'épaule de Sanchez qui s'était retourné en se relevant. Si elle l'avait touché, elle n'aurait occasionné rien de plus qu'une grosse éraflure. Le gros lard n'attendit pas un deuxième coup de feu : il se précipita dans le couloir qui, sur la gauche, menait au bar. Angus se mit immédiatement à sa poursuite. Plutôt crever que de laisser cette tête de nœud lui échapper de nouveau.

Il enfila le couloir en un clin d'œil, et, arrivé face à la porte, traversa d'un bond l'encadrement du battant de gauche, dont le verre avait été détruit par son tir. Sur le seuil du hall de réception, les éclats de verre crissèrent sous les semelles de ses bottes. Angus sentit plusieurs tessons s'y enfoncer, et enchaîna une espèce de triple saut pour piétiner le moins possible le tapis d'éclats. Il s'arrêta un bref instant pour jeter un coup d'œil au talon de sa botte droite, où était planté un très gros tesson de verre qu'il retira aussitôt. Par bonheur, le talon était très épais, et la pointe acérée n'avait pas atteint son pied. Il jeta l'éclat et le vit glisser sur le sol de marbre, jusque sur le seuil de l'entrée principale, comme pour y attendre sa prochaine victime.

La réception était complètement vide. Pas âme qui vive. Bien que l'absence totale de réceptionnistes parût étrange, Angus prit en compte le fait qu'il les avait prévenus de l'arrivée imminente d'une armée de zombies. En outre, il venait d'ouvrir le feu sur une porte en verre. L'un dans l'autre, ces deux facteurs avaient très probablement quelque chose à voir avec le dépeuplement de cette zone. Angus regarda furieusement autour de lui, à l'affût du moindre signe laissé par Sanchez. Ce gros con avait pris une sacrée avance.

La première des priorités était de lui mettre la main dessus. Angus devait à tout prix découvrir où cet enfoiré avait planqué les 20 000 dollars, et si cela s'avérait impossible, son meurtre ferait un excellent lot de consolation. S'il récupérait son avance, il pourrait rembourser une bonne partie des dettes qu'il avait contractées. Et, avec un peu de chance, il pourrait encore demander à Nigel Powell les 50 000 dollars pour l'assassinat de Sanchez. Mais, avant tout, il fallait l'attraper. Où est-ce qu'il avait bien pu aller ?

En traversant le couloir qui menait au bar, Angus fut surpris de constater que Sanchez se trouvait déjà hors de vue. Le couloir courait sur une bonne cinquantaine de mètres avant de déboucher sur un autre hall, à droite duquel se trouvait le bar. C'était sûrement là que Sanchez avait dû se cacher.

Au bout du couloir, Angus ne vit pas plus de monde qu'auparavant. Le hall était complètement désert, à présent que tout le monde avait rejoint l'auditorium pour assister à la finale. Dans le bar, chaises et tables étaient vides. La seule forme de vie encore présente était un barman qui nettoyait le comptoir, un jeune homme blond d'une petite vingtaine d'années qui portait l'uniforme de rigueur dans l'hôtel : pantalon noir, chemise blanche et veste rouge.

« Par où il est passé, putain ? » lui beugla Angus.

Le barman resta muet, mais indiqua d'un mouvement de la tête la porte qui se trouvait derrière le comptoir. Angus acquiesça et accourut jusqu'à la partie amovible du bar, un clapet qui permettait de laisser passer les serveurs. Il le souleva, le laissant retomber violemment derrière lui, et reprit sa course. Avec un peu plus de soin, il poussa lentement la porte qui menait en cuisine. Il jeta un coup d'œil par l'entrebâillement, afin de ne pas se faire prendre en embuscade par Sanchez. Inquiétude bien inutile, mais Angus ignorait tout de la lâcheté légendaire du patron de bar. En revanche, il avait appris à se montrer méfiant dès le début de sa carrière de tueur à gages.

Les cuisines étaient, elles aussi, désertes. Toute la brigade avait disparu, sans doute pour assister au show. Quoi qu'il en fût, ils avaient laissé derrière eux un sacré foutoir. Des chariots d'1,80 mètre étaient éparpillés un peu partout, et de nombreux plans de travail étaient encore recouverts de nourriture, de plats et d'ustensiles sales. Mais pas le moindre signe de Sanchez.

Angus inspecta les lieux du regard, afin de voir s'il existait une autre issue. On ne pouvait sortir de là que par une autre porte, tout au bout de la pièce, sur la gauche. C'était une porte blanche, percée par un petit œil-de-bœuf. En vérifiant bien où il mettait les pieds, Angus s'en approcha prestement, pistolet au poing au cas où Sanchez pointerait le bout de son nez. Arrivé face à la porte, il en fit tourner la poignée, et s'aperçut qu'elle était verrouillée. De deux choses l'une. Ou bien Sanchez était passé par là, et avait verrouillé derrière lui. Assez peu vraisemblable.

Ou bien, et c'était de loin le plus probable, sa proie était toujours en cuisine. Cachée quelque part.

45

Quelques heures auparavant, le fait de savoir sa place en finale acquise ne troublait pas le moins du monde Emily. Les quatre autres finalistes ayant été eux-mêmes présélectionnés, elle se sentait alors moins coupable de jouir de ce traitement de faveur. Elle en était venue à connaître un peu Johnny Cash, Kurt Cobain, Otis Redding, et même James Brown. Mais à présent que trois de ces finalistes étaient morts (très probablement par la faute de James Brown lui-même), il lui fallait faire la connaissance de ses nouveaux concurrents. Freddie Mercury et Janis Joplin s'étaient montrés très chaleureux, et le courant était passé dès les premières paroles échangées. Par ailleurs, elle était convaincue de pouvoir les battre.

Elle n'avait pas encore eu le temps de se présenter auprès d'Elvis et du Blues Brother. Elvis était en ce moment même sur les planches, où il se donnait à 150 %, micro à la main, dans l'espoir de l'emporter. Bien consciente de la nécessité de rester entourée, au cas où l'assassin déciderait de s'en prendre à elle, Emily s'empressa d'approcher le Blues Brother. Elle l'avait vu passer dans le salon des coulisses une ou deux minutes auparavant, aussi rebroussa-t-elle chemin pour le retrouver.

Il était seul, assis dans l'un des riches fauteuils qui se trouvaient dans un coin de la pièce, en train de manger des ailes de poulet dans une assiette en carton. Il était assis devant une table basse, et un autre fauteuil très confortable lui faisait face. Voyant que ce siège était vide, Emily s'avança afin de se présenter, mais hésita un court instant. Le Blues Brother portait toujours ses lunettes noires, et il était assez difficile de voir s'il appréciait d'être ainsi dérangé.

« Salut, je m'appelle Emily », dit-elle en souriant et en tendant sa main.

Le Blues Brother s'empressa d'avaler tout rond la bouchée de poulet qui lui remplissait les joues. « Salut, moi, c'est Jacko, dit-il d'un ton affable. Si ça ne vous dérange pas, je ne préfère pas vous serrer la main. J'ai les doigts tout poisseux.

— Pas de problème, répondit Emily en reculant la sienne. Ça vous embête si je m'assois là ? »

Elle désigna d'un geste le fauteuil qui se trouvait en vis-à-vis.

« Pas du tout. »

Jacko posa sur la table basse son assiette en carton, à présent vide à l'exception de quelques os rongés. Il attrapa une serviette en papier et s'essuya les mains.

Emily s'assit. « Vous êtes nerveux ? »

Jacko haussa les épaules. « On peut se tutoyer. Pas vraiment. Et toi ?

— Un peu. »

Emily aurait aimé voir ses yeux. « Elle était rudement bien, ta prestation.

— Merci. La tienne aussi. Je parie que ça fait très longtemps que tu chantes.

— Ouais. J'ai attrapé le virus en voyant ma mère chanter dans des clubs quand j'étais petite. »

Jacko esquissa un demi-sourire. « On n'oublie jamais ce parfum qui nous entre dans le nez, la première fois qu'on voit quelqu'un faire un malheur dans un club, hein ? Si on tombe sur quelqu'un qui arrive vraiment à nous envoûter, on n'arrive jamais à se débarrasser de ce besoin de l'imiter, de s'emplir les poumons de cette odeur, cette odeur de club qui te rappelle ce concert ou cette chanson, pas vrai ?

— C'est exactement ça.

— Ouais. Dommage que ça passe complètement au-dessus de la tête de Nigel Powell et de ses semblables. Ce type, c'est rien qu'un homme d'affaires, qui tente de recréer cette odeur pour la vendre. Mais dans ce concours, on ne retrouve pas ce parfum. Ici, ça sent rien d'autre que le réchauffé.

— Tu as peut-être raison. Mais ça serait quand même chouette de gagner, non ?

— Tu crois vraiment ?

— Ben, oui. Pas toi ?

— Hé ! c'est toujours sympa de gagner. Mais perdre, ce n'est pas la fin du monde. »

Emily n'arrivait pas à cerner ce type. « D'accord, admettons. Et l'argent ? Elle est jolie, la récompense, non ? »

Jacko termina de se nettoyer les mains et reposa la serviette sur la table basse. « C'est pour ça que tu es ici ? Pour l'argent ?

— Non. Pas seulement.

— Pour la célébrité aussi, c'est ça ? »

Son ton était totalement dénué d'agressivité. Les intonations de sa voix semblaient simplement sous-entendre que le désir de notoriété et de fortune d'Emily était assez vain, et vide.

« Attends, répliqua-t-elle sur le ton de la défensive, la reconnaissance, c'est agréable, mais l'argent, ça, c'est vraiment important. Pour ma mère, en tout cas. Elle est très malade, et cet argent pourrait nous aider. »

Jacko sourit en acquiesçant. « C'est sûr. Je comprends parfaitement. C'est important, la famille. Il faut prendre soin de ses proches, même si ça implique de piétiner ses propres valeurs, pas vrai ?

— Comment ça, piétiner ses propres valeurs ? »

Emily sentait déjà ses joues s'empourprer.

Jacko eut un grand geste de la main pour désigner l'ensemble de l'auditorium, ainsi que tous ceux qui s'y trouvaient. « C'est vraiment pour ça que tu t'es mise à chanter ? demanda-t-il. Pour gagner un concours et te faire de l'argent facile ?

— Tu es assez direct.

— Je ne voulais pas te blesser. Je voulais juste savoir si c'était pour tout ça que tu t'étais mise à la musique.

— Eh bien, c'est ou ça, ou bien faire la tournée des bars et des clubs pour gagner tout juste de quoi sur-vivre, n'est-ce pas ? »

Jacko retira ses lunettes noires. « C'est une façon très honnête de gagner sa vie, répliqua-t-il en souriant.

— Effectivement. Mais ce n'est pas précisément comme ça qu'on devient riche, non ?

— Alors ce n'est vraiment qu'une question d'argent, c'est ça ? »

Emily hocha la tête en souriant à son tour. C'était un drôle de mec, ce Jacko.

« Des fois, on dirait effectivement que c'est le cas, répondit-elle d'une voix douce. Mais, très franchement, la vérité, c'est que j'aime tout simplement chanter face à un public. Et toi, c'est quoi, ton excuse ? Pourquoi es-tu venu chanter ici ? »

Jacko leva les yeux au plafond. « Je me suis perdu. J'ai oublié pourquoi je me suis mis à la musique. Ce truc, là, ce concours, c'est rien d'autre qu'un raccourci vers l'argent et l'adulation de la foule. C'est pas vraiment ce qu'on pourrait appeler "faire ses preuves".

— Ça ressemble un peu à une trahison, en quelque sorte ? dit sèchement Emily.

— C'est exactement à ça que ça ressemble.

— Alors tu préférerais refaire la tournée des clubs ? »

Jacko soupira. « Ouais. J'adorerais ça. Les bars enfumés, c'est là qu'on trouve la vraie magie. Jouer pour gagner juste de quoi manger au prochain repas, savoir que si on se plante, le public manquera pas de nous le faire comprendre. » Il pointa un doigt en direction de l'auditorium. « Ce public-là, il serait capable d'applaudir un singe avec un banjo s'il avait une histoire triste à raconter. Jouer dans les clubs, ça, c'est le vrai truc. »

Il avait raison, et Emily le savait. « Je suis d'accord avec toi, dit-elle. Beaucoup de mes meilleurs souvenirs remontent au temps où je faisais la tournée des clubs. Tu sais quoi, j'adorerais m'y remettre un jour, pour chanter mes trucs à moi, tu vois ? Pas pour imiter quelqu'un. Ce serait vraiment génial. Peut-être que si je m'en sors bien ici, j'aurai l'occasion de m'y

367

remettre. Mais pour l'heure, les gens veulent me voir faire du Judy Garland.

— Tu te trahis, quoi.

— Comme tout le monde ici, non ?

— Si, complètement. Mais on ne peut vendre l'argenterie de famille qu'une fois.

— C'est-à-dire ?

— Quand on se trahit, impossible de faire machine arrière. Tu ne peux pas racheter une crédibilité que tu n'as jamais eue.

— J'ai fait mes preuves dans les clubs, répliqua Emily, de nouveau sur le ton de la défensive.

— Moi aussi, mais regarde-nous maintenant. En train d'imiter d'autres artistes. Ce n'est pas comme ça que j'imaginais ma carrière. Enfin quoi, regarde-moi : je suis le loser absolu. Les Blues Brothers étaient à peine plus qu'un groupe de reprises, et me voilà en train d'imiter un groupe d'imitateurs. On peut difficilement faire pire, non ? »

Jacko semblait regretter sincèrement le tour qu'avait pris son existence. Pour la première fois, Emily réfléchit au fait qu'elle avait abandonné son rêve de devenir une chanteuse à part entière, pour courir après la richesse en tant qu'imitatrice de Judy Garland. Si elle remportait cette compétition, ce serait pour cela, et uniquement pour cela qu'on la connaîtrait. Si elle accédait à la célébrité en tant que gagnante de « Back From The Dead », il lui serait impossible d'avoir la moindre crédibilité autrement que sous cette étiquette. Elle resterait à tout jamais « la fille qui chante comme Judy Garland ». Mais c'était le prix à payer pour accéder à ce succès qu'elle désirait tant. Ça ne servait à rien de pleurer là-dessus.

« Ce n'est pas si terrible que ça, voyons, dit-elle du ton le plus enthousiaste possible. Si tu gagnes, tu pourras réaliser tous tes rêves. Tu pourras retourner dans le circuit des clubs, et tu n'auras plus jamais à te soucier de tes cachets d'artiste. »

Jacko renfila ses lunettes noires. « Tu sais, c'est vrai, Emily : il arrive que les rêves se réalisent, dit-il en se levant. Mais il y a toujours un prix à payer. » Il lui sourit et ajouta : « Il faut que j'aille me rafraîchir un peu, je passe dans une minute. C'était sympa de discuter avec toi. »

Emily se souvint de la conversation qu'elle avait eue plus tôt avec le Bourbon Kid. Il lui avait dit que le gagnant de ce concours vendrait son âme au diable. À présent, elle comprenait ce qu'il avait voulu dire. C'était une métaphore.

C'était *forcément* une métaphore, non ?

46

Elvis se tenait devant les jurés, qu'il dévisageait à tour de rôle. Il venait de leur livrer la meilleure interprétation de toute sa vie de « You're The Devil In Disguise », et attendait leur verdict. Il était plus nerveux que jamais. C'est-à-dire pas des masses.

Le plan initial avait été de mettre la pédale douce afin de laisser toutes les chances à Julius de l'emporter avec son numéro de James Brown. Mais, quand l'heure avait sonné, Elvis s'était dit : *rien à carrer de Julius*. Il ne le connaissait même pas, ce mec. En vertu de quoi il aurait dû se casser le cul, juste parce que ce type était censé être le treizième apôtre et, en tant que tel, protéger cet hôtel des foutus zombies anthropophages qui se trouvaient dehors ? Putain, les autres finalistes allaient pas lui mâcher le boulot, alors pourquoi le King l'aurait fait ? En plus, si les morts-vivants se décidaient vraiment à pénétrer dans l'hôtel, Elvis était l'un de ceux qui avaient le plus de chances d'en sortir vivant. Au fil des années, il avait croisé vampires, loups-garous et, tout récemment, zombies, et, à chaque fois, il avait survécu, baby. Toujours en un seul morceau, et toujours aussi cool.

En bon professionnel, Elvis avait tout donné. Tout y était : la voix irréprochable, les dandinements de hanches qui avaient rendu les spectatrices complètement folles, et le petit sourire de voyou – bon, ça, c'était sa petite touche personnelle. Candy fut la première jurée à s'exprimer. Elle se pencha en avant, pressant ses seins si fort l'un contre l'autre qu'on ne savait pas qui, des yeux d'Elvis ou de ses mamelons, jaillirait en premier.

« Elvis, chéri, je crois que je suis amoureuse de toi. C'était tout simplement génial. Il faut vraiment que je te dise que ta chorégraphie a fait flageoler les jambes d'à peu près toutes les spectatrices. Mes félicitations. J'ai la très nette impression que tu viens de prendre la pole position. »

La foule l'acclama, battit des pieds et ne se calma que pour entendre l'avis de Lucinda.

Elle était tout aussi enthousiaste. « T'es le King, Elvis. *T'es le King !* » s'exclama-t-elle en dodelinant de la tête et en pointant son index dressé dans à peu près toutes les directions. De nouveau, le public fit écho (d'une manière assourdissante) au verdict.

Immanquablement, les seuls commentaires négatifs vinrent de Nigel Powell, qui, avec un brio hors du commun, affichait une mine très peu impressionnée. « C'était *pas mal*, commença-t-il par dire, suscitant les huées du public. C'est vrai, c'était *pas mal*. Des imitateurs d'Elvis, on en trouve treize à la douzaine dans le circuit des clubs et des bars. Votre prestation était bonne, c'est sûr, mais, à mon avis, pas assez bonne pour que vous remportiez le concours. En fait, vous ne méritez pas d'être sur cette scène avec les autres finalistes. Bonne chance quand même. »

Elvis se retira par un côté de la scène avec le panache qu'on lui connaissait, saluant le public et envoyant des baisers aux femmes les plus belles parmi celles dont il croisait le regard. En arrivant dans les coulisses, derrière le rideau, il fut surpris, pour ne pas dire déçu, de constater que Sanchez avait disparu. Est-ce que ce gros salaud avait au moins assisté à son interprétation ? Ou est-ce qu'il avait filé pour se bâfrer une enchilada ?

Elvis décida d'attendre un moment l'éventuel retour de Sanchez, derrière l'énorme rideau rouge. On annonça Freddie Mercury, et celui-ci bondit joyeusement sur scène pour interpréter sa chanson. À cet instant précis, la fausse Judy Garland s'approcha d'Elvis et effleura son bras droit pour attirer son attention.

« Salut, je m'appelle Emily. Je tenais juste à te dire que je t'ai trouvé excellent. Ta voix est super puissante, et ta choré était teeeeellement cool. C'est de l'impro ? Ou tu répètes énormément ? »

Elvis eut un haussement d'épaules nonchalant. « Pure improvisation, répondit-il.

— Eh bien, tu sais qui t'a trouvé cool, aussi ? demanda Emily en tapotant de nouveau son bras.

— Qui ? »

Tout bien considéré, Elvis était convaincu que tout le monde le trouvait cool. Et tout bien considéré, il avait raison.

« Janis Joplin, chuchota Emily.

— Hein ?

— Je crois qu'elle a même un petit faible pour toi.

— Ah ouais ? Elle est où ?

— Dans le petit salon en coulisses. Tu veux pas venir lui dire bonjour ?

372

— Tu parles sérieusement ? »

Emily poussa un bref éclat de rire. « Oui, c'est juste qu'elle a peur de venir t'aborder toute seule. À cause de, tu sais, quoi, à cause de son problème.

— Quel problème ?

— Le syndrome de Tourette. Elle a beaucoup de mal à faire le premier pas avec les autres. Quand je l'ai félicitée pour sa prestation, elle m'a même répondu par un… »

Emily rougit. « … par un mot assez peu distingué.

— Ah ouais. Ça. Ben, en fait, il se trouve que j'aime assez les femmes qui jurent. »

Derrière eux, Freddie Mercury venait tout juste de se lancer dans une reprise assez impressionnante de « Who Wants To Live Forever ? » des Queen.

« Cool, dit Emily. Alors je fais les présentations ?

— Carrément. Amène-la ici. »

Emily disparut, et Elvis se retrouva seul, en train de regarder le type qui imitait feu le chanteur des Queen. Lorsque, à la fin de sa chanson, il se planta devant les jurés, Emily était de retour, en compagnie d'une Janis Joplin particulièrement nerveuse. Elvis aimait bien le style de Janis. Elle avait l'air bien allumée, et, malgré sa timidité, Elvis savait que, au moment où elle ouvrirait la bouche, il en sortirait vraisemblablement tout un tas de cochonneries. Exactement son genre de nana.

« Re-salut, Elvis, lança Emily dans un sourire. Au fait, c'est quoi ton vrai nom ?

— Elvis.

— Wouah ! Ça tombe drôlement bien, dis !

— Faut croire. »

Aucun doute là-dessus : il émanait de cet homme une aura d'assurance nonchalante absolue.

« Ben voilà, j'aimerais te présenter mon amie, Janis Joplin. »

Elvis sentait clairement que le fait de lui être présentée stressait considérablement Janis. Avec l'assurance qui ne lui faisait jamais défaut (y compris face aux femmes), il tendit le bras et saisit la main gauche de Janis. Il la porta à sa bouche, et la gratifia d'un délicat baisemain.

« Ravi de faire ta connaissance, Janis. C'est quoi ton vrai nom, à toi ?

— CHATTE ! » s'écria Janis.

Elvis fronça les yeux. « Pas très heureux, comme choix. Qu'est-ce qui est passé par la tête de tes vieux ?

— Non, non, pardon, bégaya Janis. Mon vrai nom, c'est Janis. Je voulais pas dire le... le, ça, quoi. C'est une réaction nerveuse.

— Eh bien, c'est vraiment un plaisir de faire ta connaissance, dit Elvis en la regardant droit dans les yeux.

— Pour moi aussi, SAC À MERDE ! »

Emily interrompit les prémices de la parade amoureuse. « Chuuuut, chuchota-t-elle. Les jurés sont en train de donner leur avis sur la prestation de Freddie Mercury. »

Les trois jurés félicitèrent Freddie, et Powell alla même jusqu'à lui dire que, pour l'instant, il était le meilleur chanteur de la finale.

« Eh bien, lança Emily, l'air pensif. Ils ont vraiment aimé son interprétation, on dirait. »

Elvis la regarda. Il prit alors conscience qu'il avait affaire à une jeune femme douce, innocente, et très agréable. Pas son genre, évidemment (Janis Joplin et ses cochonneries correspondaient beaucoup mieux à

374

ses goûts), mais, malgré lui, il était heureux qu'Emily soit arrivée en finale, et ne se soit pas fait assassiner par Gabriel. Pour l'instant, en tout cas.

« Tu sais quoi, Emily ? lui lança-t-il. T'es une fille bien.

— Merci », répondit-elle, troublée par ce compliment soudain.

« PUTE ! » s'écria Janis, en ajoutant immédiatement un discret « désolée ».

Elvis eut un petit sourire en coin. Cette Janis était vraiment marrante. Carrément son genre de nana. Il garda pourtant les yeux sur Emily quelques secondes de plus, afin que Janis ne se rende pas compte que sa maladie l'amusait. Une fois de plus, il laissa libre cours à son charme. « Et tu sais quoi encore, Emily ? Janis et moi, on a eu beau être brillants, et ce bon vieux Freddie a eu beau s'en sortir avec les honneurs, je reste d'avis que c'est toi qui l'emporteras. Si t'es aussi bonne que tout le monde le dit, ce sera un vrai jeu d'enfant pour toi. »

Emily répondit à ce compliment par un sourire, et se frotta le front. « Merci. Mais j'ai tellement mal au crâne. »

Janis tendit le bras et toucha le front de sa concurrente. « Merde ! T'as un putain d'œuf de pigeon. Qu'est-ce qu'il t'est arrivé ? demanda-t-elle.

— Si tu tiens vraiment à le savoir, je me suis fait cogner la tête à plusieurs reprises contre le sol de ma chambre par un type qui voulait me tuer. »

Elvis sentit un frisson glacial lui remonter le long de la colonne vertébrale. *Alors comme ça, Gabriel a bien essayé de l'éliminer...*

« Comment ça s'est passé ? demanda-t-il.

— Cette grosse brute de *biker* au crâne rasé a tenté de me tuer, mais avant qu'il ait pu finir le boulot, un autre type est arrivé à mon secours et l'a descendu d'une balle. Pour être franche, je suis encore un peu en état de choc, et pas qu'à cause de la bosse que j'ai au front.

— Ah. »

La réponse parfaitement neutre d'Elvis dissimulait la confusion que ces nouvelles venaient de susciter en lui. Ainsi donc, Gabriel était mort, et Sanchez avait disparu. Le King allait devoir réfléchir un peu. À quoi tout cela rimait au juste ? Et alors qu'il passait la main sur le cul de Janis Joplin, une autre question s'imposa à lui : est-ce que cette chère Janis portait une petite culotte ?

Tandis qu'Elvis tâchait de trouver des réponses à toutes ces questions cruciales, Freddie Mercury quitta les planches et les rejoignit. Un large sourire lui barrait le visage, et il était incapable de dissimuler l'excitation qu'il souhaitait tant partager avec eux.

« Hé, vous avez entendu ça ? leur demanda-t-il. Ils ont dit que j'étais le meilleur, jusqu'à maintenant !

— Génial, répondit Emily. Félicitations.

— GARAGE À BITES ! cria Janis.

— Elle aussi t'a trouvé très bien, traduisit Elvis pour le compte de Janis.

— Merci, dit Freddie. Au fait, à qui le tour, maintenant ? »

Elvis regarda autour de lui. « 'Censé être au Blues Brother, mais je le vois nulle part. » Il posa un regard pensif sur Emily et ajouta à mi-voix : « Peut-être que lui aussi a disparu. »

47

Les yeux d'Angus l'Invincible fouillaient la cuisine. C'était un vrai fatras, comme si la brigade avait
quitté les lieux à la suite d'une alerte incendie. Des
tables en inox montées sur roulettes étaient éparpillées
un peu partout, et les ustensiles de cuisine recouvraient tous les plans de travail. L'ensemble des instal-
lations était maculé de bouts de nourriture, de traces de
sauce et de farine. De grands chariots chargés de plateaux avaient également été laissés en plan. Et il
régnait une odeur curieuse : on aurait dit que quelque
chose était mort ici, mais il y avait fort à parier qu'il
s'agissait plutôt de viande avariée.

L'état de la cuisine était cependant très secondaire.
L'idée fixe d'Angus, c'était de retrouver cette pourriture de Sanchez. Tout ce qu'il avait à faire pour lui
mettre la main dessus, c'était de rester immobile un
moment, regarder tout autour de lui et bien dresser
l'oreille. Avec un peu de chance, la question de la loca-
lisation de Sanchez se résoudrait d'elle-même.

Et c'est bien ce qui arriva.

Dans un coin de la pièce, à une dizaine de mètres
tout au plus, Angus aperçut une grande porte en métal
qui, selon toute probabilité, devait donner sur une

chambre frigorifique. Lors de sa première inspection des lieux, il ne s'y était pas arrêté, en se disant que Sanchez ne pouvait être assez idiot pour se cacher dans un tel cul-de-sac. Mais à présent qu'il se souvenait de cet instant où ce gros lard s'était lui-même assommé en tentant de lui tirer dessus, il lui semblait évident que c'était là qu'il s'était réfugié. Sanchez était un bouffon, sans aucun doute assez abruti pour se planquer dans une pièce qui ne comportait qu'une seule issue.

Angus posa alors les yeux sur un élément qui confirma son sentiment. Sur le seuil de la porte en métal se trouvait une petite flaque de sang. Un autre coup d'œil lui confirma qu'une traînée de sang reliait cette flaque à la porte qui donnait sur le bar. En fin de compte, la balle qu'Angus avait tirée avait manifestement touché Sanchez.

C'est presque dommage que ce soit aussi facile, pensa-t-il en souriant.

À pas de loup, Angus suivit la traînée de sang en tâchant de son mieux de ne faire aucun bruit. Il s'arrêta face à la porte et pressa son oreille contre le métal froid. Aucun son ne provenait de l'intérieur. Il posa la main sur la grosse poignée en inox et tira lentement dessus. La poignée à ressort réagit automatiquement, et la porte s'entrebâilla légèrement. Angus se montra encore plus précautionneux qu'auparavant : Sanchez était peut-être armé. Avec une lenteur extrême, tout en se maintenant écarté du seuil pour se prémunir contre toute attaque, il tira sur la poignée et ouvrit carrément la porte.

Personne n'en sortit. Il pencha la tête de côté et tendit l'oreille. Toujours rien. Il s'avança d'un pas prudent et s'immobilisa sur le seuil, à l'intérieur de la chambre froide, pointant son pistolet devant lui.

La légère brume qui régnait dans la pièce frigorifiée limitait la visibilité, mais Angus parvint à distinguer trois rangées d'étagères métalliques chargées de boîtes et de sacs d'aliments. Les parois de la chambre froide suintaient de buée, et l'atmosphère humide était franchement désagréable. Quelques carcasses de porcs pendaient au plafond, plantées à des crochets. Mais toujours pas le moindre signe de Sanchez. Angus jeta un coup d'œil par terre, et vit que la traînée de sang ne s'achevait pas sur le seuil. Elle menait jusqu'à l'allée de gauche. Ça n'avait rien d'étonnant : c'était en effet la zone la plus éloignée de la porte.

Il s'avança doucement jusqu'à l'allée du fond et y jeta un bref regard. Une rangée de carcasses de porcs décapités s'y alignait, pendue au plafond. La traînée de sang la longeait. Angus prit alors conscience que cette traînée était relativement curieuse. Ça ne ressemblait pas à la trace qu'aurait laissée un blessé en courant ou en marchant. Elle s'étalait par terre en une ligne continue, comme si Sanchez avait rampé par terre sur le ventre. Angus dépassa précautionneusement la première carcasse, l'index posé sur la détente de son arme. L'odeur qui régnait dans cette partie de la chambre froide était particulièrement répugnante. Sans doute de la viande avariée conservée trop longtemps, et qui devait être dans un état vraiment atroce pour rivaliser de la sorte avec le processus de réfrigération. À moins que Sanchez ne se planque tout au fond de la pièce, et qu'il ne se soit chié dessus.

L'allée devait mesurer 6 mètres tout au plus. À première vue, Sanchez ne devait pas se trouver ici. Tout en balayant les lieux du regard, à l'affût d'une hypo-thétique embuscade, Angus continua de suivre la traînée de sang qui, à un mètre du bout de l'allée, s'arrêtait brutalement. Angus marqua le pas et regarda autour de lui. Cette fin de piste brutale impliquait que Sanchez avait dû se hisser quelque part. De part et d'autre, les étagères étaient surchargées de grosses boîtes. Angus aperçut enfin ce qu'il cherchait, tout au bout de l'allée, contre le mur, dépassant derrière la der-nière boîte de l'étagère la plus basse : une paire de mocassins impeccablement cirés. Tout en s'appro-chant subrepticement, le tueur à gages remarqua que les chaussures se trouvaient encore aux pieds de leur propriétaire.

Il contourna la dernière carcasse de porc et bondit en face des chaussures en pointant son pistolet droit devant lui, prêt à ouvrir le feu. Mais ce qu'il découvrit ne correspondait pas du tout à ce à quoi il s'était attendu. Il abaissa son arme en fronçant les sourcils, fort décontenancé par ce qu'il avait sous les yeux. Le propriétaire des mocassins était bien un homme, mais ce type est déjà mort. Et à moitié congelé. Et ce n'était pas Sanchez. C'était qui, ce con, alors ? Son visage et son cou étaient recouverts de sang gelé, juste au-dessus de son foulard rouge et noir. Angus fouilla l'intérieur de sa veste grise et piocha un permis de conduire qu'il examina à travers la brume froide. La photo correspon-dait au visage sanguinolent et défait du cadavre.

« Putain, mais c'est qui, ce Jonah Clementine ? » murmura Angus.

Il avait tout juste fini sa phrase que la porte de la chambre froide se referma violemment derrière lui.

Merde ! Sanchez !

Afin de sauver sa peau, Sanchez s'était recroque-villé sous l'une des tables à roulettes de la cuisine. Il en avait trouvé une recouverte d'une nappe blanche qui tombait presque au sol, et s'était empressé de se cacher dessous. Fort heureusement, la nappe le dissimulait entièrement, à l'exception de ses pieds. Même ainsi, il aurait fallu se pencher pour les apercevoir.

Lorsque Angus était finalement tombé dans le pan-neau en suivant les traces de sang jusque dans la chambre froide, Sanchez avait éprouvé un soulagement infini. Pendant un instant de terreur absolue, il s'était demandé ce que ferait le vindicatif tueur à gages. San-chez n'était pas un homme intelligent, et jamais on ne l'avait qualifié de « rusé ». Sournois, oui. Fourbe et menteur, certainement. Vicelard, carrément. Mais rusé, alors ça, jamais.

En remarquant la traînée de sang, Sanchez avait misé sur le fait qu'Angus la suivrait jusque dans la chambre frigorifiée. Enfin un pari qui payait. Lorsque sa vie était en jeu, sa faculté de se tirer de n'importe quelle situation atteignait dans le génie des sommets réservés habituellement à un Einstein, ou quelqu'un du genre. Naturellement, ces moments de génie entraî-naient la plupart du temps une prétention sans bornes, ainsi qu'une vantardise irrépressible, qui, comme les faits l'avaient prouvé à de nombreuses reprises, précé-daient quasiment toujours quelque cruel revirement de fortune. Chose remarquable, Sanchez n'en avait jamais tiré aucune leçon au fil des ans.

Après s'être extrait de sa cachette, il s'avança sur la pointe des pieds jusqu'à la porte de la chambre froide, et la referma brusquement. Au cours de sa longue et terne carrière à la lisière du monde de la restauration, Sanchez avait croisé un certain nombre de chambres de ce type, et il savait pertinemment qu'on ne pouvait jamais les ouvrir de l'intérieur. Pour quelle raison, ça, ça restait un grand mystère. Peut-être était-ce au cas où la nourriture stockée serait revenue à la vie et aurait tenté de s'évader ? Quoi qu'il en soit, Sanchez se félicitait de cette particularité. Il entendit Angus prononcer un seul mot derrière la porte en métal.

« *Putain !* »

D'un ton triomphant, Sanchez hurla en réponse : « Bon séjour au frigo, espèce de loser ! »

La voix étouffée du tueur à gages piégé rétorqua du tac au tac : « T'es un homme mort, sac à merde !

— Eh mec, garde ton sang-froid ! »

Incapable de contenir ses fanfaronnades et ses blagues pourries, Sanchez se lança alors dans une chorégraphie tout en roulement de hanches, d'habitude réservée au miroir de sa chambre. Il y ajouta quelques grimaces à destination de la porte, ivre de joie et de gloire à l'idée d'avoir piégé un tueur à gages de renommée internationale. Sa suffisance et son orgueil ne faisaient qu'enfler malgré lui, jusqu'à atteindre des sommets himalayens : Angus était de l'autre côté de la porte d'acier, dûment verrouillée, et il ne pouvait rien y faire.

BANG !

Sanchez vit une étincelle jaillir de la poignée de la porte, puis entendit un faible cliquetis. De l'autre côté de la porte, Angus était en train de tirer sur le verrou.

Et merde !

La danse de triomphe s'interrompit brutalement. Sanchez eut l'immense sagesse de prendre ses jambes à son cou afin de sauver sa peau.

48

Dans le salon des coulisses, Jacko inspirait à pleins poumons : d'un instant à l'autre, il devrait interpréter la chanson « Mustang Sally ». Il portait les lunettes noires du Bourbon Kid, le chapeau du faux Frank Sinatra, et le costume de quelqu'un qui était probablement mort. Il était à présent seul. Toutes et tous s'étaient rabattus sur l'auditorium afin d'assister aux prestations des finalistes. Alors que les secondes qui le séparaient de son tour de chant s'écoulaient une à une, le Bourbon Kid apparut dans l'encadrement de la porte qui se trouvait au fond de la pièce.

« Je commençais à croire que tu étais rentré chez toi », dit Jacko.

Le Kid s'approcha, une Fender noire très élégante à la main droite.

« Tiens, grasseya-t-il en tendant l'instrument. Amuse-toi avec ça. »

Des deux mains, Jacko saisit la guitare. « Tu te fous de moi, pas vrai ?

— T'auras qu'à en jouer pour la finale.

— Mais ça ne servirait à rien. On m'a trouvé une version instrumentale sur laquelle je pourrais chanter. J'ai même plus besoin de l'harmonica.

— Tu rechanteras pas "Mustang Sally".

— Oh que si ! Je vais la chanter.

— Essaie un peu. Juste pour voir pendant combien de secondes tu resteras en vie. »

La voix du Kid lui mit les nerfs à vif, aussi sûrement que du gravier frotté contre de la peinture fraîche. Il posa la guitare par terre, à la verticale, laissant reposer la tête de l'instrument sur sa jambe gauche. Puis il enleva ses lunettes noires et regarda le Kid droit dans les yeux. « Mais je croyais que tu voulais que je gagne ? J'ai presque fini d'apprendre la moitié des paroles de "Mustang Sally". Pourquoi est-ce que je chanterais autre chose ? Merde, mec, je suis censé passer dans une minute !

— J'ai fait annuler la diffusion de l'instru. Ce coup-ci, tu vas jouer de la gratte. »

Jacko rangea les lunettes dans la poche de poitrine de sa veste, et reprit la guitare afin d'y jeter un coup d'œil plus attentif.

« Elle est accordée, au moins ? geignit-il.

— Qu'est-ce que j'en sais, moi ? »

Jacko attrapa la bandoulière noire et la passa au-dessus de sa tête, pour la laisser retomber sur son épaule. Puis il plaqua un accord, et se mit à tripoter les chevilles de la tête.

« Tu vois ? T'as ça dans le sang », dit le Kid en lui tapotant l'épaule.

Jacko grogna. « Putain, mec, c'est le plan le plus pourri qui ait jamais existé.

— Peut-être bien. Mais si ça marche, dans pas long-temps, tu signeras de ton nom le contrat réservé au gagnant.

— Ça te plairait, hein ?

— Ouais.

— Et si je perds ?

— Je te tue.

— OK. Sans pression, hein ?

— Remets tes lunettes. T'es censé passer dans moins d'une minute. »

Jacko retira les lunettes de sa poche et les enfila.

« Alors, qu'est-ce que je dois chanter, cette fois ? J'ai déjà dit aux organisateurs que j'allais rechanter "Mustang Sally". »

Le Kid plongea la main sous sa veste en cuir comme pour en tirer un flingue. Cette fois, pourtant, il en sortit un CD. *The Blues Brothers Greatest Hits*. Il le mit sous les yeux de Jacko et pointa du doigt la liste des titres qui se trouvait au verso.

« La troisième. »

Jacko repéra la troisième entrée de la liste et, lentement, lut le titre. Puis, par-dessus ses lunettes, il releva les yeux vers le Kid.

« *Espèce de fils de pute.*

— Tout juste. »

49

Emily avait hâte de monter sur les planches pour chanter. Jacko était le suivant, puis ce serait à son tour, et, en tout dernier, James Brown. Elle sentait qu'elle pourrait faire mieux que les trois chanteurs qui étaient déjà passés. L'interprétation de Janis Joplin avait été un désastre absolu. Elvis et Freddie Mercury avaient été tous deux très impressionnants, mais si elle se sentait en forme, Emily était certaine de les battre. James Brown représenterait sans conteste un véritable danger, mais pas nécessairement à cause de son interprétation. Le parrain de la soul était tout sauf un gentil, et, à tout moment, il était susceptible de braquer une arme sur elle. Pas le genre de type sur lequel elle avait envie de tomber au détour d'un couloir sombre. L'inconnue de l'équation, c'était le Blues Brother, Jacko, qui allait passer dans quelques secondes à peine. En fait, Nina Forina se tenait déjà au milieu de la scène, prête à l'annoncer.

« Mesdames, mesdemoiselles, messieurs, déclara-t-elle, sa voix résonnant une fois de plus dans tout l'auditorium. Veuillez applaudir notre quatrième finaliste. Il va nous interpréter "Mustang Sally". Voici… *le Blues Brother !* »

La foule prodigua à Jacko une tournée d'applaudissements assez conséquente, agrémentée de quelques sifflements enthousiastes. Sa première interprétation, avec son harmonica, avait été extrêmement bien reçue, tout particulièrement parce qu'il avait réussi à faire participer une partie du public. Aussi, lorsqu'il monta sur scène avec sa guitare noire en bandoulière, les applaudissements redoublèrent, et les sifflements furent noyés sous le fracas des acclamations et des piétinements. Alors qu'un technicien branchait sa guitare à un ampli, Emily se dit que s'il avait le trac avant cela, il devait l'avoir dix fois plus à présent. Même s'il lui avait dit n'éprouver aucune anxiété, il devait sûrement un peu flipper. Après tout, cette ultime interprétation pouvait changer du tout au tout la carrière de chacun d'eux.

Les applaudissements finirent par se taire pour laisser la place… au silence. L'accompagnement tant attendu ne se fit pas entendre. Toutes les enceintes de l'auditorium restèrent coites.

Jacko s'approcha du pied de micro planté sous la poursuite, au beau milieu de la scène, et parla d'une voix douce : « Euh, en fait, à la dernière minute, j'ai décidé de chanter un autre morceau. » Il s'éclaircit la voix alors qu'un sourd marmonnement s'élevait de la foule qui lui faisait face. « Évidemment, j'ai pas d'accompagnement, mais… » Il baissa les yeux vers l'orchestre qui se trouvait quasiment au grand complet dans la fosse. « … s'il y en a parmi vous qui veulent se joindre au morceau, surtout, n'hésitez pas. »

Emily était bouche bée. Est-ce qu'il avait perdu la tête ? La foule sembla faire écho à ce qu'elle pensait. La rumeur du public enfla, et, dans la fosse d'orchestre, les musiciens se regardaient les uns les autres, perplexes, se préparant à intervenir dans la chanson si l'occasion s'en présentait.

C'est alors que Jacko se mit à jouer.

Il paraissait très nerveux, et pinçait les cordes de sa guitare avec un air particulièrement concentré. Mais qu'est-ce qu'il était en train de jouer ?

Les autres finalistes rejoignirent Emily là où elle se trouvait, en proie à la même curiosité. Le spectacle était tout bonnement fascinant. Est-ce que ce type, ce Blues Brother, voulait sciemment réduire à néant ses chances de gagner, ou s'agissait-il d'une tactique particulièrement habile pour conquérir le public, et peut-être également les jurés ?

Après avoir joué assez bien quelques accords d'introduction face à la foule éberluée, Jacko entama les premiers vers de la chanson.

« Come on
Yo people, we're all gonna go... »

Emily reconnut la mélodie, mais (et ce n'était pas la première fois depuis le début du concours) elle n'était pas totalement convaincue de la justesse des paroles. Dans divers bars, elle avait vu un nombre incalculable de groupes jouer ce morceau, en hommage aux Blues Brothers. C'était « Sweet Home Chicago ». Jacko le lui confirma par les deux vers suivants :

« Back to that dirty old place
They call Chicago... »

S'il y avait une chose dont Jacko ne manquait pas, c'était bien de toupet. Sans flancher, il continua à chanter franchement bien tout en s'accompagnant à la guitare. Il ne soulevait pas chez le public le même enthousiasme que durant son interprétation de « Mustang Sally », mais la foule l'aimait quand même bien, ne serait-ce que pour sa relative excentricité : personne ne le huerait à moins qu'il ne fasse quelque chose de vraiment idiot, ou de vraiment mauvais.

Freddie Mercury sembla s'exprimer au nom de tous lorsqu'il murmura assez fort : « Mais qu'est-ce qu'il fout ?

— Il est en train de chanter "Sweet Home Chicago", répondit Emily.

— Putain, je le vois bien, mais il est tout seul avec sa guitare. Qu'est-ce qui a bien pu lui passer par la tête ? Il a complètement pété un plomb. »

Emily jeta un regard aux autres finalistes en se demandant ce qu'ils pensaient de tout cela. Ils étaient tous là, à l'exception de James Brown, qui n'était toujours pas revenu. Elvis et Janis étaient bien présents, même s'ils ne prêtaient plus vraiment attention à ce qui les entourait : ils semblaient bien plus absorbés l'un par l'autre que par ce qui se passait sur scène. Elvis chuchota quelque chose à l'oreille de Janis, qui lui adressa en réponse un froncement de sourcils, comme pour lui signifier qu'elle n'avait rien entendu. Le King finit par soupirer, puis inspira à bloc et cria au-dessus de la musique : « Je disais, est-ce que ça te dirait d'aller baiser quelque part ? » Emily vit Janis acquiescer frénétiquement en adressant un large sourire à Elvis. Puis tous deux disparurent prestement en direction du salon des coulisses. Emily eut un petit gloussement, avant de reporter son attention sur le suicide musical de Jacko.

Cela faisait une bonne minute qu'il chantait lorsque quelque chose de totalement inattendu se produisit. Dans la fosse d'orchestre, le batteur se mit à battre un petit rythme à la caisse claire. Ce simple son suffit à pousser les autres membres de l'orchestre à se jeter à l'eau. L'invitation de Jacko à l'accompagner les avait considérablement soulagés de leur déception, suite à l'annonce qu'ils ne joueraient plus que pour deux finalistes. Le pianiste se mit à plaquer quelques notes sur son piano à queue, l'un des saxophones se joignit vite à lui, suivi de près par l'autre guitariste, Pablo, et même deux violons. Petit à petit, l'ensemble trouva sa cohérence et se mit à enfler, renforçant les notes jouées à la guitare par Jacko, et harmonisant la mélodie qu'il chantait. En l'espace de quelques secondes, tout l'orchestre se trouva dans le coup, et plutôt bien inspiré.

La participation de l'orchestre sembla ressusciter le public : tous se levèrent de nouveau, et se mirent à battre la mesure tout en dansant. Emily, stupéfiée, vit Jacko gagner en assurance. Il se mit à jouer plus vigoureusement, ses hanches commencèrent à rouler, et sa voix gagna en force et en confiance. Lorsqu'on en arriva aux solos, il se mit à diriger l'orchestre en contrebas, faisant signe à chaque musicien qu'il souhaitait voir improviser. Ce furent d'abord les sax et les trompettes, puis le pianiste, et enfin retour à Jacko qui fit littéralement hurler sa Fender volée.

Le public adora.

Emily se surprit à battre le rythme du pied. Elle aussi passait un super moment. L'idée qu'il serait très difficile de passer après Jacko lui traversa l'esprit, mais elle se remotiva en se disant qu'elle donnerait tout ce qu'elle avait, en espérant que cela suffise.

Alors que le Blues Brother et l'orchestre entamaient un crescendo qui signalait la dernière ligne droite de la reprise, quelqu'un attrapa le bras d'Emily. Elle sursauta et se retourna : le Bourbon Kid la tenait fermement.

« Faut que je vous parle, dit-il d'un ton mauvais.

— Euh, d'accord. »

Il désigna Freddie Mercury d'un bref mouvement de la tête. « En privé. »

Selon toute probabilité, le Kid lui avait sauvé la vie un peu plus tôt dans la soirée, aussi, la moindre des choses était de lui accorder une minute. Sans relâcher son étreinte, il conduisit Emily en bas de l'escalier, jusqu'à un couloir qui se trouvait derrière la scène, là où personne ne pourrait ni les voir ni les entendre.

« Qu'est-ce qu'il y a ? demanda-t-elle.

— Écoutez, si vous êtes vraiment convaincue que vous allez gagner, vous pourriez pas faire une fausse note, ou un truc du genre ? Vous voyez ? Faire le choix de ne pas gagner en sachant parfaitement que vous auriez remporté la première place ? »

Sa voix était plus rocailleuse que jamais, et teintée cette fois d'une touche d'urgence.

Emily hocha la tête. « On a déjà parlé de ça. Je suis désolée. J'ai besoin de cet argent. Et j'ai également besoin de me prouver que je suis assez bonne pour l'emporter. Je vous l'ai déjà dit, je ne fais pas ça que pour moi. Ma mère est malade. J'ai besoin de la récompense.

— OK, et qu'est-ce que vous dites de ça : si vous gagnez, vous refusez de signer le contrat. Ils le repasseront à quelqu'un d'autre, que je tuerai pour récupérer l'argent, et vous le donner. »

Emily frissonna. « Je suis désolée, c'est non. Je veux me prouver que je suis assez bonne pour gagner, et il est hors de question que quelqu'un meure pour que je puisse empocher la somme. En fait, j'aimerais que personne ne meure, pour quelque raison que ce soit. Il y a déjà eu bien trop de meurtres aujourd'hui. Et, qui plus est, jamais je ne pourrais accepter un prix que je n'ai pas gagné moi-même, ou de l'argent volé à quelqu'un qu'on aurait… qu'on aurait… »

La main du Kid serra un peu plus fort son bras. « Il reste une balle dans mon revolver. Me poussez pas à l'utiliser pour vous. Ça serait vraiment pas de gaieté de cœur.

— Alors n'en faites rien.

— Je vous laisserai chanter. Mais je peux pas vous laisser gagner. »

Emily recula d'un pas en libérant son bras d'un coup sec. « C'est à vous de décider », commenta-t-elle simplement. Elle se souvint de ce dont elle avait parlé avec Jacko. Elle devait aller jusqu'au bout, elle le savait. Elle tourna le dos au Kid et se dirigea droit vers la scène afin d'y interpréter sa chanson de finale, « Over The Rainbow ».

En s'éloignant du Kid, elle se demanda si sa dernière balle allait lui transpercer le dos.

50

En route pour les coulisses où il espérait retrouver Elvis, Sanchez était hors d'haleine. Il avait échappé à Angus l'Invincible, mais il accusait sérieusement le coup. Ses poumons n'étaient pas habitués à un effort pareil, et ses jambes étaient en compote. En temps normal, après une telle dépense d'énergie, il se serait assis pour récupérer. Pourtant, cette fois-ci, l'adréna-line sécrétée par la terreur lui permettait de rester debout. Le fait que le tueur à gages ait peut-être déjà réussi à faire sauter le verrou de la chambre froide suf-fisait à le faire avancer.

Alors qu'il se précipitait dans le couloir qui menait à l'entrée du fond de scène, Sanchez aperçut au loin la sosie de Judy Garland, en pleine conversation pas-sionnée avec un type louche qui portait une veste en cuir et une capuche. Emily finit par lui tourner le dos pour se diriger vers la scène, et l'homme se dirigea droit vers le hall de réception, croisant Sanchez. Son visage lui rappelait quelque chose, mais Sanchez n'avait pas le temps de fouiller sa mémoire pour voir s'il le connaissait ou pas. En plus, il était si essoufflé qu'il voyait quasiment double. Et il avait bien mieux à faire que de s'intéresser à un mec louche dans cet hôtel qui ne semblait accueillir que des gens de cette sorte. En passant la porte qui menait à la scène, il prit sur sa gauche, et vit Emily qui montait l'escalier.

« J'ai raté la finale ? » lui demanda-t-il entre deux bruyantes inspirations.

Surprise, elle se retourna et lui sourit. « Oh, salut ! Non, pas encore. Le Blues Brother vient de finir, c'est à mon tour, maintenant.

— Génial. Ce bon vieil Elvis s'en est bien tiré ?

— Pas mal du tout, oui. À mon avis, il a de bonnes chances de gagner.

— Cool. Et les autres ? Ils s'en sont sortis comment ?

— Tout le monde s'en est très bien sorti. »

Après son bref échange avec le Bourbon Kid, Emily n'avait pas la force de lui raconter en détail la prestation de Janis Joplin.

Mais ce que Sanchez tenait surtout à savoir, c'était comment s'en était sorti Julius. Le treizième apôtre allait-il gagner et les sauver tous ? Ou bien ?

« Et James Brown ? Comment ça s'est passé ?

— Il n'a pas encore chanté. Powell a changé l'ordre d'apparition à la dernière minute : James Brown passera en dernier.

— Ah ouais ? Pourquoi il a fait ça ?

— Je n'en ai vraiment aucune idée. Mais ça signifie que je passe plus tôt, ce qui tombe vraiment super bien. Je commence à avoir un sacré trac. »

Sanchez se rendit soudain compte que quelques encouragements s'imposaient. La fille était sympa, aussi tâcha-t-il de lui dire quelque chose de rassurant, en dépit de sa nature profondément négative et sarcastique.

« Eh bien, bonne chance quand vous serez sur scène, pépia-t-il dans un sourire maladif. Faites tout ce que vous pouvez pour battre ce petit trou de balle prétentieux de Freddie Mercury. »

Emily lui donna un petit coup de coude en indiquant de la tête le rideau qui longeait la scène. Freddie Mercury se trouvait juste là, à portée de voix. Visiblement, il n'avait pas entendu la dernière phrase de Sanchez. En leur souriant, il s'approcha.

« Allez, Emily, presse-toi ! lança Freddie. On commençait à se dire que tu allais louper ton passage. C'est à toi dans une minute, ma belle !

— Chut », dit Emily en pointant la scène du doigt.

Freddie Mercury se retourna et vit ce qu'Emily désignait. Sanchez jeta un coup d'œil par-dessus son épaule. Sur les planches, Jacko se tenait face au jury. Lucinda fut la première à donner son avis.

« Eh bien, eh bien, eh bien, dit-elle. Mon vieux, ça, c'était quelque chose ! Ça fait *des années* que j'ai pas vu un truc pareil ! Mon petit, *t'es une vraie star* ! »

Derrière elle, la foule vociféra son approbation. Puis ce fut Candy qui enchaîna.

« Monsieur le Blues Brother, vous avez été brillant. *Vraiment* brillant. Je ne voyais pas trop où vous vouliez en venir au début, mais, au final, c'est sans le moindre doute mon interprétation préférée de toute la soirée. Félicitations ! »

Enfin, Nigel, toujours assis entre ses deux collègues, donna son avis.

« Permettez-moi de vous dire avant tout, déclara-t-il d'un ton dédaigneux, que je n'approuve pas du tout votre changement de chanson de dernière minute. » Le public se mit aussitôt à le huer, mais Powell le fit taire par des mouvements de main. « Attendez, c'est vrai, poursuivit-il, ce n'est pas très fair-play vis-à-vis des autres concurrents de tourner casaque comme ça. Et je ne me souviens pas vous avoir vu demander à quiconque la permission de jouer de la guitare lors de la finale. » Les huées du public se firent plus bruyantes et plus agressives. Cela n'ébranla pas le moins du monde Powell. « Mais, dit-il en élevant la voix afin de se faire entendre, je dois l'avouer, vous avez été excellent. » Les huées se changèrent immédiatement en acclamations et en sifflements. À en juger par son expression sur l'écran géant, Powell était sur le point d'ajouter quelque chose, mais il préféra s'arrêter là, en faisant signe à Jacko de quitter la scène.

Le jeune chanteur s'en alla sur une *standing ovation* du public, encore plus débridée que celles dont avaient joui les précédents concurrents. Arrivé au bord de la scène, il se faufila entre deux pans du gigantesque rideau rouge, derrière lequel il fut accueilli par Emily et Freddie Mercury. Sans rien feindre de son enthousiasme, Emily le serra dans ses bras et l'embrassa sur la joue.

« Wouah ! déclara-t-elle. Eh bien, si j'arrive à faire moitié aussi bien que toi, je pourrai m'estimer heureuse. Tu as été génial. Vraiment. Bien joué. »

Un peu à l'écart, Sanchez se demandait ce que cela impliquerait dans la compétition. Même Freddie Mercury paraissait sérieusement inquiété par le succès du Blues Brother auprès du public. Julius allait devoir faire des miracles pour l'emporter, sans compter que Judy Garland, la favorite, n'avait pas encore chanté. Et où est-ce qu'Elvis avait bien pu passer ?

La réponse à cette question ne tarda pas. « Yo, Sanchez, te revoilà », s'écria Elvis derrière lui. Sanchez se retourna et vit son ami s'avancer dans sa direction, un bras enroulé autour de la taille de Janis Joplin. Les cheveux de cette dernière étaient ébouriffés et ses vêtements franchement de travers. Très clairement, et très récemment aussi, ces deux-là s'étaient furieusement envoyés en l'air.

« Yo, Elvis, murmura Sanchez, tâchant de ne pas trop attirer l'attention. Angus l'Invincible est de retour. Il est dans les parages. »

Elvis écarta son bras des hanches de Janis. « T'étais passé où, mec ? demanda-t-il en fronçant les sourcils.

— Ce salaud d'Angus m'a pourchassé dans l'hôtel. Je l'ai enfermé dans une chambre froide, mais quand je me suis barré, il essayait de faire sauter le verrou en tirant dessus.

— Bien. Qu'il sorte de là. S'il a le malheur de s'approcher de moi, je le plie en deux. »

Il passa une main sur sa tête, à l'endroit où Angus l'avait frappé, lui faisant perdre connaissance. « Cet enfant de putain l'aura bien cherché.

— Il a un flingue, fit remarquer Sanchez. Peut-être deux.

— J'en ai rien à foutre. Qu'il aille se faire enculer. »

Janis Joplin, restée un peu à l'écart, s'avança. « Ouais, qu'il aille se faire enculer. Ce putain d'enculé de sa mère de bâtard à la con. »

Sanchez sourit poliment à Janis. « Vous avez vraiment du mal à contrôler ces crises, hein ?

— Ça n'a rien à voir avec Tourette, répondit Janis. Si Elvis aime pas ce mec, alors putain de merde, moi non plus, je l'aime pas. Ce putain d'enculé. »

398

Leur conversation fut interrompue par la voix de Nina Forina, qui présentait Emily. « Mesdames et messieurs ! s'exclama-t-elle. Elle va nous interpréter le grand classique "Over The Rainbow", voiciiiiiiiiii *Judy Garland* ! »

La foule fit tonner un nouvel orage d'applaudissements et d'acclamations. Emily inspira profondément. Puis bondit sur les planches.

Le moment de vérité était arrivé.

51

Julius était inquiet. Le fait de s'assurer la place de gagnant du concours « Back From The Dead » s'avérait beaucoup plus compliqué que prévu. Tout d'abord, Angus n'était pas arrivé en temps voulu. Puis le Bourbon Kid l'avait remplacé, mais, après un début prometteur, s'était refusé à assassiner la fausse Judy Garland. Pour des raisons personnelles. Complètement improbables. Gabriel était ensuite arrivé, et Julius avait vu en lui le seul espoir de retourner la situation à son avantage.

Mais ça n'avait pas marché non plus. Emily respirait toujours, et Gabriel ne donnait plus signe de vie. Julius avait le désagréable sentiment que le Bourbon Kid avait mis à exécution sa promesse à peine voilée de protéger Emily. Auquel cas, il était plus que vraisemblable que Gabriel soit à présent mort. Et si c'était bien le cas, se disait Julius, il était plus que possible que ses plans soient compromis.

Le planning initial de la finale prévoyait son passage en quatrième position, mais la rumeur avait couru qu'il passerait finalement en dernier. Aucune explication n'avait été fournie. Lorsqu'un sous-fifre de l'équipe de production lui avait confirmé ce changement au programme, Julius avait été saisi d'une bouffée de paranoïa : on avait dû découvrir son plan. Et lorsque, quelques secondes plus tard, il avait entendu deux solides agents de sécurité demander au Blues Brother s'il avait vu passer « cette raclure de James Brown », il avait décidé de quitter au plus vite les coulisses. Sa stratégie tombait à l'eau, il en était convaincu.

Dans l'espoir de sauver son plan (et sa peau), Julius s'était rendu tout droit au casino de l'hôtel, au premier sous-sol, juste après la prestation de Janis Joplin. Il avait l'intention d'y rester jusqu'à la dernière minute, avant son entrée sur scène. Il n'avait dit à personne où il allait, et il priait du plus profond de son être pour ne se faire remarquer par aucune caméra de vidéosurveillance. Chose peu aisée pour quelqu'un qui se baladait avec un costume violet à pattes d'eph. Afin de mettre toutes les chances de son côté de ne pas se faire remarquer, il ôta sa perruque noire et la coinça sous sa chemise. Des touffes en ressortaient, donnant l'impression qu'il avait la poitrine la plus velue au monde.

Une fois dans le casino, il rechercha la zone la plus bondée afin de se perdre dans la foule. Une table de roulette sortait du lot. Tout un tas de personnes s'amoncelaient autour en faisant un sacré raffut. Julius s'empressa de se frayer un chemin au milieu de l'attroupement.

« Qu'est-ce qui se passe ? demanda-t-il à une Chinoise d'âge mûr qui avait un œil au beurre noir.

— Dame Mystique. Elle gagner milliers dollars ! répondit la femme.

— *Dame Mystique ?*

— Oui, oui. Dame Mystique. »

La femme acquiesça vigoureusement en pointant du doigt une autre femme aux cheveux gris assise à la table de roulette. C'était visiblement la seule à jouer, et elle avait devant elle une véritable montagne de jetons. Tous les yeux étaient rivés sur elle. « Elle voir futur. Mise gros. Gagne *encore plus gros !* »

Julius s'enfonça encore plus avant dans la foule, jusqu'à se retrouver juste derrière cette « Dame Mystique ». Elle venait de placer une pile de jetons jaunes sur le rouge. Le silence s'empara de l'assemblée alors que le croupier, l'air déprimé, lançait la roulette. Lorsqu'elle eut accompli un premier tour, il inspira profondément, décocha un bref acquiescement à la Dame Mystique, puis, d'une main rapide et habile, envoya la bille blanche sur le plateau, dans le sens inverse de sa rotation. Julius se pencha par-dessus l'épaule de la joueuse pour voir le résultat. Tout le monde paraissait retenir son souffle, de sorte qu'on ne pouvait entendre que le cliquetis de la bille qui roulait. La roulette finit par ralentir, et la bille retomba pour se nicher dans l'une des cases. Lorsque la roulette eut suffisamment ralenti pour qu'on y voie clair, il y eut des exclamations étouffées autour de la table, suivies d'acclamations, alors que le croupier déclarait d'un ton las : « 12 rouge, pair et manque. » La bille s'était en effet logée dans la case 12, qui se trouvait être rouge, exactement comme l'avait prédit la Dame Mystique.

Alors que le croupier faisait une énième fois le compte des jetons qu'il devait ajouter à sa montagne, la vieille femme pivota sur son tabouret et regarda droit dans les yeux de Julius. Elle soutint ainsi son regard quelques instants, avec une expression relativement dure. Sans trop savoir pourquoi elle le dévisageait de la sorte, il se décida à briser le silence.

« Félicitations, commenta-t-il poliment.

— Julius ? »

Le fait qu'elle connaisse son nom le surprit énormément : il ne se souvenait pas de l'avoir jamais croisée. Peut-être possédait-elle vraiment des pouvoirs surnaturels, peut-être pouvait-elle prévoir l'avenir, comme l'avait dit la femme à l'œil contusionné.

« Ouais. Comment vous connaissez mon nom ? demanda-t-il.

— *Ils sont à votre poursuite.*

— Hein ? Qui ça ?

— Eux. »

La Dame Mystique hocha la tête en direction de l'entrée du casino, derrière Julius. Celui-ci se retourna. Quatre hommes très robustes venaient d'arriver au bas de l'escalier et inspectaient le casino du regard. C'était bien évidemment des membres de la sécurité. Ils avaient dû le repérer par le biais des caméras de vidéo-surveillance. Julius devait à tout prix sortir de là avant qu'ils l'aperçoivent. Il se retourna vers la Dame Mystique pour voir si elle en savait un peu plus sur ce qui l'attendait.

« Qu'est-ce que je fais ? demanda-t-il.

— Vous êtes sosie de James Brown.

— Non ! Je voulais dire, comment je fais pour sortir d'ici ?

— Par l'escalier, ou par l'ascenseur. C'est vous que ça regarde. À présent, si ça ne vous gêne pas, ajouta-t-elle, j'ai une roulette à faire tourner. »

Sur ce, elle pivota de nouveau sur son tabouret pour faire face à la table.

Julius regarda tout autour de lui, à la recherche d'une issue. La Dame Mystique avait raison. *L'escalier ou l'ascenseur*. Les quatre agents de sécurité se tenaient sur le seuil du casino, à quelques mètres seulement de l'escalier, ce qui excluait d'emblée cette solution. Il allait devoir se rabattre sur l'ascenseur, à l'autre bout du casino. Julius ne s'était pas encore fait repérer. Il s'éloigna donc furtivement dans cette direction, laissant la foule amassée autour de la table de roulette entre les vigiles et lui.

Plus il approchait de l'ascenseur, plus la foule se clairsemait, et plus grandes étaient ses chances de se faire remarquer. Il lui fallait se précipiter sur les derniers mètres, mais sans *avoir l'air* de se précipiter, afin de ne pas attirer l'attention. Aussi se mit-il à marcher très vivement, mais à tous petits pas. Cela lui donnait certainement un air tout à fait ridicule, mais c'était bien là le cadet de ses soucis. Arrivé face aux battants de métal, il appuya sur le bouton d'appel de l'ascenseur. Il n'osait même pas se retourner pour voir si les agents de sécurité l'avaient repéré ou pas.

L'ascenseur semblait prendre une éternité pour arriver. Julius n'avait de cesse d'appuyer sur le bouton en murmurant entre ses dents : « Allez, allez ! » Il pouvait entendre la machinerie qui s'ébranlait derrière les cloisons, dans des chuintements qui témoignaient de l'usure du temps. Le bruit finit par se taire. Un tintement extrêmement bruyant retentit alors, et les battants métallisés s'ouvrirent. Julius entra instantanément dans la cabine et appuya sur le premier bouton que ses doigts rencontrèrent, à savoir celui du neuvième étage. Puis il se plaqua contre l'une des parois latérales afin de ne pas se faire voir des quatre gros bras de la sécurité.

Après ce qui parut une deuxième éternité, les portes commencèrent à se refermer lentement. À chaque centimètre parcouru par les battants, Julius regagnait un peu plus confiance. Ça allait le faire. Mais alors qu'il ne manquait plus que 3 ou 4 centimètres, une main apparut dans l'interstice. Une grosse main au dos recouvert de poils noirs et drus. Julius était fait comme un rat. Les battants se rouvrirent, et un énorme type à la brosse très courte et au costume noir pénétra dans la cabine.

« Julius, je présume ? » lança-t-il.

Julius ne répondit pas. Trois autres vigiles le rejoignirent dans l'ascenseur. Le premier appuya sur le bouton du rez-de-chaussée. Puis il toisa Julius et sourit.

« J'espère que t'as amené ton petit seau et ta pelle, mon vieux. On va aller faire un petit tour dans le désert. C'est plutôt sablonneux, là-bas. »

Lorsque les battants se refermèrent, Julius perdit tout à fait espoir. Le type qui avait appuyé sur le bouton passa son bras autour de ses épaules, et le tira fermement à lui, jusqu'au centre de la cabine.

« Faut pas faire la gueule, mon pote ! » lui dit-il.

Ses trois collègues ricanèrent. Julius se lamentait intérieurement. Comment allait-il pouvoir se sortir de là ?

L'ascenseur monta doucement jusqu'au rez-de-chaussée, où il s'immobilisa dans le tintement de rigueur. Les portes s'ouvrirent, et Julius releva les yeux sur un homme qui se tenait sur le seuil, face à la cabine. Il était tout vêtu de noir, et sa tête recourbée était recouverte d'une capuche qui dissimulait son visage. Julius n'eut cependant aucun mal à le reconnaître.

L'un des vigiles mit un pied hors de la cabine, pour se retrouver instantanément dans un monde de souffrances. Le Bourbon Kid l'attrapa, et, en un clin d'œil, le contraignit à se retourner en bloquant son bras derrière son dos. Un puissant craquement retentit. Avant que l'agent de sécurité ait le temps d'émettre le moindre son, le Kid le retourna de nouveau et, de sa main libre, frappa brutalement le front de son prisonnier, projetant sa tête en arrière, au prix d'une ignoble torsion de la nuque.

S'ensuivit un autre craquement, encore plus bruyant.

Le Kid laissa le corps inerte tomber à terre. Puis il releva les yeux en direction des trois autres vigiles présents dans la cabine de l'ascenseur. Leur assurance et leur sentiment de supériorité s'étaient volatilisés.

« Quelqu'un d'autre descend à cet étage ? » demanda-t-il de son ton habituel, désagréablement rocailleux.

Julius vit les trois vigiles reculer d'un pas en levant les mains pour signifier qu'ils se rendaient. L'un d'eux s'empressa de tendre le bras en direction des boutons pour refermer les battants. *Bande de lopettes.*

Alors, en fin de compte, le Bourbon Kid veille sur moi, pensa Julius. Il sortit de la cabine et se retourna en direction des trois agents de sécurité survivants.

« Merci bien, dit-il en souriant. C'était très distrayant. On devrait remettre ça un de ces quatre. » Les portes se refermèrent, et la cabine reprit son ascension. Julius se retourna alors vers le Bourbon Kid.

« Je savais que vous ne me laisseriez pas tomber. Dieu vous récompensera pour cette bonne action. Vous venez de faire la moitié du chemin pour vous faire pardonner vos péchés. »

Le Kid rejeta sa capuche en arrière et saisit de sa main gauche le visage de Julius, serrant fortement ses joues. « Je suis pas de ton côté, sac à foutre.

— Peut-être l'êtes-vous sans le savoir.

— Nan. Je suis vraiment sûr de pas être de ton côté.

— Mais secrètement, c'est ce que vous souhaite-riez, n'est-ce pas ? »

Le Kid pressa encore plus violemment le visage de Julius dans sa main, et, le soulevant de terre à bout de bras, l'éloigna des portes de l'ascenseur. Tous deux se trouvaient à présent au beau milieu du couloir, en train de se regarder droit dans les yeux, malgré le fait que les pieds de Julius se balançaient à une bonne quinzaine de centimètres du sol.

« Écoute-moi bien, espèce de sale con, dit le Kid. Je veux savoir très précisément qui tu es et pourquoi tu tiens autant à remporter ce concours. Y a tout un tas d'enculés de zombies qui traînent dehors, des anciens chanteurs, et je suis sûr que tu sais pourquoi. Qu'est-ce que tu viens foutre dans tout ça ? Et est-ce que t'es *vraiment* capable de battre Judy Garland ?

— D'accord… » commença à dire Julius.

Avant qu'il ait pu ajouter quoi que ce soit, le Kid dressa son index droit en l'air pour le faire taire. « Une dernière chose, ajouta-t-il d'un ton plus rocailleux que jamais. Tu dis un seul mot qui ne me paraît pas vrai à 100 %, et je te brise la nuque. Réfléchis bien à ça avant de l'ouvrir. *Un seul mot.* »

Julius avala sa salive à grand-peine. Il s'apprêtait à prendre la parole lorsque le tintement de l'ascenseur retentit une nouvelle fois. Il jeta un coup d'œil sur sa gauche et vit les battants métalliques s'ouvrir. Les trois agents de sécurité étaient redescendus au rez-de-chaussée, et s'apprêtaient à sortir de la cabine. Leurs visages respectifs reflétèrent la même terreur à la vue de Julius et du Kid, toujours dans le couloir, avec à leurs pieds le cadavre du quatrième vigile. Le Kid tourna lentement la tête dans leur direction. Les trois employés de Powell comprirent soudain que leur retour était un peu prématuré. Celui qui se trouvait le plus près des boutons s'empressa d'appuyer au hasard, et les portes se refermèrent lentement.

Le Kid tourna la tête vers Julius et rapprocha son visage du sien.

« Si tu veux participer à cette finale, balance ce que t'as à balancer. »

52

Nigel Powell commençait enfin à profiter de la soirée. Emily interprétait « Over The Rainbow » encore mieux que durant les auditions. Soutenue par l'orchestre, elle était meilleure que jamais, gagnant en confiance à chaque mot chanté.

Il ne restait plus une seule place de libre dans tout l'auditorium. Personne ne se rendit discrètement aux toilettes. Personne ne fila en douce au bar pour boire un petit verre. Personne ne se faufila pour fumer une clope en vitesse. Le public tout entier resta muet durant toute la chanson, soucieux de ne pas en rater, et à plus juste titre en gâcher, une seule seconde. Contrairement aux prestations tapageuses des autres concurrents, qui avaient fait se lever les spectateurs, les avaient fait chanter et danser, cette interprétation était une chose à savourer. Stupéfiée, sagement assise, la foule admirait tout simplement la beauté de la voix d'Emily. Son élégance et sa grâce brillaient d'un éclat tout particulier, dans cette compétition qui, du point de vue de Powell, avait été quelque peu gâtée par une série d'écarts du plus mauvais goût : les jurons de Janis Joplin, les ondulations d'Elvis, la lubie de dernière minute de Jacko, et les efforts de Julius pour faire tuer les autres finalistes, entre autres choses. La scène accueillait enfin quelqu'un qui n'avait ni gimmicks ni petits trucs du métier. Rien d'autre que du talent.

Les dernières notes de la chanson s'évanouirent, et le public se leva comme un seul homme pour faire éclater un déluge d'applaudissements. Les flashs scintillèrent, acclamations et sifflements d'enthousiasme retentirent, et l'orchestre tout entier se leva pour crier : « *Brava ! Brava !* » Les trois jurés eux-mêmes se dressèrent pour applaudir frénétiquement. À sa gauche comme à sa droite, Nigel pouvait voir les larmes de ses collègues briller sur leurs joues. Si cette fille ne gagnait pas, c'est que quelque chose ne tournait vraiment pas rond.

Alors qu'Emily adressait une révérence un peu surannée au public, Nigel éprouva un soulagement infini. Ce serait la dernière interprétation de la soirée, du moins l'espérait-il. En principe, des agents de sécurité conduisaient en ce moment même Julius jusqu'au désert du Cimetière du Diable, où il creuserait bientôt sa propre tombe. Un vrai *happy end*.

Lorsque les applaudissements se turent enfin, Emily resta timidement plantée face aux jurés qui venaient de se rasseoir. Candy fut la première à s'exprimer. Effaçant les larmes qui gonflaient ses yeux, elle entrecoupa ses mots de reniflements, tâchant tant bien que mal d'inspirer malgré l'émotion.

« Brillant ! *Vraiment* brillant ! La meilleure prestation de toute la soirée », parvint-elle à larmoyer.

Lucinda fut tout aussi élogieuse. « Une star est née ! Tu as été terrible, ma chérie. T'aurais pas pu donner plus que ce que tu as donné. Et si tu veux mon avis, personne aurait pu donner plus. Toutes mes félicitations, ma belle. Même si ton interprétation vaut beaucoup plus que mes congratulations. »

Un silence de mort saisit l'auditorium : c'était au tour de Powell de donner son avis. Pour la première fois, il se leva, regarda droit dans les yeux de la chanteuse dévorée d'anxiété, et dit d'une voix douce : « Emily. Ma chère, c'était tout bonnement incroyable. Je ne connais personne au monde qui aurait pu chanter mieux que vous. » Il observa une courte pause et ajouta : « Et cela inclut feu Mlle Garland. »

La foule se mit alors à pousser toutes sortes d'acclamations. Au début, seuls un ou deux fans ivres exprimèrent leur enthousiasme, mais bien vite l'ensemble du public les imita, soulevant un boucan digne d'un stade de football américain plein à craquer. Powell complimentait toujours Emily, mais le vacarme assourdissant noyait ses paroles : il s'interrompit et salua la foule d'un sourire rayonnant et d'un baiser jeté en l'air.

D'un pas plus énergique que d'habitude, Emily quitta la scène. Nina Forina revint au milieu des planches, dans le faisceau de la poursuite, et s'adressa au public.

« OK, tout le monde ! Silence, s'il vous plaît ! » cria-t-elle. Elle dut attendre trente secondes avant que les ovations lui permettent de poursuivre. « C'est à présent au tour de notre dernier concurrent, le tout dernier finaliste de notre concours "Back From The Dead". Mesdames et messieurs, on applaudit bien fort le parrain de la soul... *Ja-a-a-a-mes Brown !* »

Powell observa avec intérêt les fans de James Brown en train d'applaudir leur favori. Julius allait-il se montrer ? Powell en doutait. En tout cas, il espérait que ce ne soit pas le cas.

Nina regardait tout autour d'elle, sans voir venir le dernier finaliste. Son visage trahissait une inquiétude croissante. Powell attendait impatiemment l'instant où elle comprendrait que Julius ne sortirait pas des coulisses. Cet instant arriva quelques secondes plus tard : elle lui jeta alors un bref regard qui lui demandait ce qu'il convenait de faire. Avec un sourire particulièrement suffisant, Powell se pencha en avant afin de parler dans son micro. Le moment était venu d'inviter les spectateurs à voter pour leur interprétation préférée grâce au petit clavier fixé à leur fauteuil. James Brown n'apparaîtrait pas.

Juste au moment où il ouvrait la bouche, Julius bondit sur scène. Il adressa un énorme sourire aux jurés, et alla rejoindre Nina.

Intérieurement, Nigel Powell fulminait. Comment est-ce que ce salopard avait réussi à rejoindre la scène ? L'équipe de sécurité allait devoir en répondre. Mais sachant que son visage s'étalait sur l'écran géant, Powell afficha un sourire forcé. Nina disparut dans les ténèbres des coulisses, et Julius s'avança jusqu'au pied du micro.

« Hey ! vous êtes prêts à vous éclater encore une fois ? » hurla-t-il.

Le public mugit un énorme « OUAIS » !

Le show n'était pas encore terminé.

53

Sanchez était plus stressé, plus à cran que les finalistes eux-mêmes. Quelques minutes auparavant, il avait enfermé un tueur à gages à queue-de-cheval rousse dans une chambre froide. Et ce malade était susceptible de réapparaître à tout moment, avec une idée fixe en tête : se venger. À cela s'ajoutait un menu détail, en l'occurrence, le fait que des zombies du désert se dirigeaient droit vers l'hôtel avec l'intention de dévorer tous ceux qui s'y trouvaient.

À en croire tout ce qu'il avait entendu ces dernières heures, son seul espoir de s'en sortir reposait entièrement sur les épaules de Julius, sosie de James Brown, et sans doute treizième apôtre. Si Julius gagnait, alors, en principe, il briserait une sorte de malédiction. Sanchez n'avait cependant pas oublié la remarque de Gabriel, selon qui l'hôtel sombrerait dans les flammes de l'enfer si Julius signait le contrat. Il avait beau envisager les choses sous tous les angles, ça ne présageait rien de bon. Et toutes les réponses aux questions en suspens étaient censées se manifester dans la demi-heure.

Lorsque Nina Forina annonça le passage du dernier finaliste, les nerfs de Sanchez étaient littéralement en pelote. Et le fait que le chanteur en question, Julius en personne, prenne des siècles pour faire son apparition n'arrangea pas les choses. Pourtant, alors qu'il semblait certain que celui-ci ne se pointerait pas, il jaillit des coulisses en souriant comme un abruti.

Sanchez se trouvait sur le côté de la scène, en compagnie d'Elvis et des autres chanteurs, appréhendant la prestation de Julius. Mais il ne les déçut pas. Il avait choisi cette fois « I Got You (I Feel Good) ». À l'instar du Blues Brother et d'Emily, il avait l'avantage de se faire accompagner par l'orchestre. Le « Sweet Home Chicago » de Jacko avait permis aux musiciens de s'échauffer, et la sublime interprétation d'Emily les avait pleinement inspirés. Forts de cette assurance, ils accompagnèrent très efficacement Julius.

Emily avait une voix merveilleuse, Elvis un charisme surnaturel, Janis une maladie à fort potentiel comique, le Blues Brother sa guitare, Freddie Mercury une incroyable ressemblance avec le regretté chanteur qu'il imitait. Julius, lui, avait des pas de danse d'une vivacité confondante. Durant son interprétation, il couvrit la surface entière de la scène. Dès la moitié de la chanson, il transpirait déjà abondamment. Il fit plusieurs grands écarts, se relevant à chaque fois sans s'aider des mains. Il déambulait crânement de gauche à droite, battant le rythme de la chanson en se tapant la tête, et, lorsqu'il ne chantait pas, il comblait les blancs avec des cris et des glapissements. Chaque « Hey ! » et chaque « Ooow ! » qu'il poussait semblait exciter plus encore le public. Comme ils l'avaient fait précédemment, les spectateurs s'étaient levés pour emplir les allées de l'auditorium, secouant la tête et dansant. Et cette excitation était loin de se cantonner au public. La section cuivre de l'orchestre était pleinement entrée dans l'esprit de la chanson.

À la dérobée, Sanchez gardait toujours un œil sur les jurés, afin de jauger leurs réactions. Lucinda Brown remuait sur son siège et battait la mesure en claquant des mains, manifestement très enthousiasmée. À côté d'elle, Nigel Powell ne laissait rien paraître. Même dans les bons jours, son visage était quasi inexpressif. Et s'il fallait en juger par son attitude tout entière, il ne semblait pas très impressionné. Ses bras étaient croisés, et ses lèvres pincées. À côté, Candy Perez souriait, levant et abaissant un bras puis l'autre, en une espèce de chorégraphie qui aurait pu faire penser qu'elle gravissait une échelle invisible. Sanchez fixait ses seins fermement serrés l'un contre l'autre, et qui, suivant les mouvements de ses bras, se relevaient et s'abaissaient à tour de rôle. *Nom de Dieu !* se dit-il. *Sûr qu'y en a un des deux qui va finir par sortir !*

En inspectant scrupuleusement du regard le décolleté de sa veste en cuir, il finit par se convaincre qu'un bout de mamelon dépassait, juste au-dessus de la fermeture éclair. Il écarquilla les yeux et donna des coups de coude à Elvis qui se tenait à sa droite.

« Putain, mec, regarde un peu ! chuchota-t-il. Je crois que je vois un mamelon de Candy ! »

Il s'attendait à ce que son ami le remercie pour le tuyau, mais, à la place, entendit une voix féminine lui répondre d'un ton assez froid : « Merci bien, c'est très délicat. »

Sanchez se rendit compte que ce n'était pas à Elvis qu'il venait de donner quelques petits coups de coude, mais bien à Emily. Il regarda autour de lui et aperçut

Elvis un peu plus loin, en train de bavarder avec Janis Joplin. Il sentit ses joues s'empourprer légèrement.

« Euh… désolé, marmonna-t-il. Je croyais que c'était quelqu'un d'autre.

— Pas de problème, répondit Emily dans un petit rire.

— YO, ELVIS ! cria Sanchez afin de se faire entendre par-dessus la musique. VITE ! CANDY A UN MAMELON QUI DÉPASSE ! »

Abandonnant Janis en plein milieu de leur conversation, Elvis le rejoignit. Par-dessus l'épaule de Sanchez, il plissa les yeux pour voir si son ami avait raison. Au bout d'une poignée de secondes, il acquiesça.

« Joli. »

Sanchez ne sut jamais si la prestation de Julius fut assez bonne pour lui permettre de remporter le concours. Elvis et lui passèrent en effet la dernière minute de la chanson les yeux rivés au mamelon de Candy.

Sanchez était un fan invétéré de Candy Perez depuis qu'elle avait décroché la première place du Top singles avec son tube « I Love Chubbies » (« J'adore les gros »). Un jour, il avait même accroché un de ses posters au mur du Tapioca. Il y était resté durant près d'une heure, avant que quelqu'un le fasse disparaître. Ce vol l'avait empli d'amertume, mais, à présent, tout cela était oublié. Il tenait quelque chose de bien plus précieux : l'image du mamelon de Candy à tout jamais gravé dans sa mémoire. Rien que d'y penser, il était pris de vertiges. Avec tout ce qui lui était arrivé aujourd'hui, il n'avait pas eu le temps de manger un morceau, et la faim qu'il éprouvait, associée à ce spectacle divin, lui faisait tourner la tête.

416

Lorsque Julius en eut fini et que tous et toutes (y compris Candy) eurent cessé de sautiller, Sanchez éprouva une légère déception. Pourtant il applaudit et cria plus fort qu'il ne l'avait fait à la fin des précédentes interprétations.

« T'as vu ça ? dit-il en envoyant de nouveaux coups de coude à Elvis. Putain, c'était grandiose. J'ai quasiment vu son nib en entier, mec ! Terrible !

— Elvis est retourné derrière, répondit Emily.

— Hein ? Oh ! »

Une fois de plus, Sanchez sentit ses joues rougir. Elvis était en effet à l'écart, en pleine discussion avec Janis Joplin. « Désolé. Je croyais qu'il était encore à côté de moi.

— J'ai bien compris.

— N'empêche, vous avez vu ça ? C'est dingue, hein ? Elle a des nichons incroyables.

— Elvis n'a pas bougé. »

Une note glaciale résonnait dans la voix d'Emily.

« Ouais, je sais. Mais il faut absolument que je partage ça avec quelqu'un. Vous voulez pas faire semblant d'être un mec, juste un instant ? C'est quand même pas trop demander, non ? »

Emily éclata de rire. « Vous voulez que je fasse semblant d'être un mec ? Très bien. » Elle réfléchit un instant, puis s'arracha soudain à ses pensées. « Vous savez quoi ? Je l'ai vue tout à l'heure sous la douche.

— Hein ?

— Carrément. Elle était complètement nue, avec une autre femme. Elles étaient en train de s'embrasser et de se peloter. »

417

À ces simples mots, les vertiges de Sanchez s'accentuèrent. Ses jambes faiblirent tout d'un coup, et bien qu'il entendît distinctement Emily, il ne la vit plus.

« Sanchez ? Je plaisantais. J'ai tout inventé. J'essayais juste de faire semblant d'être un mec, comme vous me l'avez demandé. Sanchez ? *Sanchez ?* » Elle répéta son nom à plusieurs reprises, avant de s'écrier : « Hé ! Est-ce que quelqu'un peut appeler les secours ? Je crois qu'il vient de perdre connaissance. »

54

Durant la majeure partie de l'heure qui s'était écoulée, le bar avait été vide. Le jeune barman, Donovan, n'avait rien d'autre à faire que d'essuyer des verres pour les ranger sur les étagères. Le reste de l'équipe et l'ensemble des clients s'étaient volatilisés. Il fallait un pauvre couillon pour passer un coup de serpillière et nettoyer les tables : c'était tombé sur Donovan.

Le seul moment excitant était survenu une demi-heure auparavant : après qu'un coup de feu eut retenti au loin, Donovan avait autorisé un petit gros, de type mexicain, à entrer en cuisine. Quelques secondes plus tard, il avait indiqué à un homme armé la direction prise par celui qui l'avait précédé. Donovan ne savait pas trop ce qui s'était passé ensuite, mais le petit gros avait fini par sortir à toutes jambes des cuisines. Le mec au trench-coat, qui semblait passablement en rogne, n'était pas réapparu.

Lorsque l'homme au cuir noir à capuche se pointa devant le comptoir, Donovan le reconnut immédiatement. En outre, il eut la présence d'esprit de sortir une bouteille de Sam Cougar et un verre à shot sans attendre qu'on le lui demande. Il avait vu le Kid tuer

Jonah Clementine un peu plus tôt : il savait qu'il avait tout intérêt à ne pas jouer au malin.

Le Kid dévisagea Donovan. Le jeune type était terrifié. C'était précisément le genre de barman dont il avait besoin, au vu des circonstances. Un mec qui se contenterait de le servir, et se casserait aussitôt après. Le Kid appréciait ce type de service. Lorsque le barman posa bouteille et verre, le Kid lui adressa un simple acquiescement, et s'assit sur l'un des tabourets de bar. En guise de paiement, il décida de ne pas le tuer. Il passa une main sous sa veste de cuir, en sortit un paquet de cigarettes, et en fit dépasser une. Il en saisit le filtre entre les lèvres, et tira dessus. Avec une admiration mêlée d'horreur, le barman vit le bout de la cigarette briller, puis s'allumer spontanément. *Putain, qu'est-ce que c'est cool !* ne put-il s'empêcher de penser, avant d'aller à l'autre bout du comptoir nettoyer d'autres verres.

Le Kid but son bourbon. C'était du bon. En fait, il était si bon qu'il en but un peu plus que nécessaire. Puis il jeta son mégot par terre, quitta le tabouret et se dirigea vers le hall de réception. Il tenait nonchalamment la bouteille à la main et, tout en marchant, en buvait occasionnellement une gorgée. Un certain nombre de choses le tracassaient. Comme par exemple la question de savoir qui il buterait avec sa dernière balle. Cette décision dépendait de beaucoup de facteurs, mais comme il ne disposait que d'une cartouche, le choix de la cervelle qu'il éclaterait devait impérativement être le bon. Et il allait devoir sacrément bien viser.

Il venait de laisser la vie sauve à Julius, alors même que celui-ci lui avait dit toute la vérité le concernant. Le Kid était pourtant parvenu à la conclusion que ce faux James Brown avait une chance de remporter la première place : du moment qu'Emily ne gagnait pas et qu'elle ne signait pas ce contrat empoisonné, le Kid se foutait pas mal de ce qu'il adviendrait. Il était prêt à tout pour parvenir au but qu'il s'était fixé, et si cela impliquait de tuer quelqu'un, alors il le ferait sans la moindre hésitation. Et sans le moindre regret.

Le hall de réception était désert. Lorsqu'il l'avait traversé pour se rendre au bar, le calme régnait déjà, mais à présent, la désolation qui imprégnait les lieux était oppressante. Et singulière, qui plus est. Pas une réceptionniste à l'accueil. Pas un groom à l'entrée de l'hôtel. Téléphones, claviers, stylos et feuilles de papier avaient totalement disparu du comptoir de la réception, les ordinateurs avaient été éteints, et les moniteurs recouverts de housses. On aurait dit que les lieux étaient déserts depuis des semaines, voire carrément des mois, comme si toute l'équipe était partie en vacances. En fait, ils étaient sans doute tous dans l'auditorium, attendant le résultat du concours.

Le Kid avala une gorgée de Sam Cougar et s'immobilisa. L'oreille aux aguets. Son sixième sens était bien supérieur à celui du commun des mortels. Et il sentait que quelque chose était sur le point d'arriver.

Quelque chose de maléfique, tout près. Il en avait la profonde conviction, même avec tout le bourbon qu'il avait bu. Il s'essuya la bouche d'un revers de main, et sortit de sous sa veste son pistolet gris sombre. Il se mit à tourner doucement sur lui-même. L'alcool commençait à faire effet, le déséquilibrant insensiblement tandis qu'il tournait, son arme pointée sur les murs, l'œil à l'affût, attendant de voir ce qui se passerait.

C'est alors qu'il entendit un bruit.

Cela faisait déjà un bon moment qu'il se faisait entendre, mais le Kid venait tout juste de s'en apercevoir. C'était un grattement sourd et grave, qui provenait des portes vitrées de l'entrée. Il faisait noir comme dans un four dehors, et avec l'éclairage du hall de réception, il était impossible de voir à l'extérieur. Dès que le Kid prit conscience du bruit, celui-ci parut s'amplifier. Et il s'accompagna même d'un sifflement singulier.

Alors qu'il tentait de déterminer ce dont il s'agissait, la voix étouffée de Nina Forina parvint jusqu'au hall. Le tour de chant s'était achevé, et elle était en train de remercier le public d'avoir voté. Les résultats ne tarderaient pas. Le Kid devait rejoindre la régie pour pointer son pistolet dans la bonne direction. Mais avant cela, il lui fallait découvrir ce qui faisait ce foutu bruit dehors.

Il s'avança lentement en direction des portes de verre à double battant. Des éclats de verre crissèrent entre le marbre et ses semelles. Sur le seuil de l'entrée se trouvait un tapis cramoisi estampillé du nom de l'hôtel. Il marcha dessus afin de ne plus faire le moindre bruit, et s'avança encore de cinq pas vers les portes. Grattements et sifflements provenaient bel et bien de dehors : les bruits s'amplifiaient à chaque nouveau pas. Et plus il approchait, plus les sifflements se changeaient en murmures. Des voix qui chuchotaient. Impossible de savoir quoi.

Soudain, alors qu'il se trouvait à une trentaine de centimètres à peine de la paroi de verre, le visage ignoblement déformé d'une femme se plaqua contre le battant transparent, juste en face de lui. Comme à son habitude, il ne broncha pas. Au lieu de ça, il inspecta du regard cette horrible apparition. La peau du visage était noire, grossière comme du papier de verre. Jadis, cette créature avait peut-être été blanche de peau, mais il semblait à présent que sa tête avait été plongée dans de l'eau bouillante, puis dans un seau de goudron. Ses yeux rouges injectés de sang lorgnaient le Kid, et sa bouche béante mastiquait à vide, comme si la créature n'avait pas mangé depuis un an. C'était effectivement le cas.

Le Kid déposa la bouteille de Sam Cougar sur le tapis cramoisi, et colla son visage contre la paroi de verre. Il mit sa main en visière au-dessus de ses yeux afin de bloquer la lumière du lustre qui se trouvait dans son dos, et regarda plus attentivement le visage de la créature. Pas de doute, il s'agissait bien là d'une créature du mal : il l'aurait deviné même s'il n'avait pas tué deux choses similaires sur le parking, un peu plus tôt dans la soirée. Mais combien de ces créatures pouvaient bien se presser dehors ? Difficile à dire. On distinguait des formes mouvantes à l'extérieur, mais impossible de les dénombrer. À moins d'éteindre l'éclairage du hall de réception, on ne pouvait en avoir le cœur net.

Au loin, la voix de Nina éveillait dans le public une excitation croissante. Le Kid ne disposait que de très peu de temps pour agir. Bientôt les résultats seraient annoncés. Il fourra son pistolet dans la poche qui se trouvait à hauteur de sa cuisse droite, en veillant bien à

423

en laisser dépasser la crosse, afin de pouvoir dégainer rapidement si les circonstances l'exigeaient. Puis il alla jusqu'à l'accueil. Quasiment dans le même mouvement, il plaqua la paume de sa main droite sur le comptoir et bondit par-dessus. Fixé au mur juste derrière, se trouvait un tableau d'interrupteurs, trois relevés, trois centrés, et trois autres baissés. Le Kid abaissa les neuf interrupteurs, plongeant instantanément le hall de réception dans les ténèbres.

Il se retourna alors et regarda à travers les battants de verre de l'entrée. La situation était critique, ça sautait aux yeux. Il y avait des zombies partout. Ils grattaient aux portes, tâchant désespérément de se hisser les uns sur les autres pour se plaquer contre le verre, tandis que, derrière eux, d'autres congénères se tassaient sur les marches qui menaient à l'entrée. Les battants étaient constitués de verre blindé, clos par trois solides verrous en acier, en haut, en bas et au milieu. Pourtant, il était clair que la porte ne résisterait pas longtemps aux assauts des immondes créatures.

Le Kid sauta de nouveau par-dessus le comptoir et se rapprocha de l'entrée. Il ne se trouvait pas à un mètre des portes que déjà les morts-vivants remuaient frénétiquement, les yeux rivés à ce qu'ils considéraient comme leur toute première proie de la nuit. La simple vue de sa chair chaude et vivante les surexcitait. Impassible, le Kid se rapprocha plus encore des portes pour mieux y voir. Le temps lui manquait pour les compter un à un, mais, au bas mot, il devait bien y avoir plusieurs centaines de zombies, assoiffés de sang et luttant pour s'approcher de l'entrée.

Le Kid ramassa la bouteille de bourbon qu'il avait laissée par terre, porta le goulot à ses lèvres, et en avala une bonne lampée. Puis il sortit de sous sa veste son paquet souple, qu'il approcha de sa bouche pour en tirer une cigarette. La dernière. Il laissa tomber le paquet vide à ses pieds, sur le tapis cramoisi. Le Bourbon Kid était tout sauf spécialisé dans l'art de fuir un combat, mais, en l'occurrence, le rapport de force était de un contre cinq cents. En outre, il ne lui restait plus qu'une balle. Et elle était réservée à quelqu'un d'autre. Quelqu'un qui, sous peu, se trouverait en plein dans sa ligne de mire.

En considérant tout cela, le Kid inspira à travers le filtre, et sa cigarette s'alluma toute seule. La fumée emplit quelques instants ses poumons, avant d'être expulsée en direction des morts-vivants. Les volutes de fumée fouettèrent la surface de verre, puis remontèrent doucement au plafond en une brume bleutée. Cela aviva la fureur des créatures sur le seuil, qui se mirent à gratter et à pousser plus frénétiquement encore qu'auparavant. Les battants se mirent à trembler violemment. Le Kid tourna les talons pour se diriger vers le couloir qui menait à la régie. Les résultats du concours « Back From The Dead » allaient être annoncés d'un instant à l'autre, et il devait à tout prix se trouver derrière la console.

Le canon de son pistolet tendu vers sa cible.

55

Sanchez sentit un liquide froid lui éclabousser le
visage. Il ouvrit les yeux, battit des paupières, puis
essuya l'eau qui lui brouillait la vue. Il se rendit compte
qu'il était à moitié allongé sur un confortable fauteuil,
et qu'une petite foule réunie autour de lui était en train
de le scruter. Il reconnut la personne la plus proche. Il
s'agissait d'Emily, qui tenait à la main une bouteille
d'eau en plastique. Puis il entendit une voix familière
l'appeler par son prénom. « Sanchez ? Ça va ? »
C'était Elvis. Sanchez se redressa en position assise et
cligna encore un peu des yeux. À la limite de son
champ visuel, il surprit l'éclat de la veste dorée
d'Elvis, derrière Emily. « Où est-ce que je suis ?
demanda-t-il.

— Dans le petit salon des coulisses. T'as tourné de
l'œil, vieux. T'es tombé, et tu t'es cogné la tête par
terre. »

Ça semblait assez fidèle à la réalité. Sanchez avait
terriblement mal au crâne, et il sentait sans même le
toucher l'œuf de pigeon qu'il avait derrière la tête.
« Comment c'est arrivé ? » demanda-t-il.

Emily lui tendit la bouteille d'eau à moitié vide.
« On était en train de, de papoter, quoi, répondit-elle,

et, tout à coup, vous êtes devenu tout pâle, et vous êtes tombé.

— Ah. »

Sanchez ne savait pas trop quoi dire. Soudain, quelque chose lui traversa l'esprit. « Hé ! Le show est déjà fini ? Qui a gagné ? »

Elvis se pencha vers lui en le considérant par-dessus ses lunettes en or. « Mec, t'as dû rester incons-cient cinq minutes, à tout casser. Ils ont pas encore donné le nom du gagnant.

— Cool. Qu'est-ce que les jurés ont pensé de Julius ? Le dernier truc dont je me souviens, c'est qu'il venait de terminer sa chanson. Après ça, c'est le trou noir.

— T'aurais dû voir ce qui s'est passé après, dit Elvis. Mec, c'était vraiment à se pisser dessus de rire.

— Pourquoi ça ? Qu'est-ce qui s'est passé ?

— Alors, d'abord, Lucinda lui dit qu'il a été génial. Qu'elle a adoré.

— Ouais ! Parfait.

— Ouais, seulement après, Nigel "Agent Orange" Powell lui dit qu'il puait du cul.

— L'enculé.

— Tu m'étonnes. Mais c'est là que ça devient inté-ressant. Candy Perez se lève, et lui dit qu'il a été formi-dable.

— Ça, c'est une jurée qui connaît son boulot.

— C'est clair. Elle encourage même la foule à la soutenir en levant les bras. Et là, tu devineras jamais ce qui s'est passé.

— Quoi ? demanda Sanchez en frottant l'énorme bosse sur la partie postérieure de son crâne.

« — Tu vois la jolie petite veste blanche toute serrée qu'elle a sur le dos ? Eh ben, à force que Candy remue des bras, la fermeture éclair glisse toute seule et BAM ! *Ses nibs jaillissent !* T'aurais dû voir ça, mec. Qu'est-ce qu'on a rigolé. Ils ont même fait un gros plan sur l'écran géant et tout. Elle a une de ces paires de nichons, mon vieux, t'y croirais pas. »

Sanchez se sentit de nouveau pris de vertige. La voix inquiète d'Emily lui parut distante : « Il est en train de reperdre connaissance. Sanchez, tout va bien ? *Sanchez ?* »

Une autre poignée de minutes plus tard, une nouvelle salve d'eau dans la figure le réveilla.

« Qu'est-ce qui s'est passé ? coassa-t-il faiblement.

— T'as encore tourné de l'œil, répondit Elvis.

— Encore ? Ça fait combien de fois, en tout ?

— Deux, mec. On a essayé de te trouver un docteur, mais y a plus personne à la réception. On dirait qu'ils sont tous rentrés chez eux.

— Aïe, ma tête ! Pourquoi est-ce que j'ai mal comme ça ?

— T'es tombé et tu t'es cogné par terre à la fin du numéro de Julius.

— Ah ouais, c'est vrai. Qu'est-ce que les jurés en ont pensé ? »

Emily et Elvis se regardèrent, et ce fut Emily qui répondit. « Ils ont trouvé que c'était une très bonne prestation.

— Génial. Tant mieux.

— ENCULÉS DE VOS MÈRES ! »

Manifestement, Janis aussi se trouvait dans le salon des coulisses. « Ils vont donner le nom du gagnant », dit-elle en tirant sur la manche d'Elvis.

Le King jeta un regard à Sanchez : « Tu te sens en mesure d'aller voir ça ?

— Putain, carrément.

— Alors lève ton gros cul de là ! »

Elvis se précipita en direction de la scène en compagnie de Janis, laissant Sanchez avec Emily. Celle-ci lui tendit la main. Il se fit un plaisir de la saisir, et elle l'aida à se relever. Ce mouvement fit affluer d'un coup le sang à son cerveau, et il éprouva de nouveau un léger vertige.

« Ça va, votre tête ? demanda Emily.

— Ça fait un peu mal. C'est comme si la bosse palpitait, vous voyez ce que je veux dire ? Mais ça ira », répondit-il courageusement.

Sa vue était encore trouble, mais elle gagnait graduellement en netteté. Emily lui prit la main et le tira en direction de la porte qui donnait sur le côté de la scène.

« Venez, ou nous allons rater les résultats », lui dit-elle.

Sanchez rejeta soudain sa main et s'immobilisa. Ce mal de crâne semblait lui donner toutes sortes d'idées bizarres. Emily le considéra d'un air soucieux. « Qu'est-ce qu'il y a ? » demanda-t-elle.

Sanchez frotta de nouveau sa grosse bosse. Fallait-il vraiment lui dire ce qu'il avait sur le cœur ? *Et merde, allons-y. Au pire, ça peut pas faire de mal.*

« Euh, Emily, lança-t-il d'un ton hésitant. Je sais pas trop ce qui va se passer quand on annoncera le nom du gagnant, mais… » Il s'interrompit et inspira profondément. « Si c'est pas mon pote Elvis qui l'emporte, alors j'espère que ce sera vous. Vous êtes la meilleure des finalistes, et vous le méritez vraiment. »

Un superbe sourire illumina le visage de la jeune femme. « Merci beaucoup, dit-elle. Vous êtes la seule personne qui m'ait dit ça, et vous paraissez sincère. »

Sanchez haussa les épaules. « Ouais, enfin vous savez… » marmonna-t-il, gêné.

Emily reprit sa main et le tira de nouveau vers la petite volée de marches. « Venez, Sanchez. Il ne faut pas louper ça.

— Ouais, carrément. »

Un souvenir lui revint tout d'un coup en tête. « Tout à l'heure, vous étiez pas en train de me parler de Candy Perez ? »

Emily éclata de rire, mais ne répondit pas. Elle le conduisit jusqu'au gigantesque rideau rouge sur le côté de la scène. Nina Forina se tenait au milieu des planches, attendant que le rideau qui lui faisait face s'ouvre. Dans les coulisses, sur le bord de la scène, Elvis et Janis avaient rejoint Julius, Jacko et Freddie Mercury.

De la fosse d'orchestre s'éleva alors un roulement de tambour. Les rideaux s'ouvrirent enfin et Nina s'avança dans le puissant faisceau de la poursuite. Le public se mit à applaudir. Sanchez consulta sa montre. Il était presque 1 heure du matin. L'heure maléfique était sur le point de s'achever. Où étaient donc les zombies ? Et Angus ?

Tout en se posant ces questions fort inquiétantes, il jeta un coup d'œil à l'auditorium. Il ne restait pas une seule place de libre : hommes et femmes de tous âges, surexcités, attendaient la suite des événements. Sans se douter que la suite des événements s'accompagnerait très probablement d'un vrai bain de sang.

Sanchez leva les yeux et aperçut dans la régie de verre le DJ en train de manipuler une série de boutons. Quelqu'un se tenait à côté de lui. Sanchez plissa les yeux. À cause de sa légère commotion, de petits flashs et des points noirs occultaient parfois son champ visuel. Pourtant, il avait cru voir quelque chose. Quelque chose de très inquiétant. Était-ce ses yeux qui lui jouaient des tours ? Ou y avait-il vraiment un homme armé à côté du DJ ? Il cligna plusieurs fois des yeux avant de reporter son regard sur la régie. Non, ce n'était pas le fruit de son imagination. Planté à côté du DJ se trouvait bel et bien un homme tout vêtu de noir, la tête recouverte d'une capuche. Et au bout de son bras qui pendait le long de son corps, dans le creux de sa main, il tenait quelque chose qui ressemblait furieusement à un pistolet.

Sanchez s'apprêtait à saisir le bras d'Emily afin d'attirer son attention sur cette sinistre silhouette lorsque l'homme armé se recula soudain dans les ténèbres. Sanchez l'avait déjà vu auparavant. Qui était-ce au juste ? Et que faisait-il dans la régie ?

Avec un pistolet ?

56

Emily était encore plus nerveuse que lors de son audition. C'était même pire que la première fois qu'elle avait chanté face à un public. À vrai dire, en termes de stress, ça dépassait absolument tout ce qu'elle avait pu vivre.

Face à la foule qui emplissait l'auditorium, Nina Forina attendait le signal de Nigel Powell. Emily était convaincue que celui-ci faisait exprès de faire mariner le public. Il se décida pourtant à adresser un acquiescement à Nina, avant qu'une émeute éclate. La présentatrice attendit quelques secondes, et lorsque le silence fut complet, elle reprit la parole.

« OK, tout le monde. Je suis extrêmement heureuse de vous soumettre les résultats de notre concours "Back From The Dead", que j'ai justement ici. »

Elle tenait en effet une petite enveloppe dorée et brillante dans sa main. Tous les yeux de l'auditorium s'y rivèrent instantanément. Le destin d'Emily se trouvait dans cette enveloppe. Les soins dont bénéficierait sa mère dépendaient entièrement de ce qu'elle contenait.

La foule était au bord de la crise de nerfs, et Nina fit monter la pression d'un cran en ouvrant l'enveloppe avec une lenteur atroce, avant de jeter un coup d'œil espiègle à l'intérieur. Emily parvenait à distinguer la petite carte blanche et rectangulaire qui se trouvait dedans, mais elle se trouvait trop loin pour déchiffrer ce qui y était écrit. Nina, elle, la regarda longuement. Elle finit par la sortir à moitié de l'enveloppe, et releva les yeux en direction du public. Certains spectateurs furent alors pris d'une quinte de hurlements digne d'un concert des Beatles au début des années 1960. Après avoir savouré un peu trop longuement ce moment, Nina sortit complètement la carte. Emily tendit le cou dans l'espoir d'y déchiffrer quelque chose. Mais Nina n'était pas née de la dernière pluie. Comme si elle était assise à une table de poker, elle gardait la carte tout près de sa poitrine et posait un regard torve sur les résultats. Après un long moment, elle écarquilla les yeux. L'ensemble du public vit sa réaction, relayée par l'écran géant qui diffusait un gros plan de son visage. Elle porta la main à sa poitrine, comme si ce qu'elle venait de lire lui avait littéralement coupé le souffle. Emily se demanda ce qui pouvait bien lui causer une telle stupéfaction. Nina était peut-être sincèrement surprise par les résultats : Emily étant la favorite, cela n'augurait rien de bon. À moins que la présentatrice ne joue la comédie, à seule fin de faire durer le suspense. Une seule chose était sûre : Emily craignait de mourir d'asphyxie à force de retenir son souffle.

La foule à présent sérieusement survoltée laissa éclater une nouvelle rafale de cris et de hurlements, et après leur avoir fait signe de se taire, Nina s'éclaircit la voix.

« Mesdames et messieurs, voici les résultats de la finale du concours "Back From The Dead". En sixième place… *Freddie Mercury.* »

De nombreux spectateurs ne purent contenir leur surprise. Bien que Freddie n'eût pas fait partie des favoris, la majorité du public s'attendait à ce qu'il décroche une meilleure place dans le classement final. Freddie monta sur scène et salua l'auditorium, qui l'applaudit très bruyamment. Dans son dos, Emily entendit une voix (incroyablement similaire à celle de Sanchez) murmurer quelque chose du genre : « Bien fait pour sa gueule. Sale petit con prétentieux. »

Freddie embrassa Nina sur la joue et prit place sur l'estrade qui se trouvait au fond de la scène. À la fois par politesse et sous le coup de la déception, la foule l'applaudit de nouveau très vigoureusement. Mais le plus important restait à venir : les noms des cinq premiers, et, en particulier, celui du gagnant ou de la gagnante. Les spectateurs se mirent à hurler le nom de leur chanteur préféré. Nina attendit le retour du silence avant de poursuivre.

« Mesdames et messieurs, je vous prie d'applaudir bien fort la personne arrivée en cinquième place. » Elle consulta de nouveau les résultats. Emily était convaincue que cette ultime vérification n'avait d'autre utilité que de faire attendre le public quelques secondes supplémentaires. Nina annonça soudain : « Attention… *Janis Joplin !* »

Les spectateurs applaudirent, sifflèrent et crièrent leurs jurons préférés, tandis que Janis, assez déçue, montait sur scène. Elle salua poliment, embrassa Nina, cria « Enfoirés ! » au public, et alla rejoindre Freddie Mercury sur l'estrade du fond.

De nouveau, l'auditorium fut plongé dans un silence où la tension était presque palpable. Parmi le petit groupe de concurrents qui se trouvait sur le côté de la scène, le stress atteignait les limites du supportable. Emily observa chacun des finalistes, afin de voir comment ils géraient la situation. Julius ne cessait d'essuyer ses mains dégoulinantes de sueur sur son costume. Pourquoi était-il encore ici ? Nigel Powell avait promis de le virer de la compétition. Manifestement, Julius avait réussi à convaincre Powell de le laisser participer jusqu'au bout. Emily se demandait bien par quel miracle.

Le Blues Brother, Jacko, ne laissait pas paraître grand-chose : les lunettes noires qui dissimulaient ses yeux lui facilitaient la tâche. Elvis, en dépit de tout son aplomb naturel, semblait légèrement sur les nerfs, en tout cas du point de vue d'Emily. Sa mâchoire inférieure ne cessait de remuer, comme s'il mâchonnait un chewing-gum imaginaire. La seule personne présente sur le côté de la scène qui paraissait ne pas se soucier des résultats était Sanchez. Il regardait fixement Candy Perez. Dans les coulisses, il avait entendu quelqu'un prétendre que sa veste en cuir s'ouvrirait très certainement « de nouveau ». Il n'avait pas bien saisi la pertinence de ce « de nouveau », mais s'il existait une chance, même infime, pour que les deux trésors de Candy apparaissent spontanément, il était hors de question de la lâcher des yeux pendant plus d'une seconde.

Une énième fois, Nina attendit que la foule se taise avant d'annoncer le nom du prochain concurrent malheureux. *Du prochain perdant, quoi*, pensa Emily.

« Mesdames et messieurs, en quatrième place, et sous vos applaudissements… *Elvis Presley !* »

Elvis pâlit soudain. Ses lèvres étaient pincées et ses poings serrés. Ses lunettes en or cachaient certainement le regard le plus furieux qu'il ait jamais dardé. Il s'avança sur scène avec un roulement d'épaules patibulaire, regarda en direction de Nigel Powell en affichant un sourire mauvais. Il parvint à saluer la foule sans que le cœur y soit vraiment, et alla directement rejoindre l'estrade des perdants, sans même échanger la bise de rigueur avec Nina.

Seuls trois concurrents restaient en lice.

« Et voici le trio final, déclara Nina lorsque les applaudissements se furent tus. Qui pense que c'est le Blues Brother qui va gagner ? »

Un gigantesque cri s'éleva de la foule.

« Est-ce que certains préféreraient voir Judy Garland en haut du podium ? »

Un autre cri, tout aussi énorme.

« C'est vrai ? Et qui penche plutôt pour James Brown ? »

Une nouvelle clameur déchaînée retentit dans l'auditorium. Une chose était certaine : les résultats allaient être serrés. À l'applaudimètre, Emily n'était pas parvenue à discerner le favori de la foule. Le public l'avait-il acclamée aussi fort que Julius et Jacko ? Impossible à dire.

Nina jeta un énième coup d'œil à la carte blanche, et se mordit la lèvre. Puis elle afficha un sourire nerveux.

« Applaudissons bien fort le concurrent qui arrive à la troisième place… *James Brown !* »

Le public se tut un bref instant, stupéfait, avant de laisser tonner un orage d'applaudissements. Emily vit

Julius ouvrir grand la bouche. Il était absolument hébété, incapable de bouger. Emily fut submergée par un regain d'excitation. Son rêve était à présent à portée de main. Dans moins d'une minute, elle saurait si elle avait gagné. Elle s'écarta pour laisser passer Julius. Pour rien au monde, elle n'aurait voulu se retrouver trop près de cet homme qui avait voulu la faire abattre. Jacko tapota l'épaule du sosie de James Brown, toujours immobile, et dit dans un murmure presque inaudible : « C'est moche pour toi, tête de nœud. » En silence, Emily adhéra à 100 % à sa remarque.

Placé derrière Emily, Sanchez assista à la scène. Nina, en annonçant que Julius avait perdu, avait réussi à l'arracher à sa transe hypnotique. Il s'était concentré si fort sur les seins de Candy, tâchant de les faire sortir de la veste moulante par la seule force de sa pensée, que, jusqu'ici, il n'avait pas prêté la moindre attention aux résultats. Pourtant, en entendant que Julius écopait de la troisième place, il avait détourné le regard pour voir comment le prenait le faux James Brown. Très mal, en fait. Il restait planté là, pétrifié, telle une statue de sel. Jacko lui tapota l'épaule et lui dit quelque chose. Sanchez y alla également de son petit conseil.

« Il faut que t'ailles rejoindre les autres perdants sur l'estrade », chuchota-t-il à l'oreille de Julius.

Le chanteur anéanti ne parut pas l'entendre, aussi Sanchez le poussa-t-il vigoureusement, le projetant de l'autre côté du rideau, sur les planches. Julius s'avança vers Nina en saluant mollement le public. Son attitude entière indiquait clairement qu'il était le plus déçu des finalistes, et de loin. Pourtant, contrairement à Elvis, il parvint à planter un baiser fugace sur la joue de Nina.

Puis il rejoignit l'estrade du fond, au bout de la file, à côté d'Elvis.

À présent tout à fait alerte (tout du moins, aussi alerte qu'il pouvait l'être), Sanchez réfléchit à ce qui s'ensuivrait. *Putain, et qu'est-ce qui va se passer, maintenant ?* se murmura-t-il. Il essaya d'attirer l'attention d'Elvis en se dressant sur la pointe des pieds et en secouant discrètement les mains, mais, visiblement, le King n'avait pas encore tout à fait avalé sa défaite et regardait fixement dans le vide.

Les ovations se turent, et Nina reprit la parole.

« Mesdames et messieurs, déclara-t-elle d'un ton très sérieux. Il ne reste plus que deux finalistes à présent. Est-ce qu'ils peuvent venir me rejoindre, tous les deux ? »

Emily et Jacko s'avancèrent sur la scène, soulevant un concert d'acclamations. Ils prirent position de part et d'autre de Nina, qui les embrassa tous les deux sur la joue. Elle avait remis la carte où figuraient les résultats dans son enveloppe dorée, afin que personne ne puisse la lire.

« Très bien !… Silence, s'il vous plaît !… » hurla-t-elle.

Une dernière fois, la foule fut plongée dans un silence tendu, ponctué cependant des commentaires sporadiques de quelques pochtrons.

C'est alors que Nina annonça le résultat final.

« Pour cette édition de notre concours "Back From The Dead", la victoire – oui, j'ai bien dit la victoire – revient à… »

57

Sanchez ne savait vraiment pas quoi faire. *Julius n'avait pas gagné.* PAS. GAGNÉ.

Et Sanchez eut tout le temps de réfléchir à ce problème majeur, car cela faisait déjà une bonne minute que Nina avait déclaré : « Pour cette édition de notre concours "Back From The Dead", la victoire – oui, j'ai bien dit la victoire – revient à... » Après ces mots, avait retenti un roulement de tambour qui n'avait toujours pas cessé. Sanchez s'attendait presque à voir un lapin rose géant dans la fosse d'orchestre, en train de martyriser sa caisse claire dans des dodelinements, parce que, manifestement, le vacarme n'était pas destiné à s'interrompre de sitôt. Sanchez consulta de nouveau sa montre. Ce fichu contrat devait être signé avant 1 heure du matin.

Et il était 00 h 55.

Les spectateurs étaient comme pris de folie : ils hurlaient des encouragements à leur favori, et des injures au batteur. Tout d'un coup, le roulement de tambour se tut. Un silence absolu tomba sur l'auditorium. Nina finit alors sa phrase :

« ... *le Blues Brother !* »

Un rugissement d'approbation s'éleva du public. Nina, qui tenait les deux finalistes par la main, dressa en l'air celle de Jacko afin de signifier sa victoire. À droite de Nina, celui-ci sourit et leva également sa main droite pour remercier le public de l'avoir choisi. À gauche de Nina, Emily baissait la tête, terrassée par la déception. Puis, avec une grâce et une classe infinies, elle lâcha la main de la présentatrice pour féliciter Jacko. Elle le serra dans ses bras, puis alla rejoindre la troupe des perdants sur l'estrade du fond de scène.

Sanchez hocha la tête, et ses pensées revinrent à ce qui allait se passer à présent. C'était Julius qui était censé signer ce contrat. Mais Julius n'avait pas gagné, et il n'allait quand même pas pousser Jacko de côté pour signer le contrat à sa place. Alors qu'allait-il faire ? Et si la réponse était « rien du tout », Elvis avait-il un plan ? Parce que là, Sanchez était fin prêt à rentrer chez lui. Genre, tout de suite.

De nouveau, il remua frénétiquement les bras dans l'espoir d'attirer le regard d'Elvis. Il était grand temps de se casser de ce putain d'hôtel. Elvis finit par remarquer les gestes désespérés de son ami, et lui répondit par un acquiescement. Avec un peu de chance, il pensait exactement à la même chose. Le King saisit le bras de Janis Joplin, lui chuchota quelque chose à l'oreille, et tous deux quittèrent la scène pour rejoindre Sanchez.

« T'es prêt à foutre le camp d'ici ? demanda le patron du Tapioca.

— Putain, tu m'étonnes, répondit Elvis. Mais attendons juste une minute. Histoire de voir ce que va faire Julius. »

440

Sanchez avait vraiment hâte de dégager le plus vite et le plus loin possible. À présent qu'il avait Elvis à ses côtés, il savait que ses chances de s'en sortir vivant venaient d'augmenter considérablement. Se foutant à présent complètement de ce qui pourrait bien se passer sur la scène, il se dirigea vers la volée de marches qui donnait sur le couloir menant au hall de réception. Alors qu'il descendait, il entendit un bruit de verre brisé. Ça venait du hall. *Quelqu'un avait dû casser une fenêtre dans cette zone.* En arrivant au bas de la volée de marches, il entendit des bruits de pas, des tas de bruits de pas, qui avançaient dans sa direction. Et plutôt rapidement.

Il s'arrêta sur le seuil de la porte et jeta un coup d'œil dans le couloir, vers le hall de réception. Sa mâchoire inférieure tomba, et son cœur s'arrêta de battre un bref instant. Les zombies du désert avaient fracturé la porte à double battant de l'entrée, et pénétraient à présent dans l'hôtel par centaines. Ils se pressaient dans toutes les directions, en quête de chair dont ils pourraient se repaître. Sanchez tourna les talons et remonta les marches pour se précipiter vers la scène. L'idée de devenir un apéritif était loin de le charmer. D'autant plus qu'il ferait un apéritif franchement conséquent, de quoi contenter plusieurs morts-vivants. Son instinct avait repris le dessus, le poussant à faire ce en quoi il excellait : fuir le danger.

En haut des marches, Elvis et Janis assistaient à la suite des événements. Nigel Powell avait quitté son siège et tenait dans les mains ce qui ne pouvait être que le fameux contrat. La vision de cauchemar dans le hall de réception avait frappé Sanchez d'un mutisme passager. Il s'immobilisa derrière Elvis et inspira plusieurs fois à pleins poumons. Le King ne l'avait pas remarqué. Il parlait à Janis.

« Dès que quelqu'un aura signé ce contrat, faudra qu'on foute le camp d'ici, baby, lui dit-il.

— Tu veux pas rester pour le rappel ? demanda Janis.

— Nan, faut vraiment qu'on se casse. Le mec qui a gagné va signer un contrat avec le diable. Va lui vendre son âme. Deviendra une âme damnée.

— *Quoi ?*

— Je suis sérieux, ma belle. Et puis y a aussi tout un tas de putains de zombies qui se dirigent droit sur cet hôtel. Ils vont tous nous tuer, à moins que James Brown signe ce foutu contrat.

— Mais le Blues Brother a gagné à la régulière », protesta Janis.

Sanchez retrouva enfin sa voix : « Elvis ! Les zombies ! Ils sont déjà ici ! Ils sont dans ce putain d'hôtel ! »

Elvis se retourna pour considérer Sanchez, puis jeta un coup d'œil à sa montre. « Merde ! Minuit cinquante-sept. »

Sanchez porta son regard sur la scène. « Si c'est Jacko qui signe le contrat, les zombies resteront ici pour nous tuer, c'est ça ? »

Elvis acquiesça. « C'est ce que disait Gabriel.

— Mais s'il l'a toujours pas signé à 1 heure du mat', alors cet hôtel à la con s'enfoncera dans les flammes de l'enfer, et on crèvera tous, pas vrai ?

— Exact.

— Alors pourquoi on est encore ici ?

— Parce que si c'est Julius qui signe, on a une chance de s'en tirer.

442

— Qu'est-ce qui se passe si c'est Julius qui signe ? Je crois me souvenir que Gabriel a pas été super clair, là-dessus.

— Putain, mec, je t'en pose des questions, moi ? lança Elvis, exaspéré. Écoute, je suis pas très sûr de ça, mais il me semble qu'y a que Julius qui peut briser la malédiction. Même si j'ai pas la moindre idée de ce que ça peut être, comme malédiction. »

Janis les regardait comme s'il s'agissait de deux aliénés patentés. « Mais qu'est-ce que vous – *merde, putain, enculé* – êtes en train de raconter ?

— Pas le temps de t'expliquer, répondit Elvis. Faut qu'on empêche ce type de signer !

— Trop tard », dit posément Janis en pointant la scène du doigt.

Nigel Powell se tenait à présent au beau milieu des planches, à côté du Blues Brother, face au public. Il tenait le contrat maléfique, Jacko avait un stylo à bille à la main. *Prêt à passer un pacte avec le diable. Prêt à vendre son âme.*

Jacko enleva ses lunettes noires et les rangea dans la poche de poitrine de sa veste. Puis il tendit la main et attrapa l'une des extrémités du contrat que tenait Powell. Il releva son stylo, signalant qu'il ne trouvait pas l'endroit où il était censé signer.

Elvis hocha la tête en détournant les yeux. « Le pauvre con, soupira-t-il. Il sera damné à jamais.

— Je préfère que ce soit lui que moi », marmonna Sanchez.

Powell consulta sa montre. Son regard trahit son impatience de voir de l'encre sur le papier. Le contrat était un vrai monstre d'au moins 5 centimètres d'épaisseur. Jacko n'avait pas le temps de le lire en entier. Le message semblait être en substance : *Signe, un point c'est tout*. Jacko approcha le stylo du contrat, prêt à céder son âme, et Sanchez et Elvis se figèrent, se demandant ce qui s'ensuivrait. Et ce qu'ils devraient faire.

Sanchez entendit alors un bruit dans son dos. Il tourna la tête et vit deux zombies passer en courant devant la volée de marches, en contrebas. *D'ici une minute, ce putain d'hôtel grouillera de ces pourritures*, pensa-t-il. Il reporta son regard sur la scène.

Juste à temps pour voir Julius réagir enfin.

Quittant l'estrade des perdants, le chanteur au costume violet se précipita vers Jacko et Powell. « ARRÊTEZ ! hurla-t-il. *Ne signez pas !* »

Il bouscula au passage Nina Forina, manquant de peu de la jeter à terre. Powell pressa Jacko de signer.

« Ne faites pas attention à lui. Vite, signez ! »

Du haut de l'auditorium, un autre fracas de verre brisé retentit soudain. Il ne fut pas aussi bruyant que celui que Sanchez avait entendu une minute auparavant, mais cela suffit à le faire sursauter. Il se retourna en direction du bruit, juste à temps pour voir la vitre principale de la régie tomber en morceaux sur les spectateurs, telle une cascade de cristaux de glace.

Sur la scène, Julius attrapa Jacko par le col de sa veste, dans l'espoir de le tirer à lui avant qu'il signe le contrat. Il garda le pan de tissu moins d'une seconde dans sa main.

BANG !

Paralysé par la terreur, Sanchez vit la tête de Julius exploser. Un trou net perça son front et, une fraction de seconde plus tard, la partie postérieure de sa tête éclata, répandant sur les planches une nuée de sang et de cervelle. Dans un bruit particulièrement répugnant, un énorme bout de matière molle et humide atterrit sur la robe argentée de Nina Forina. Des taches écarlates lui éclaboussèrent le visage, et elle poussa un cri d'horreur. Le hurlement suraigu en suscita des centaines d'autres chez les spectateurs terrorisés qui assistaient à la scène.

Sanchez vit le corps sans vie de Julius tomber sur les planches dans un bruit sourd et sinistre. Le sang qui giclait de sa tête coulait sur ce qui restait de son visage pour se répandre sur la scène. Sa perruque, arrachée par la force de l'impact, était tombée dans la flaque de sang, dont elle s'imbibait peu à peu. Ses yeux morts croisèrent un instant ceux de Sanchez, avant de se révulser pour ne plus laisser paraître que leurs blancs. *Putain, c'est au moins la cinquième fois que ça arrive aujourd'hui*, se dit Sanchez. Pris de nausée, et tout à fait terrifié, il jeta un coup d'œil à l'homme qui avait tiré de la régie. Sanchez put voir qu'il s'agissait du type habillé en noir, au visage dissimulé sous sa capuche, qu'il avait croisé plus tôt dans le couloir, et qu'il avait vu entrer dans la régie juste avant l'annonce des résultats. *En tout cas, ce mec-là, je risque pas de l'oublier*, pensa Sanchez.

Il tira violemment sur la manche dorée d'Elvis et pointa la régie du doigt. « Ce mec a tiré sur Julius !

— Sans déconner, Sherlock.

— Tu crois qu'il est mort ?

— Vu que sa cervelle est répandue aux quatre coins de cette foutue scène, je crois que je vais être dans l'obligation de dire que, bien sûr, il est mort, espèce de gros con.

— Mais c'est le treizième apôtre ! »

Tout naturellement, Janis Joplin semblait un peu perdue. « De quoi ? demanda-t-elle.

— C'était le treizième apôtre, corrigea Sanchez en désignant d'une main tremblante le cadavre de Julius. Il était le seul à pouvoir nous sauver, et maintenant il est mort. On est complètement foutus ! »

Janis fronça les sourcils. « Arrête d'être con. Ça voudrait dire qu'il a plus de 2 000 ans.

— Moi, je suis prêt à le croire, répliqua Sanchez.

— Ah ouais ? Pourtant on dirait qu'il a à peine 30 ans. Trente-cinq, à tout casser.

— Et alors, ça semble logique, non ? C'est un apôtre. »

Janis refusait tout bonnement de croire un seul mot de cette histoire. « Tu veux dire que les apôtres ont, genre, droit à de la crème anti-âge gratuite ?

— Peut-être bien. »

Sanchez ne voyait pas trop sur quoi cette conversation allait déboucher.

« Bah, c'est vraiment con qu'il en ait pas profité pour prendre de la lotion antichute de cheveux. »

À son tour, Sanchez fronça les sourcils. Lorsqu'elle ne jurait pas à tort et à travers, Janis pouvait être extrêmement sarcastique. « Écoute, reprit-il, le mec qui nous a raconté tout ça en connaît un rayon sur ce genre de trucs. Pas vrai ? » Sanchez détourna le regard en direction d'Elvis.

« Ouais, répondit celui-ci. Quoique, au final, j'en sais trop rien, mec. Si ça se trouve, c'était des conneries, tout ça.

— En tout cas, Gabriel y croyait.

— Ouais, en même temps, si tu lui avais dit que Joan Rivers avait 21 ans, il t'aurait cru. »

Sanchez éprouva un regain de terreur. Gabriel s'était-il laissé duper par Julius ? « Alors cette histoire de treizième apôtre, c'est du flan ?

— Je crois bien, répondit Janis. Même si j'ai lu un truc à ce sujet, une fois. Il paraîtrait qu'il est enterré quelque part en Afrique, ou un truc du genre.

— C'est peut-être ce mec », dit Elvis en pointant Jacko, qui venait de signer le contrat que Powell lui avait tendu.

Il était de plus en plus difficile de s'entendre. La majorité du public criait. En fait, à l'exception de Powell et de Jacko, à peu près toutes les personnes présentes sur scène hurlaient et couraient dans tous les sens, terrifiées par la vision du cadavre de Julius, ainsi qu'à l'idée que le tireur de la régie pouvait faire feu de nouveau. Cette fois-ci, sur eux.

En cherchant à fuir, les spectateurs trouvèrent une autre raison de hurler d'horreur. Ils étaient littéralement enfermés dans l'auditorium : chaque issue était bloquée par des attroupements de zombies.

Le carnage ne faisait que commencer.

58

Nigel Powell jeta un œil à sa montre. 00 h 59. Juste à temps. Le show avait été un vrai désastre, de bout en bout. Il se promit de ne plus jamais empiéter de la sorte sur les horaires. Il faudrait recruter de meilleurs agents de sécurité pour l'année prochaine. Et prévoir un emploi du temps plus strict. Enfin, tout était bien qui finissait bien. Jacko avait signé le contrat. Baisser de rideau.

La prochaine fois, les sosies de James Brown seraient strictement interdits. Julius avait failli foutre en l'air le concours comme personne avant lui. Mais qui était-il en vérité ? Et pourquoi souhaitait-il gagner à ce point ? Alors qu'il passait en revue les réponses possibles, une autre question lui traversa l'esprit. *Qui avait buté Julius ?* Bien entendu, Powell lui-même avait ordonné à son service de sécurité de le trouver et de lui offrir un aller simple pour le désert. Mais il n'avait dit à personne de tirer sur Julius si celui-ci tentait de s'emparer du contrat. Enfin, il aurait tout le temps de demander un rapport sur les événements. Pour l'instant, il savourait sa victoire : un énième couillon venait de passer un pacte avec le diable.

Il fallait quand même reconnaître que le calme apparent de Jacko était très impressionnant. Le jeune chanteur avait vu la tête de Julius voler en éclats sans même hausser un sourcil. Et même à présent que les zombies étaient en train de tailler en pièces les spectateurs, il semblait tout à fait détaché de ce qui l'entourait. Ses habits, tout comme ceux de Powell, étaient maculés de sang. Le costume blanc du patron de l'hôtel était irrémédiablement fichu. Mais les taches passaient quasi inaperçues sur la veste noire de Jacko. Peu importait de toute façon : Powell se moquait de perdre un costard. Ça valait toujours mieux que de se retrouver à la place de Jacko. Il savait pertinemment ce qui attendait à présent le vainqueur du concours, et c'était tout sauf joli.

« Désolé pour ça », dit Powell en indiquant le cadavre ensanglanté qui gisait derrière eux. Son dégoût se lisait sur son visage. « Mes félicitations pour votre victoire. Vous l'avez bien méritée.

— Merci, répondit Jacko en souriant. Plutôt bizarre, cette journée, hein ?

— Je ne vous le fais pas dire. »

L'attention de Powell se porta sur deux agents de sécurité qui se trouvaient un peu plus loin. Comme toutes celles et tous ceux qui se trouvaient sur la scène, ils contemplaient, horrifiés, les ravages des zombies dans le public.

« Hé, les gars ! leur lança Powell en faisant porter sa voix. Restez sur scène, OK ? Les zombies ne monteront pas ici. »

Puis il tourna la tête vers l'auditorium. Des flots de zombies se déversaient par toutes les issues, agrippant des spectateurs qui hurlaient, croquant de pleines bouchées de chair fraîche. C'était un spectacle ignoble, mais Powell y était habitué. Il y avait assisté à de nombreuses reprises. Les zombies aimaient attaquer en bande : ils encerclaient les proies vulnérables qui avaient le malheur d'être séparées de leur groupe. Les créatures putréfiées se réunissaient en bande de trois ou quatre, et s'en prenaient aux malchanceux. On entendait les cris aigus de femmes qui se faisaient arracher bras et jambes par une meute de mutants anthropophages. Les jeunes hommes également hurlaient comme des enfants, tandis que les morts-vivants leur arrachaient les yeux, mordaient dans leurs cuisses et les dépouillaient de leurs vêtements.

Contemplant d'un regard absent cette scène d'horreur, Powell poussa un soupir de soulagement en se disant qu'il avait frôlé la catastrophe à une minute près. Il observa encore un instant le massacre, esquissant même un mince sourire, et se retourna vers Jacko.

« Ne vous souciez pas de ces goules, dit-il. Ces… ces choses partiront dès qu'elles auront vu le contrat signé de votre nom.

— J'en suis pas si sûr », répliqua froidement Jacko en considérant le carnage.

En tant que créateur, producteur et juré principal du concours, Powell s'était habitué au fil des ans à ce que les gagnants, immanquablement, soient choqués au plus haut point par l'apparition subite des morts-vivants, et par la boucherie qui s'ensuivait. Il se souvint de la gagnante de l'année précédente, une imitatrice de Dusty Springfield. Elle avait hurlé sans discontinuer, prise d'une véritable crise d'hystérie. Powell n'était pas parvenu à la calmer, et avait accueilli avec un soulagement infini l'arrivée de l'homme en rouge. Celui-ci avait alors tendu une main en direction de la poitrine de la gagnante, et lui avait arraché son âme. Jamais agréable à voir. Mais inévitable.

L'apparition de cette maléfique relation de travail dans un miroir était toujours le signe que la soirée toucherait bientôt à son terme. Powell consulta de nouveau sa montre et sourit à Jacko. D'un moment à l'autre, l'homme en rouge se matérialiserait silencieusement dans quelque recoin sombre, tendrait ses mains spectrales vers la poitrine de Jacko, et lui prendrait son âme. Le fait que le chanteur ne criait pas d'horreur, à l'instar de la majorité de ses prédécesseurs, facilitait considérablement la tâche de Nigel Powell.

Juste au moment où la montre de Powell sonna, indiquant qu'il était 1 heure du matin et que l'heure maléfique venait de s'achever, l'homme en rouge apparut au fond de la scène, souriant comme un enfant livré à lui-même dans la boutique d'un confiseur. Jacko, qui lui tournait le dos, ne le vit pas s'approcher. Powell tenta de son mieux de faire diversion, tandis que le grand homme noir, avec son grand sourire immaculé, son costume et son chapeau rouges, se dirigeait vers eux.

« Vous savez, dit Powell d'un ton très affable, en posant sa main sur l'épaule de Jacko, personnellement, j'étais convaincu que Judy Garland l'emporterait, mais vous avez vraiment fait honneur aux Blues Brothers, avec votre reprise de "Sweet Home Chicago".

— Reprise, mon cul ! lâcha Jacko.

— Je vous demande pardon ? »

L'attitude distante, presque arrogante, de Jacko depuis sa victoire rendait Powell un peu perplexe.

« *Une reprise ?* C'était tout sauf une reprise. C'est les Blues Brothers qui l'ont reprise. Pas moi. » D'un coup d'épaule, Jacko écarta la main de Powell.

« Hein ? » Powell était complètement perdu. « Comment ça ? Pourtant, "Sweet Home Chicago", c'est bien une chanson des Blues Brothers ? Je me souviens de les avoir vus la chanter dans le film.

— Oui, elle était bien dans le film. Mais ce n'est pas eux qui l'ont écrite.

— Ah ! d'accord. Je vois où vous voulez en venir. Alors qui l'a écrite ? »

Jacko retira son chapeau et l'enfonça fortement sur la tête de Powell. Puis il décocha un clin d'œil à son nouvel employeur.

« C'est *moi* qui ai écrit "Sweet Home Chicago" », répondit-il.

Le patron de l'hôtel resta planté sur place, à essayer de comprendre ce que Jacko voulait dire par là. Soudain, un frisson glacial lui parcourut l'échine, et son visage s'allongea. Il baissa les yeux sur l'énorme contrat qu'il tenait toujours, et le feuilleta à toute vitesse. Arrivé à la dernière page, son regard se fixa instantanément sur la signature qui figurait tout en bas. Le nom dont Jacko avait signé se découpait très nettement sur le papier blanc. Chaque lettre était un coup de poignard que Powell recevait en plein cœur.

Robert Leroy Johnson

Il releva les yeux sur le jeune homme qui se tenait en face de lui. Jacko n'était plus seul. Elvis, Sanchez et Janis s'étaient approchés pour voir ce qu'il se passait. Et plus inquiétant encore, l'homme en rouge les avait rejoints, et avait même passé son bras autour des épaules de Jacko.

« Heureux de vous revoir, monsieur Johnson », dit-il en souriant à Jacko.

Powell était abasourdi. Il regarda Jacko droit dans les yeux, incapable de masquer sa stupéfaction. « *Vous êtes* Robert Johnson ? Le *bluesman* ?

— Celui-là même.

— Mais… mais vous n'avez pas déjà vendu votre âme au diable, il y a une centaine d'années ? »

L'homme en rouge écarta son bras des épaules de Jacko, et posa une main sur l'épaule gauche de Nigel Powell. « Mais très certainement, cher monsieur Powell. Il me l'a vendue très précisément en 1931. » En dépit de son large sourire, son ton était aussi froid et aussi tranchant que l'acier.

Les mains de Powell se mirent à trembler. « Alors ce contrat est nul et non avenu. Vous ne pouvez pas lui vendre quelque chose qu'il possède déjà ! »

Jacko lui adressa un nouveau clin d'œil. « Ça a été un plaisir de faire ta connaissance. Mais faut que j'y aille, mon vieux. »

59

Au cours de sa vie, Sanchez avait vu tout un tas de conneries complètement timbrées. Le fait que Jacko, le Blues Brother, n'était autre que Robert Johnson, le mec qui avait vendu son âme au diable dans les années 1930, ça, c'était une sacrée histoire. Mais étant donné que, quelques minutes auparavant, il avait cru à l'existence d'un treizième apôtre toujours en vie qui gagnait sa croûte comme sosie de James Brown, Sanchez accepta l'idée que cette histoire puisse être vraie.

Dans le bar qu'il tenait à Santa Mondega, il avait croisé le chemin de vampires et de loups-garous, expériences qui, en principe, auraient dû le préparer à à peu près tout. Mais tout ça, c'était vraiment trop. En particulier le fait de découvrir que les zombies existaient bel et bien. En ce moment même, Sanchez se trouvait à quelques mètres à peine de toute une horde de morts-vivants. Ces enfoirés étaient vraiment des sauvages. Deux d'entre eux étaient en train de jouer au tir à la corde, avec, dans le rôle de la corde, un pauvre type en survêtement : chacun avait planté ses crocs dans le corps de la victime, et grognait en le tirant tantôt d'un côté, tantôt de l'autre. Le fait de contempler ce pandémonium depuis la scène revenait un peu à regarder un film d'horreur. À la différence près que là, c'était le public qui se faisait massacrer, tandis que les « acteurs » (ceux qui se trouvaient sur scène) regardaient. Le bon côté des choses, pour Sanchez, c'était de se trouver en sécurité. Pour l'instant, en tout cas.

Il y avait aussi ce grand Black à l'air lugubre, avec un élégant costard et un chapeau melon rouges, à côté de Nigel Powell et de Jacko. Malgré le cauchemar qui les entourait, ce mec avait l'air terriblement heureux. Un large sourire lui barrait le visage. Pour Powell, c'était tout l'inverse. Son sourire d'une blancheur aveuglante avait complètement disparu, et son bronzage semblait être passé de l'orange à une sorte de beige terreux.

Tous les finalistes survivants se tenaient à présent au beau milieu de la scène et observaient Powell. Il semblait respirer à grand-peine, comme s'il faisait une crise cardiaque.

« Mec, je crois que je comprends plus grand-chose à tout ce bordel, dit Elvis. C'est qui, le balèze en rouge ? Et d'où il sort ? »

Sanchez haussa les épaules. « On dirait un Père Noël black, je trouve.

— Ah ouais ? Et si c'était le diable ? »

C'était assez bien vu. C'était peut-être effectivement le diable. Avec le chaos qui régnait, et les rumeurs selon lesquelles le contrat du vainqueur était en réalité un pacte passé avec le diable, c'était une possibilité qu'on ne pouvait écarter.

« Si c'est le cas, est-ce qu'on pourrait foutre le camp le plus vite possible ? demanda Sanchez d'un ton suppliant.

« — Attends encore un peu. Histoire de voir ce qui va se passer. Il me semble qu'on est en sécurité, sur les planches. »

Sanchez n'irait nulle part sans Elvis, et, une fois de plus, le King avait sans doute raison. Les zombies se tenaient éloignés de la scène. C'était sans doute l'endroit le plus sûr de cet hôtel qui était tout sauf sûr.

L'homme en rouge qui se tenait à côté de Powell et Jacko se retourna. Il regarda en direction de Sanchez, d'Elvis et des autres chanteurs. Puis il envoya un clin d'œil à Sanchez et se dirigea vers le fond de la scène, à l'endroit où il était apparu.

« C'était qui, nom de Dieu ? » demanda Sanchez bien fort, afin de se faire entendre de tous.

Nigel Powell répondit à voix basse, comme pour lui-même. « On est foutus, dit-il. Damnés, tous. » Élevant soudain la voix, il s'écria : « Vous avez entendu, ou quoi ?

— Pardon ? »

Sanchez avait croisé les doigts pour que Powell soit en mesure de leur indiquer une issue. Après tout, il ne se passerait sûrement pas un long moment avant que les zombies cessent de mettre en pièces les spectateurs hurlant de douleur et de terreur, pour grimper sur scène. Certains morts-vivants étaient déjà dans la fosse d'orchestre, en train de massacrer les musiciens. Les instruments grinçaient et soufflaient dans les efforts désespérés de leurs propriétaires pour repousser les assauts des créatures du mal. Le tubiste, en particulier, soufflait de toutes ses forces dans son instrument, dans l'espoir de tenir en respect les zombies grâce à ses basses assourdissantes.

Pour une fois, tout le monde avait l'air plus terrifié que Sanchez, à deux exceptions près. Elvis demeurait l'incarnation de l'assurance et du sang-froid qu'il ne cessait jamais d'être, et Jacko, lui aussi, semblait totalement détaché des événements. Sanchez attendait que l'un d'eux propose un plan pour quitter ces lieux, quand une musique retentit soudain. Et cette fois, ce n'était pas du tuba. Le CD de Paul McCartney utilisé plus tôt par le DJ faisait littéralement trembler les enceintes, noyant les cris de souffrance et les grognements sous les vocalises de McCartney et d'un chœur de crapauds, chantant « We All Stand Together ». Sanchez se dit qu'il était plus que temps de s'enfuir.

« C'est bon. Moi, je me casse d'ici ! déclara-t-il, espérant que quelqu'un serait d'accord avec lui, et ouvrirait la marche.

— Attends juste une seconde », répliqua sèchement Elvis.

Il s'avança vers Powell et s'immobilisa face à lui. « Alors, comment est-ce qu'on sort de ce putain d'hôtel, hein ? demanda-t-il en tambourinant de l'index sur la poitrine de Powell.

— Je... j'en sais trop rien, balbutia celui-ci. Je pense... je crois que le plus sûr, c'est de rester sur scène. Peut-être qu'ils ne viendront pas jusqu'ici. »

La bouche d'Elvis se tordit en un demi-sourire qui aurait fait l'admiration du King en personne. « Ah ouais ? Et qu'est-ce que tu m'as sorti, déjà, tout à l'heure ? demanda-t-il.

— Hein ? J'en sais rien. Le moment n'est pas vraiment choisi pour revenir là-dessus.

— Tu m'as dit que je méritais pas d'être sur scène.

— Comme c'est grave. Remettez-vous, mon vieux.

— Je m'en suis remis. Mais tu sais quoi ?

— Quoi ?

— Maintenant, j'ai le sentiment que c'est *toi* qui mérites pas d'être sur scène. »

Il se recula légèrement, et, de toute la force de son bras, envoya son poing droit dans le visage stupéfait de Nigel Powell. Les phalanges frappèrent de plein fouet le bout de son nez. Dans un terrifiant craquement et un jet de sang, la puissance de l'impact souleva de terre le créateur et juge suprême du concours, et l'envoya dans la fosse d'orchestre. Il atterrit au beau milieu d'un fatras de zombies, de musiciens à moitié dévorés, de membres déchiquetés et de tripes arrachées. La plus pure terreur se refléta sur ses traits. Jamais un homme à la peau orange n'avait paru si pâle.

Les zombies ne lui laissèrent pousser qu'un seul cri : il disparut quasi instantanément sous la meute, et se fit promptement dévorer. Apparemment, les morts-vivants savaient qui il était. Dans quelque recoin sombre de leur cervelle putréfiée devait subsister le souvenir de Powell, cet homme qui avait poussé par la ruse un grand nombre d'entre eux à vendre leur âme au diable, en leur faisant miroiter richesse et célébrité. Les autres étaient tout simplement d'anciens spectateurs des précédentes éditions du concours, qui s'étaient transformés en zombies suite aux morsures de leurs congénères. Powell recevait enfin la monnaie de sa pièce. Et ceux qui la lui rendaient étaient une horde de morts-vivants qui le haïssaient.

Elvis se retourna vers Sanchez et la poignée de survivants. Aucun zombie ne se trouvait encore sur scène, mais cela ne tarderait pas à arriver.

458

« Yo, Johnson ! cria Elvis à Jacko. Tire-nous de ce merdier ! »

Le *bluesman* lui adressa un grand sourire. « Avec grand plaisir. Suivez-moi. »

60

Nina Forina, Candy Perez et Lucinda avaient quitté la scène depuis déjà un certain temps pour tenter de s'enfuir en compagnie de quelques vigiles. Le vacarme ambiant était parfois ponctué de coups de feu : il s'agissait des agents de sécurité qui tâchaient de se frayer un chemin en tirant sur les goules affamées. Sanchez aurait pu les suivre, mais rester aux côtés d'Elvis et de Jacko était à ses yeux une bien meilleure option. Le *bluesman* les guida vers les coulisses. Ils passèrent par l'endroit où ils avaient assisté à l'annonce des résultats, et ils eurent tous la sensation que cette dernière phase du concours remontait à une vie précédente, tant elle leur semblait éloignée. Jacko ouvrait la marche, et les autres suivaient. Sanchez feinta pour se retrouver coincé entre Jacko, devant lui, et Elvis, derrière : sans aucun doute possible, la position la plus sûre. Janis Joplin suivait Elvis, serrant désespérément sa main dans la sienne. Emily se trouvait derrière, et Freddie Mercury fermait la marche. Le seul finaliste à être resté sur scène était Julius. Son cadavre gisait toujours sur les planches, dans la flaque de sang qui s'était épanchée de son crâne ouvert.

En descendant les marches qui menaient au couloir de service, Sanchez vit un zombie se ruer vers eux et s'immobiliser au pied du petit escalier pour leur barrer la route. La moitié de son visage avait été mangée par la pourriture : il était assez dur d'imaginer à quoi il avait pu jadis ressembler. Sans doute à un jeune homme qui rêvait de devenir un chanteur célèbre et talentueux. Mais ce n'était plus à présent qu'un masque décomposé, dénué d'âme, et déformé par la putréfaction et le désir inextinguible de se repaître de chair humaine. À en juger par ses haillons noircis, il avait dû jadis porter un costume assez ressemblant à celui de Jacko. Mais alors que le costard de celui-ci était propre et bien repassé, celui du zombie n'était qu'une masse de tissu déchiré, recouverte de moisissure, de terre et de sang.

L'ignoble créature restait plantée là : Jacko et elle se regardèrent un instant dans le blanc des yeux. On aurait dit que le zombie le reconnaissait. En tout cas, force était de constater qu'il n'essayait pas de lui arracher des quartiers de chair. En revanche, il ne tarda pas à poser son regard mort sur la très appétissante bedaine que Sanchez avait le plus grand mal à dissimuler sous sa chemise hawaïenne rouge.

Dégoûté, quoique légèrement fasciné, Sanchez assistait à la scène, saisi de légers tremblements. Jacko finit par lever une main et hocher la tête à l'intention du zombie. « Ces gens sont avec moi. Laisse-les en paix. »

Durant quelques secondes inconfortables, le zombie montra les crocs, comme s'il hésitait à obéir. On n'entendait plus que les râles d'agonie des derniers spectateurs encore en vie, et les coassements incessants des crapauds du morceau de Paul McCartney. Le mort-vivant finit par tourner les talons pour se précipiter dans le couloir, dans la direction opposée au hall de réception.

Eh ben, c'est pas mal, comme résultat, pensa Sanchez.

Jacko s'engagea dans le couloir qui menait à l'accueil et fit signe aux autres de le suivre. Sur le seuil, Sanchez jeta un coup d'œil dans le couloir et constata qu'il était plein de zombies assoiffés de sang qui s'en prenaient aux spectateurs, agents de sécurité, jurés et chanteurs qui avaient tenté de s'échapper. La puanteur méphitique des morts-vivants se mêlait à l'odeur douceâtre du sang frais, et il en résultait une fragrance que nul n'aurait jamais songé à mettre en bouteille sous le nom de N° 5 de Charnier.

« Regardez ! s'écria Sanchez. C'est Little Richard.

— Nan, ça, c'est Jimi Hendrix », répliqua Elvis.

Tous deux avaient raison. Un peu plus loin, contre le mur qui leur faisait face, le mini-sosie de Jimi Hendrix se faisait dévorer vivant par deux zombies, qui avaient commencé les réjouissances par les jambes. La pauvre victime, toujours vivante, hurlait de douleur. Elvis ne perdit pas un instant, et poussa son ami dans le couloir.

« Bouge-toi, gros tas, grommela-t-il. On a pas que ça à foutre !

— Ces enfoirés sont en train de le bouffer vivant ! »

Sanchez était incapable de détourner le regard de ce spectacle ignominieux.

« Qu'il crève, répliqua Elvis, impitoyable. Ce type, c'est un simple amuse-gueule. Le plat de résistance, ce sera toi si tu te remues pas un peu le cul ! »

Sanchez ne se le fit pas dire une troisième fois. Il se précipita dans le couloir, tâchant de rester le plus près possible de Jacko, et remerciant Dieu sait qui de l'influence que ce type semblait avoir sur les zombies. Une vingtaine de créatures se trouvaient devant eux, alignées le long des murs. Ils respectaient l'injonction de Jacko en laissant passer le groupe, mais, visiblement, crevaient d'impatience d'attraper quiconque s'éloignerait un tant soit peu du convoi. Le King marchait derrière Sanchez, brandissant son poing à l'intention de tout mort-vivant qui paraissait sur le point de se jeter sur le barman. Janis Joplin tenait fermement un pan de la veste dorée d'Elvis, en crachant toutes sortes de jurons à la face décomposée des zombies.

Derrière, Emily et Freddie Mercury étaient les plus vulnérables. Les fichus souliers rouges d'Emily n'étaient pas faits pour la course. Le talon de la chaussure gauche cassa même alors qu'elle pressait le pas, tenant d'une main le bas de la robe de Janis. Freddie ne cessait de buter contre elle, et c'était justement par sa faute qu'elle avait perdu son talon.

Emily éprouvait les plus grandes difficultés à rester concentrée sur leur marche forcée, sachant qu'à tout moment un mort-vivant pouvait se jeter sur elle, par-derrière ou sur les côtés. Les créatures acceptaient de reculer lorsque Jacko (ou plutôt Robert Johnson) leur en intimait l'ordre, mais lorsqu'ils étaient confrontés à la queue du peloton, tout souvenir de son injonction avait déjà quitté la bouillie qui leur faisait office de cervelle. Le groupe arrivait à hauteur de la porte de verre qui donnait sur le hall de réception (et dont un battant avait été brisé par Angus), lorsque l'une des monstrueuses créatures s'en prit à Freddie Mercury. Emily, qui tâchait de son mieux de ne pas regarder les zombies, gardait les yeux rivés sur les deux battants de la porte, devinant plus loin l'entrée principale de l'hôtel. Dans un premier temps, elle ne remarqua pas qu'un imposant mort-vivant avait attrapé Freddie par-derrière, plaquant son épaisse main décharnée sur sa bouche. Mais elle entendit très distinctement les cris étouffés du finaliste.

Elle se retourna et, saisie d'horreur, vit le géant immonde, à moitié nu, traîner Freddie à l'autre bout du couloir. Le chanteur donnait de furieux coups de pied dans le vide, tentant désespérément de se dégager, ce qui ne manqua pas d'attirer l'attention de quelques autres zombies qui s'empressèrent de lui bondir dessus. Recouvrant quasiment de leurs bruits immondes le chœur de crapauds de Paul McCartney, les morts-vivants se mirent à le dévorer, bouchée sanguinolente après bouchée sanguinolente, tandis que le maléfique colosse continuait à traîner Freddie Mercury jusqu'à la volée de marches qui conduisait à la scène.

Un peu plus loin devant eux, Sanchez aperçut l'entrée principale de l'hôtel. Il jeta un coup d'œil par-dessus son épaule pour s'assurer qu'Elvis suivait toujours. Il était bel et bien derrière lui. En fin de compte, ils avaient peut-être une chance de survivre. Soulagé de constater qu'ils avaient dépassé tous les morts-vivants, Sanchez cria à Elvis, par-dessus le tintamarre des crapauds : « Au moins l'hôtel est pas en train de s'enfoncer dans les entrailles de l'enfer, comme l'avait dit Gabriel !

— La ferme, tu vas nous porter la poisse ! » hurla Elvis dans le vacarme ambiant.

Et force fut de constater une fois de plus que Sanchez avait un réel talent pour attirer la malchance. Une seconde à peine après la réplique d'Elvis, Sanchez vit une large fissure serpenter au milieu du couloir, derrière eux, dans un long craquement. Elle ne mesurait pas plus de 5 centimètres de large, et n'était probablement pas très profonde, mais elle filait à travers le couloir dans leur direction, déchirant la moquette au passage. Le sol s'ouvrait comme un œuf fêlé. Les morts-vivants s'écartèrent de la fissure en se jetant contre les murs.

Tout au bout de la file indienne de rescapés, Emily l'aperçut, elle aussi. Des plaques de plâtre commençaient également à tomber des murs et du plafond. Le couloir se mit à trembler puissamment, comme une attraction de fête foraine. Emily regarda une dernière fois derrière elle, et vit Freddie Mercury disparaître au détour d'une bifurcation, emporté par une meute de zombies. Elle n'aurait su dire ce qui était le plus horrible : le fait que Freddie Mercury se faisait dévorer vivant, ou le fait que le sol était sur le point de s'ouvrir sous ses pieds.

C'était évident, jamais Emily n'avait été en proie à une telle terreur, et elle se maudissait de ne pas avoir suivi le conseil du Bourbon Kid. Elle ne pouvait s'empêcher de se demander ce qu'il était advenu de lui. C'était le genre de type qui ne connaissait pas la peur, et faisait toujours face à l'adversité. Précisément le genre d'homme dont Emily avait à présent besoin. Elle pria intérieurement pour croiser son chemin au plus vite, au milieu de ce chaos démoniaque.

Malheureusement pour elle, le fait de se retrouver en queue de cortège faisait d'elle la cible la plus vulnérable. Sa nouvelle position n'avait pas manqué d'attirer l'attention de quelques morts-vivants affamés. Au moins, ils n'étaient plus aussi nombreux qu'auparavant. Un bon nombre d'entre eux avaient suivi le pauvre Freddie Mercury jusque dans les coulisses, et la terrible fissure en avait effrayé plusieurs autres.

Un autre craquement retentit alors, si fort qu'il noya complètement les vocalises des crapauds. Et cette fois-ci, aucune fissure ne lézarda le sol : le couloir tout entier bascula d'un côté, précipitant tous ceux qui s'y trouvaient contre le mur. Les cinq survivants trébuchèrent et se lâchèrent. Emily fut celle qui s'en tira le plus mal. Elle perdit son soulier droit, et comme le gauche était amputé de son talon, elle décida de s'en débarrasser également. Ses socquettes blanches glissaient sur le sol singulièrement incliné. Emily perdit complètement pied et tomba sur la terrifiante fissure, dont la largeur avoisinait à présent les 10 centimètres, et ne cessait de s'accroître.

L'un des zombies qui s'étaient tenus à l'écart contre un mur saisit Emily par les cheveux. Ses doigts noirs et craquelés se refermèrent sur l'une de ses couettes et tirèrent violemment, tandis que son autre main se logea sous son aisselle gauche. Emily tourna la tête et regarda la créature droit dans les yeux. L'une de ses orbites était vide. Le dessus de son crâne était pratiquement dépourvu de cuir chevelu. L'œil qui lui restait était rouge en son centre, et le blanc jauni était injecté de sang. La peau qui recouvrait ce qu'il lui restait de visage était carbonisée, et, entre ses lèvres ouvertes, Emily vit que ses gencives avaient été rongées par la pourriture. Pourtant, ses dents n'étaient pas tombées.

Elles se dressaient, irrégulières, tordues et acérées, comme celles d'un crocodile.

Après avoir relevé Emily, la créature fit preuve d'une ingéniosité que la pauvre chanteuse n'aurait jamais pensé à associer à un zombie. Lâchant sa couette, le mort-vivant plaqua sa main droite sur la bouche de sa victime afin de l'empêcher de crier à l'aide.

Emily se débattit pour échapper au monstre difforme. Bien qu'il fût plus fort qu'elle, il devait, lui aussi, lutter pour rester debout dans ce couloir incliné qui tombait littéralement en morceaux. Emily parvint à se retourner et lui asséna un coup de coude en pleine tête. Le choc déséquilibra légèrement le zombie, et la chanteuse parvint à se libérer de son étreinte. L'horrible main avait à peine quitté sa bouche qu'Emily hurla à l'aide. Mais son effort s'avéra futile.

Le chœur des crapauds de McCartney donnait toujours de la voix, et leurs curieux coassements recouvrirent son cri. Pire encore, Emily constata que six morts-vivants se trouvaient à présent entre elle et Janis Joplin, qui n'avait pas remarqué que la jeune femme déguisée en Dorothy ne la suivait plus.

Avant qu'Emily eût pu réfléchir à ce qu'il convenait de faire, une main se posa sur son épaule gauche, et elle entendit derrière elle une voix familière, au ton rocailleux très caractéristique. Chez la plupart des gens, cette voix éveillait horreur et peur panique, mais, pour Emily, ce fut une source d'espoir et de soulagement infinie.

« Combien de fois encore il va falloir que je vous sauve la peau des fesses ? »

Elle se retourna. Elle se sentit plus légère, et eut la certitude que tout irait bien, à présent que le Bourbon Kid était là. Il avait rabattu sa capuche sombre sur la tête, signe non équivoque qu'il s'était mis en mode « bain de sang ». De plus, il tenait à la main un gros pistolet, qu'il pointait sur trois zombies sortis de l'auditorium, afin de les effrayer. Les morts-vivants gardaient leurs distances, mais, visiblement, se tenaient prêts à leur sauter dessus à la moindre occasion. Emily considéra la situation dans laquelle ils se trouvaient. Ils étaient dans un couloir absurdement penché sur le côté qui partait en miettes, avec trois zombies derrière eux, et six autres leur bloquant le passage vers le hall de réception, sans parler de l'énorme fissure qui, à leurs pieds, s'élargissait dangereusement. Le Kid la traîna dans la direction des trois zombies. L'issue potentielle la plus proche se trouvait dans le hall de réception, mais Emily avait la conviction que, en suivant le tueur en série à capuche, elle mettrait toutes les chances de survivre de son côté.

« J'aurais dû vous écouter, tout à l'heure », dit-elle d'un ton désolé en le suivant dans le couloir. Deux gros zombies mâles qui se trouvaient près du hall de réception se mirent à les suivre prudemment, redoutant le pistolet du Kid, mais se tenant prêts à bondir sur ces deux proies.

« C'est pas trop le moment pour vous servir le bla-bla habituel sur le thème du "j'vous l'avais bien dit", répondit le Kid. Mais je tiens quand même à souligner que j'vous l'avais bien dit.

— Oui. Je sais. Est-ce que vous pourriez juste nous sortir de là, et me redire tout ça après ?

— C'que j'essaie de faire. Quand je crie "courez",
vous tracez de toutes vos forces, et vous me dépassez :
au bout du couloir, vous prenez à droite, et vous suivez
les directions des panneaux incendie.

— Qu'est-ce que vous allez faire ?

— Je vais tuer ces enfoirés. »

Le Kid tint parole. Une poignée de secondes après
cette mise au point, il se jeta sur les trois zombies qui
se trouvaient devant lui, en criant en même temps à
Emily de courir. Le cœur battant la chamade, elle se
précipita vers le bout du couloir par la brèche stratégique créée par le Kid. À mi-course, ne voyant aucun
zombie devant elle, elle s'arrêta et se retourna. Le Kid
avait lâché son pistolet, et avait deux répugnantes créatures sur le dos, qui essayaient de le plaquer contre le
mur. Chacune avait saisi un de ses bras, et tentait de le
positionner face au troisième zombie, afin que celui-ci
s'occupe sérieusement de lui.

S'il y avait bien une chose qu'avait apprise Emily au
cours de ces dernières heures, c'était à obéir aveuglément aux ordres du Kid. En l'occurrence, cela signifiait : courir en direction de l'issue de secours. Le fait
de le laisser derrière elle n'était peut-être pas le plus
grand acte de bravoure qui soit, mais son intuition lui
disait qu'il s'en sortirait.

En tout cas, elle l'espérait.

61

Les tentatives d'Angus pour sortir de la chambre froide l'avaient passablement énervé. (Et, de son côté, la chambre froide l'avait passablement réfrigéré.) La colère qu'il éprouvait à l'idée de s'être fait avoir par un abruti tel que Sanchez le faisait bouillonner. Angus n'avait plus qu'un désir : buter quelqu'un. Qu'il s'agisse de Sanchez ou du premier venu, cela n'avait plus la moindre importance à ses yeux.

En tentant de faire sauter le verrou en tirant dessus, il n'avait réussi qu'à effrayer Sanchez, qui avait pris ses jambes à son cou. D'ailleurs, cela s'était avéré relativement peu intelligent. La balle avait en effet ricoché sur le verrou pour se planter dans le plafond. Plusieurs autres coups de feu, et Angus aurait sans le moindre doute fait les frais d'une blessure par balle, balle tout droit sortie de son propre pistolet.

Durant près de vingt minutes, il se gela le cul en tentant de faire céder le verrou par d'autres moyens. Tout d'abord, il essaya d'enfoncer la porte, avec pour seul résultat une bonne ecchymose à l'épaule. Il martela ensuite le verrou avec la crosse de son pistolet. Là encore, pour rien. Sa troisième idée ne fut pas plus productive. Alors que le froid commençait à affecter sérieusement son raisonnement, il se mit à chercher sur les étagères quelque objet susceptible de venir à bout de ce foutu verrou. L'outil le plus utile qu'il trouva fut un pilon de poulet : le résultat fut sans surprise.

Malgré son long trench-coat et son épais pantalon treillis, Angus souffrait à présent très franchement du froid. Pressé aussi bien par le temps que par la température qui commençait à lui geler la moelle, il se résolut à tirer de nouveau sur le verrou. Il était clair qu'une approche plus prudente s'imposait. Il se tint donc à l'abri derrière l'une des rangées d'étagères et tira à distance. Ses mains qui tremblaient de froid l'empêchèrent de viser avec précision. Aussi dut-il se recroqueviller pour éviter la balle qui, comme la précédente, ricocha à l'intérieur de la chambre frigorifique. Cette fois-ci pourtant, le coup de feu eut une conséquence heureuse, bien que correspondant assez peu à l'effet recherché. Alors même qu'il se considérait à bout de recours, Angus entendit une voix provenant de la cuisine.

« Il y a quelqu'un là-dedans ? »

Angus se rua sur la porte et hurla : « Ouais ! Au secours ! Je suis enfermé dans ce foutu frigo ! »

Le bruit des pas approchant de la porte fut l'un des sons les plus agréables de toute son existence. Dans un cliquetis, la porte s'ouvrit. Angus sortit aussitôt, secoué de violents frissons. Sur le seuil de la chambre frigorifique se tenait le jeune barman qui, d'un geste, lui avait indiqué que Sanchez s'était réfugié dans la cuisine. Il paraissait aussi confus que terrifié. Angus crut au début que c'était son pistolet qui terrorisait de la sorte le jeune homme, mais il s'aperçut assez vite que son teint était livide, comme s'il venait de voir un fantôme. Angus jeta un coup d'œil au badge épinglé à la poche de poitrine de sa veste, et lut le nom qui y était écrit.

« Merci, euh… Donovan. J'ai bien cru que j'allais mourir congelé là-dedans », dit-il en claquant des dents. Il se mit à épousseter le givre qui recouvrait ses vêtements, et fut soudain confronté à quelque chose de bien pire que le froid qu'il venait d'endurer. Derrière Donovan, la porte qui reliait le bar aux cuisines s'ouvrit violemment, et un zombie très pâle apparut dans toute sa hideur. Il était vêtu de guenilles et n'avait quasiment plus un cheveu sur la tête, rien qu'un cuir chevelu incolore et putride qui était loin de dépareiller avec son visage décharné et ses yeux rouges.

« Il y en a partout, mec ! s'écria Donovan, d'un ton qui prouvait à lui seul la sincérité de sa terreur. Ils tuent tous ceux qu'ils arrivent à attraper. Il faut absolument qu'on se tire d'ici en vitesse ! »

Le zombie rejeta ses épaules en arrière et émit un sifflement menaçant à leur intention, dévoilant deux rangées de dents immondes. Puis il se mit à traîner timidement des pieds dans leur direction, les yeux rivés au pistolet d'Angus, redoutant qu'il ne s'en serve.

« Pas de problème, déclara Angus en secouant son arme pour en faire tomber un peu de givre. J'ai un plan. Tu vois, le truc, c'est qu'ils ne s'attaquent qu'aux plus faibles.

— Alors, qu'est-ce qu'on fait ? demanda Donovan, la voix secouée d'une peur qui confinait à l'hystérie.

— C'est la survie du plus adapté, mon pote. Tout ce qu'ils veulent, c'est un repas facile. Un repas qui ne se défend pas.

472

— Alors, qu'est-ce qu'on est censé faire, putain ?
Lui balancer une cuisse de dinde ?

— Non. Un barman blessé. »

Donovan sembla un instant perdu. Son visage refléta
bien vite l'horreur, puis le désespoir lorsque Angus
pointa son arme dans sa direction. Rapide comme
l'éclair, le tueur à gages visa la jambe du jeune barman
et lui tira dans la cuisse.

« AAAH ! PUTAIN ! »

Donovan tomba à terre en pressant les mains contre
sa jambe droite, à l'endroit même où la balle venait de
le frapper. Le sang coulait abondamment dans son pantalon noir et entre ses doigts, alors qu'il tâchait de son
mieux de juguler l'hémorragie. Tandis qu'il basculait
d'avant en arrière, une longue plainte s'échappait de sa
bouche.

Angus baissa les yeux dans sa direction. « Désolé,
mec. Comme je te le disais, c'est juste la survie du plus
adapté. » Sur ces mots, il s'écarta derrière deux chariots à roulettes afin de laisser le zombie fondre sur
Donovan. La créature se fit une joie de s'attaquer au
barman blessé, ce qui permit à Angus de prendre discrètement la porte. Il ne se donna pas même la peine de
regarder par-dessus son épaule en passant du côté du
bar.

Là, il fut confronté à une scène de panique générali-
sée. Zombies et êtres humains couraient dans tous les
sens, que ce soit dans le bar ou dans le couloir qui y
menait. On aurait dit une émeute de hooligans particulièrement sanglante. Les morts-vivants pourchassaient
les clients de l'hôtel et sautaient sur n'importe quel
malheureux qui se trouvait séparé de son groupe.
Angus se fit un point d'honneur à arborer très

ostensiblement son pistolet, espérant que, à la vue de son arme, les zombies réfléchiraient à deux fois avant de s'en prendre à lui. Il ne leur restait plus grand-chose dans le crâne, mais à l'instar de n'importe quelle créature, et malgré le fait qu'ils soient déjà morts, ils étaient guidés par l'instinct de survie. Le résultat fut concluant : ils se tinrent à distance d'Angus, préférant se rabattre sur des proies moins dangereuses.

Angus eut par conséquent tout le loisir de constater que ces répugnantes créatures provenaient du hall de réception. Il fallait faire un choix, et vite. En l'occurrence, il décida de prendre la direction opposée pour rechercher une autre issue. Il se mit à courir vers une porte à double battant beige, à l'autre bout du couloir. Le sol se mit alors à trembler sous ses pieds et les murs se fissurèrent. Des plaques de plâtre tombèrent du plafond. Clairement, mieux valait ne pas s'éterniser.

Entre lui et la porte qui se trouvait à une vingtaine de mètres, une demi-douzaine de zombies menaçait un groupe de clients qui avaient opté pour le même plan qu'Angus. Avec une rapidité surprenante pour des morts-vivants, les créatures s'en prenaient aux retardataires. Angus, brandissant d'un air menaçant son pistolet, parvint à se glisser jusqu'à la porte. Une femme blonde d'âge moyen, vêtue d'une robe verte, et visiblement terrorisée, passa juste à ce moment-là par la porte, et, très poliment, s'arrêta pour lui tenir le battant qu'elle venait de pousser.

La porte donnait sur une bifurcation. Angus regarda à gauche puis à droite afin de déterminer le meilleur chemin à suivre. À une vingtaine de mètres sur la droite, ce nouveau couloir finissait en cul-de-sac. La seule option était de prendre à gauche et de courir en direction du cœur de l'hôtel et de l'auditorium. Angus poussa la femme à la robe verte en passant la porte. Son visage heurta de plein fouet le mur, et elle tomba lourdement à terre. Angus ne perdit pas une seconde et se mit à courir dans le couloir où aucun zombie ne se trouvait, bien qu'on pouvait très clairement les entendre en train d'attaquer de malheureux clients. Devinant au loin un coude sur la gauche, Angus longea prudemment le mur de droite, afin de s'assurer que si quelque chose surgissait de cette bifurcation, il se trouverait le plus éloigné possible de cette nouvelle menace.

En approchant du coude, il ralentit considérablement son pas au cas où une troupe de zombies l'attendrait. Son pistolet était armé, prêt à tirer. Au détour du couloir, il aperçut un petit groupe de morts-vivants en train de lutter contre un type vêtu d'un cuir noir, la tête recouverte d'une capuche. Mais ce ne fut pas cela qui attira le plus l'attention d'Angus. Entre l'homme à la capuche et lui se trouvait le sosie de Judy Garland. Contemplant le type qui luttait, elle tournait le dos à Angus.

Jusque-là, la journée avait été pour Angus une source infinie de frustration. Il avait perdu un temps considérable à essayer d'arracher à Sanchez ses 20 000 dollars, et avait raté l'occasion de remplir la mission que Julius lui avait confiée. Enfin se présentait l'occasion de s'acquitter de cette tâche, et d'empocher peut-être la récompense.

Ça vaut quand même la peine de griller une cartouche sur cette conne.

Angus n'y réfléchit pas à deux fois. Alors que la jeune femme se retournait et commençait à courir dans sa direction, il visa et lui tira une balle en pleine poitrine.

L'expression qui se lut alors sur le visage de sa victime fut un vrai régal. *Une surprise absolue.*

Angus adorait tuer. Et lorsque sa victime se voyait totalement prise de court, et le regardait droit dans les yeux après avoir pris la balle fatale… on ne pouvait vraiment pas rêver mieux.

Plus loin, l'homme qui était avec Judy Garland se battait à mains nues contre les trois zombies, et s'en tirait remarquablement bien. En entendant la détonation du coup de feu, il se raidit. Il parvint à jeter deux morts-vivants simultanément à terre, tandis que le troisième restait en retrait, attendant le moment opportun pour l'attaquer. L'homme à la capuche se retourna et vit Judy Garland s'effondrer au sol. Ses jambes avaient cédé sous son poids et elle s'était écroulée sur le flanc, avant de glisser sur le dos, les yeux rivés au plafond. Angus parvint à distinguer le visage dissimulé dans les ténèbres de la capuche. L'homme paraissait abasourdi. Il était évident que la jeune femme comptait à ses yeux : il parut un instant oublier le troisième mort-vivant qui se trouvait derrière lui. Il releva alors la tête, et, pendant une seconde, Angus et lui se regardèrent dans le blanc des yeux. Angus sourit. Ce mec se prenait vraiment pour un gros dur de première catégorie. Malheureusement pour lui, il était entouré de zombies qui ne lui voulaient pas du bien. Alors que la troisième créature se jetait sur lui par-derrière, Angus lui décocha un clin d'œil.

Mission accomplie.

Trente secondes plus tard, Angus sortit de l'hôtel par une issue de secours, pour se retrouver sur le parking.

Le sol tremblait violemment sous ses pieds, et ce ne fut pas sans soulagement qu'il se retrouva à l'air libre. Le bâtiment était en train de tomber en morceaux.

Il ne se passerait pas longtemps avant que l'hôtel et son parking ne sombrent dans un gouffre gigantesque. Angus ne comprenait pas vraiment ce qui avait provoqué ce tremblement de terre, mais il n'avait pas le temps de s'intéresser à la question. Il parcourut à toute vitesse le parking à la recherche de son van, en espérant que les zombies avaient laissé les clefs (et son CD de Tom Jones) à l'intérieur. Aucun signe du véhicule. Voyant que certaines parties du parking commençaient à s'écrouler pour tomber dans l'infernal abîme, Angus se dit qu'il était préférable de se rabattre sur la meilleure caisse en vue, qui s'avérait être une Pontiac Firebird noire. Il fractura d'une balle la vitre du conducteur et déverrouilla la porte de l'intérieur. Il lui fallut trente secondes pour la faire démarrer avec les fils : le gros moteur V8 s'éveilla alors dans un puissant rugissement.

Une minute plus tard, Angus roulait sur l'autoroute, s'éloignant aussi vite que possible du Cimetière du Diable.

62

Le coup de feu recouvrit le chœur de crapauds, les craquements des murs et les bruits horribles des zombies et de leurs victimes. Du coin de l'œil, le Kid devina qu'Emily s'était arrêtée net. Mais avant de pouvoir se retourner tout à fait, il devait s'occuper des deux zombies. Il lança un fulgurant crochet du droit dans la tête du plus proche, et son poing percuta de toute sa force le crâne de la créature. L'impact projeta le zombie contre son camarade. Tous deux tombèrent et roulèrent à terre dans un fatras de membres, jusqu'au bord de la crevasse qui, au milieu du couloir, ne cessait de s'élargir. De l'autre côté de la faille, dos au mur, le troisième zombie attendait toujours le bon moment pour agir. Le Kid l'ignora et se retourna pour voir d'où provenait le coup de feu.

Emily était à terre. La balle l'avait frappée en pleine poitrine, et ses jambes avaient cédé sous son poids. Elle s'était effondrée en un tas. Le sang coulait du trou qui perforait son buste, imbibant sa robe, changeant son bleu en une couleur immonde qui, de loin, ressemblait à du noir. Elle posa son regard sur le Kid, et celui-ci lut dans ses yeux la peur panique de la mort. Un peu de liquide écarlate perla aux commissures de ses lèvres, signe que ses poumons s'emplissaient de sang. Mais qui avait bien pu lui tirer dessus ?

Le Kid porta son regard un peu plus loin. À l'angle de ce couloir se dressait un véritable géant, un pistolet à la main. Il avait de longs cheveux roux attachés en une queue-de-cheval, et un bouc assorti. Sa tenue ressemblait à celle du Kid, des habits noirs, avec en sus un long trench-coat, destiné sans le moindre doute à dissimuler des armes. Leurs regards se croisèrent brièvement, puis l'homme lui adressa un clin d'œil et disparut dans le couloir principal.

Avant que le Kid ait pu rejoindre la jeune fille, le troisième zombie lui sauta dessus, en enroulant ses bras gris et squelettiques autour de son cou. Cette créature était plus qu'efflanquée, et ne semblait porter qu'un simple short gris en lambeaux. Le Kid se jeta violemment en arrière, écrasant la colonne vertébrale du zombie contre le mur avant qu'il ait pu lui mordre le cou. Puis il se retourna en un éclair et enfonça son poing dans ce qui lui restait de visage. Dans un craquement d'os, celui-ci sembla se replier sur lui-même. Ses bras tombèrent le long de son corps. Profitant de son incapacité à riposter, le Kid le projeta sur les deux autres morts-vivants qui étaient justement en train de se relever, au beau milieu du couloir qui tombait en ruine. Les trois zombies s'écroulèrent à terre en un tas informe. Il se trouvait certainement d'autres proies moins coriaces que le Kid : les créatures, malgré leur intelligence considérablement limitée, finirent par le comprendre. Le Kid ne daigna pas même leur jeter un dernier regard alors qu'ils s'enfuyaient en direction de l'auditorium.

Emily était à présent étendue sur le dos, et respirait très difficilement. Le Kid se précipita vers elle. Avant qu'il arrive à sa hauteur, un nouveau tremblement extrêmement puissant le projeta contre le mur. Il rebondit violemment sur la surface de béton et atterrit face contre terre à côté d'Emily. Les yeux écarquillés, elle fixait le plafond en inspirant par à-coups. Le Kid s'agenouilla et prit sa main droite dans la sienne. Emily était à bout de forces : la vie la quittait peu à peu. Le contact de la main du Kid l'arracha à sa contemplation quasi hypnotique du plafond. Elle plongea son regard dans les yeux du Kid. Les siens s'emplirent de larmes, et elle parvint à prononcer quelques mots à peine audibles dans un rauquement sinistre qui lui fit cracher encore plus de sang.

« Je veux rentrer chez moi. »

Le Bourbon Kid sentit une boule se nouer dans sa gorge, et il ne put s'empêcher de porter sa main libre à sa propre bouche. Emily lui rappelait tellement Beth, la fille qu'il avait aimée et perdue dix ans auparavant. Les similitudes étaient confondantes. C'était le même déguisement, le même caractère aimable et généreux, la même innocence qui baignait son visage. Elle articula tant bien que mal cinq autres mots :

« Je ne veux pas mourir.

— Je sais. »

Malgré sa gorge serrée, sa voix n'avait plus son ton rocailleux.

Les couettes d'Emily étaient défaites, et ses cheveux étaient terriblement ébouriffés. Le Kid repoussa délicatement sur son front les quelques mèches qui recouvraient ses yeux. Sa peau avait beau être froide, elle transpirait abondamment. Sa respiration était bruyante et laborieuse. Sa bouche était pleine de sang, qu'elle ne parvenait ni à cracher ni à avaler.

Les larmes ruisselèrent sur ses joues.

« Me laisse pas, dit-elle en suffoquant. Je veux pas mourir toute seule.

— T'inquiète pas. Je reste avec toi. »

Le moment semblait très peu indiqué pour lui rappeler que, dans quelques minutes, ils s'enfonceraient dans les profondeurs de l'enfer, avec l'hôtel et tout ce qu'il contenait. Pour le bien d'Emily, le Kid espérait que son âme aurait quitté depuis longtemps son corps lorsque cela arriverait. Sa main était à chaque seconde un peu plus froide qu'auparavant, et la pression de ses doigts sur sa peau faiblissait. Impuissant, le Kid se contentait de presser un peu plus fort sa main dans la sienne, comme si cela pouvait lui faire oublier ses souffrances. Et l'assurer de sa présence. Non, il ne partirait pas.

Dans un énième soubresaut de tout l'édifice, le plâtre du plafond se fissura et tomba en morceaux. Le Kid protégea Emily de sa main libre contre les quelques débris qui s'abattirent sur eux. La tache noire qui coulait de l'impact de balle recouvrait pratiquement toute la partie supérieure de sa robe, et les filets de sang qui s'épanchaient de ses lèvres rougissaient ses manches blanches.

L'énorme crevasse qui scindait le couloir s'élargit violemment, et Emily faillit glisser dans la gueule béante de l'enfer. Le Kid la traîna un peu plus loin, afin de s'assurer qu'elle ne tombe pas avant d'avoir rendu l'âme.

Quelques secondes plus tard, ses yeux se révulsè-rent, et sa main se décontracta subitement. Sa respira-tion se tut et son corps s'affaissa sur les débris qui jonchaient le sol. Sans vie.

63

L'Hôtel Pasadena était en train de tomber en miettes à une vitesse alarmante. Au rez-de-chaussée, d'énormes failles zébraient les plafonds, le sol et les murs. Sanchez savait que, d'un instant à l'autre, le plafond pouvait s'écrouler sur eux, à moins qu'une gigantesque crevasse ne les avale soudain pour les précipiter dans les entrailles de l'enfer. Tout en se hâtant dans le hall de réception en direction de l'entrée principale, il pria intérieurement pour s'en sortir en un seul morceau. Le désert ne lui avait jamais paru aussi accueillant.

Sanchez n'avait pas un goût prononcé pour la course, préférant prendre sa voiture à chaque fois que le besoin se faisait sentir de parcourir plus d'une cinquantaine de mètres. Mais à présent que sa vie était en jeu, il aurait pu rivaliser avec un lévrier de course. Jusqu'ici, Jacko avait joué un rôle inestimable, en les guidant dans l'hôtel et en repoussant les zombies. Mais à présent que, à quelques mètres seulement, on pouvait voir le ciel nocturne, Sanchez décida de mettre le turbo.

L'énorme faille qui parcourait le sol en marbre de la réception ne cessait de s'élargir. Elle partait du couloir, traversait tout le hall, jusqu'à l'entrée principale. Alors que Sanchez dépassait Jacko, un tremblement particulièrement violent secoua tout l'édifice, et la largeur de la crevasse doubla, pour atteindre les 2 mètres. Le tapis cramoisi du seuil de l'entrée (ou du moins de ce qu'il en restait) disparut aussitôt dans le gouffre. L'hôtel était en train de se scinder en deux, tout bonnement. Pressé d'éviter la faille fumante et d'atteindre la sortie, Sanchez bouscula Jacko par inadvertance. Le *bluesman* poussa un glapissement de surprise, et Sanchez l'entendit trébucher, puis tomber.

Il n'avait pas le temps de se retourner pour voir s'il allait bien. Sanchez eut un peu mauvaise conscience, mais sa priorité principale était de se sortir de là. Aussi, après avoir dépassé l'homme qui prétendait être Robert Johnson, il continua à courir aussi vite que ses jambes courtes et potelées le lui permettaient.

Il entendit Elvis lui crier de courir plus vite, et Janis hurler quelque chose du genre « gros connard ». Avec tout ce qui se passait autour de lui, Sanchez n'avait guère besoin de ces encouragements. Il traversa un battant fracturé et descendit les marches qui reliaient l'entrée à la route. Il continua à courir comme un dératé, ne jetant qu'un seul coup d'œil par-dessus son épaule, et constatant ce faisant que la majeure partie du gigantesque hôtel avait déjà sombré dans un cratère aux dimensions cauchemardesques qui défigurait les alentours, jadis si bien entretenus.

À bout de souffle, Sanchez finit par s'arrêter au bout de la route qui menait à l'hôtel, sous le portail d'entrée du domaine. À gauche comme à droite, l'autoroute était déserte, mais les lieux semblaient relativement sûrs. Les tremblements qui secouaient l'hôtel ne se faisaient plus sentir à cette distance. Se penchant en avant pour reprendre haleine, les mains sur les cuisses, Sanchez releva les yeux et, à sa grande joie, vit qu'Elvis et Janis s'en étaient également sortis. Tous deux avaient l'air soulagés. Il y avait pourtant fort à parier que, dès qu'elle aurait repris son souffle, Janis se remettrait aussi sec à jurer sans raison.

En revanche, aucun signe de Jacko, d'Emily ou de Freddie.

« Les autres ont réussi à sortir de l'hôtel ? demanda Sanchez dans un souffle.

— Freddie et Emily nous ont lâchés avant qu'on arrive dans le hall, répondit Janis. Peut-être qu'ils ont trouvé une autre issue.

— Et le *bluesman* ? insista Sanchez. Il était encore avec nous, non ? »

Elvis, qui ne semblait pas particulièrement essoufflé, et dont pas un cheveu n'était en bataille, hocha la tête d'un air désapprobateur.

« Tu veux parler de Robert Johnson ? Le mec qui a quasiment inventé le blues ?

— Ouais, lui.

— Le guitariste de légende ? Le mec qui nous a tous sauvés en tenant les zombies à l'écart ?

— Ouais, ce mec-là.

— Tu l'as poussé dans cette putain de crevasse qui déchirait le hall de réception. À mon avis, à l'heure qu'il est, il doit être en train de souper avec le diable. »

Sanchez eut une moue gênée. La situation était assez inconfortable. Une remarque pleine d'esprit s'imposait pour détendre un peu l'atmosphère. « J'espère qu'il a une longue cuiller », lança-t-il d'un air finaud.

Mais Sanchez resta impassible. « Une longue cuiller ? C'est quoi, le putain de rapport ?

— J'en sais rien, marmonna Sanchez, mal à l'aise. J'ai dit ça comme ça.

— Va te faire foutre, Sanchez. Ta lâcheté vient d'envoyer un des plus grands musiciens de tous les temps dans les profondeurs de l'enfer. T'as pas honte ?

— J'préfère que ce soit lui que nous, pas toi ? »

Elvis poussa un soupir exaspéré et détourna le regard. Sanchez entendit derrière lui le bruit de l'hôtel qui tombait en morceaux. On aurait dit un iceberg en train de se fracturer. Il ne restait quasiment plus rien de l'édifice. Les suites de luxe du dernier étage disparurent bientôt à ras du sol dans un nuage de poussière et de sable titanesque. Une énorme colonne de terre s'éleva dans le ciel nocturne pour retomber lentement, comme une nuée de feux d'artifice. À cet instant précis, au-dessus du vacarme de l'hôtel qui s'affaiblissait de seconde en seconde, retentit le bruit d'un puissant moteur, toussant dans des changements de vitesse malhabiles.

Au détour du nuage de poussière, là où jadis se dressait l'hôtel, apparut un gros van bleu. Il semblait partir de l'ancien emplacement du parking, et se dirigeait à présent à toute vitesse vers Sanchez, Elvis et Janis.

« Hé ! Par ici ! » cria Elvis en secouant les bras à l'intention du conducteur.

Le van cahotait à tombeau ouvert, laissant derrière lui les débris qui volaient en tous sens et les crevasses qui lézardaient la route. Arrivé à la hauteur des trois survivants, le véhicule s'arrêta. « Cette putain de journée devient de plus en plus bizarre, non ? » fit remarquer Sanchez.

La portière coulissante s'ouvrit, et le tube de Tom Jones « It's Not Unusual » se fit entendre.

Sanchez se précipita pour monter en premier, poussant Janis dans sa hâte. Une fois à bord, il constata à sa grande surprise que la personne qui se trouvait au volant n'était autre qu'Annabel de Frugyn, la Dame Mystique en personne.

« Tiens donc ! Bonjour, bonjour, Sanchez ! coassat-elle en lui adressant son légendaire sourire.

— Euh, ouais. »

Pendant un court instant, il fut incapable de prononcer un mot. « Salut. Sacrée bonne idée de piquer ce van », dit-il d'un ton approbateur. Le fait de dire quoi que ce soit à cette vieille sorcière sur un ton approbateur le mettait très mal à l'aise.

« Plutôt, oui. J'ai eu la vision d'une sorte de tremblement de terre imminent, alors je me suis précipitée sur le parking, où j'ai trouvé ce ravissant véhicule avec les clefs sur le contact. Ainsi qu'un CD de Tom Jones, dédicacé par l'artiste en personne ! »

Elvis et Janis montèrent eux aussi à bord et s'installèrent à l'arrière. Elvis cria alors à la Dame Mystique : « Hé, toi ! Appuie sur le champignon, baby. Cassons-nous d'ici le plus vite possible.

— Très certainement, monsieur le King », minauda Annabel.

Elvis avait tendance à avoir cet effet sur les femmes, même celles qui étaient aussi spéciales que la Dame Mystique.

Sanchez s'assit à côté d'Annabel. Il resta ainsi un moment, l'esprit totalement vide. Puis il poussa un profond soupir de soulagement, prenant conscience qu'il avait réchappé au carnage et à la destruction. Aucun siège de véhicule motorisé ne lui avait jamais paru aussi confortable que celui-ci, même si ses fesses baignées de sueur se collaient à la housse en plastique qui le recouvrait. Il regarda derrière lui, et assista aux ultimes instants de l'hôtel, qui sombrait à tout jamais dans les gouffres infernaux. Ils avaient parcouru près d'un kilomètre sur l'autoroute lorsque l'Hôtel Pasadena disparut totalement. Aux yeux de n'importe quel voyageur ne connaissant pas les lieux, c'eût été comme s'il n'avait jamais existé.

Apaisé, Sanchez releva les yeux sur le rétroviseur intérieur. Le visage de la Dame Mystique s'y reflétait. Tous deux se sourirent. Elle n'était peut-être pas si horrible que ça, après tout.

« Tout va bien, Sanchez ? demanda-t-elle.

— J'ai connu mieux.

— Au moins, à présent, nous voilà tous en sécurité. On sera de retour à Santa Mondega en un rien de temps.

— Du moment que rien ne nous arrive.

— Rien ne nous arrivera. Je nous vois rentrer sans rencontrer le moindre danger.

— C'est pas mal, quand même, de pouvoir prédire l'avenir, hein ?

— Ça m'a énormément aidée, tout à l'heure, répondit Annabel. J'ai fait un malheur à la roulette, vous savez ?

— *Ah ouais ?* Parce que le tuyau que vous m'avez donné a pas vraiment payé, lui. J'ai perdu une putain de fortune sur cette saloperie de rouge. »

Annabel sourit de nouveau. « C'est amusant, ce que vous me racontez. Vous savez, c'est bien la seule fois de toute la journée où je n'ai pas gagné.

— *Quoi ?*

— Cette roulette m'a permis d'empocher près de 100 000 dollars. La seule fois où je me suis trompée, c'est lorsque vous avez perdu votre argent.

— Merci infiniment », dit Sanchez d'un ton amer.

Un sourire entendu se dessina sur le visage ridé de la Dame Mystique. « Peut-être que, la prochaine fois que vous m'offrirez un verre, vous y réfléchirez à deux fois avant de me refiler de la pisse », dit-elle.

Putain, pensa Sanchez. *Encore ce karma de merde.*

Sur cet échange, Sanchez aurait aimé passer le reste du voyage à l'arrière du van, aussi loin que possible d'Annabel. Malheureusement, Elvis et Janis avaient besoin d'un peu d'intimité. Sanchez tâcha de son mieux de ne pas s'intéresser à ce qui ne le regardait pas, mais ne put se retenir de jeter quelques coups d'œil derrière lui. C'était à chaque fois le même spectacle : Janis à quatre pattes sur le lit amovible, et Elvis la prenant par-derrière. Par-dessus le marché, Janis n'était manifestement pas du genre à baiser en silence. Leur partie de jambes en l'air, particulièrement survoltée, était loin de modérer ses crises de Tourette.

La lune et un bon million d'étoiles brillaient de tous leurs feux dans le ciel nocturne. Elles éclairaient le désert et le long ruban d'asphalte d'une douce lueur, à mille lieues du mal à l'état pur qui avait ravagé l'hôtel. Sanchez n'avait jamais rien ressenti à la vue de la lune, mais après tout ce qu'il avait vécu, c'était un spectacle particulièrement réconfortant. À plusieurs reprises au cours des vingt-quatre dernières heures, il s'était dit qu'il ne contemplerait peut-être plus jamais les beautés simples de la nature, comme la lune et les étoiles étincelant dans le ciel. La faible lueur lui permit de voir le carrefour qui se trouvait loin devant eux, bien avant que les phares du van ne l'embrasent. Il ne se souvenait pas de l'avoir vu à l'aller, et comme apparemment aucun poteau indicateur n'y avait été planté, il espérait qu'Annabel sache quelle direction suivre. Celle-ci ralentit jusqu'à rouler au pas à l'approche du carrefour. Puis elle tourna la tête pour regarder Sanchez.

« Vous savez quelle route il faut prendre ? demanda-t-elle.

— Pas la moindre putain d'idée. J'imagine que droit devant, c'est pas plus mal qu'autre chose.

— Je ne sais pas trop », dit Annabel d'un air dubitatif.

Elle avait toujours la tête tournée vers Sanchez, et continuait à rouler droit devant elle, en direction du carrefour. À travers le pare-brise, Sanchez aperçut soudain un homme en costume noir, un borsalino sur la tête, marchant au beau milieu de la route. Il serait passé complètement inaperçu, même dans les puissants faisceaux des phares, s'il n'avait porté sur l'épaule un grand poteau indicateur blanc.

« ATTENTION ! » hurla Sanchez.

Annabel tourna la tête en un éclair, et appuya aussitôt de toutes ses forces sur la pédale de frein.

« Nom de Dieu ! Mais c'est qui, ça ? » demanda-t-elle.

Le poteau que portait l'homme présentait quatre panneaux de direction, disposés à angle droit par rapport à leurs voisins, et présentant chacun un nom de lieu en noir, que Sanchez ne parvenait pas à lire.

« Je crois que c'est… répondit-il à voix basse. Je crois que c'est Robert Johnson. » Il se souvint du jeune chanteur qu'il avait connu sous le nom de Jacko, et dont il avait fait la connaissance quelques heures seulement auparavant. Ce prénom semblait ne plus lui aller.

Annabel haussa un sourcil. « Le *bluesman* ?

— Ouais.

— Celui qui a vendu son âme au diable à la croisée des chemins ?

— Ouais. Celui-là. Comment il a fait pour se retrouver ici aussi rapidement ? Moi qui croyais l'avoir tué à l'hôtel. »

Remarquant l'expression d'Annabel, il s'empressa d'ajouter : « Putain, c'était un accident.

— Je ne suis pas sûre de vouloir en entendre plus à ce sujet, répliqua la Dame Mystique d'un ton mesuré. C'était quelqu'un de bien, vous savez, ce Robert Johnson.

— Qu'est-ce que vous voulez dire ?

— Eh bien, les esprits sont en train de m'informer qu'il s'apprête à nous montrer le chemin du retour. »

Sanchez vit Johnson poser le poteau par terre et regarder tout autour de lui, cherchant l'endroit exact où il le planterait.

« Ah ouais, il va remettre le poteau au carrefour.

— Exactement, dit Annabel de son air entendu.

— 'M'demande bien où est-ce qu'il a pu le trouver, pensa Sanchez à haute voix.

— Là où il l'a laissé, très certainement.

— Vous croyez qu'il l'a enlevé ?

— Je vous l'ai dit : c'était un homme bien.

— Et en quoi le fait de voler des panneaux de direction, ça fait de lui un homme bien ? »

Annabel soupira. « Réfléchissez un peu, Sanchez. Ce poteau conduisait les gens à l'Hôtel Pasadena. En l'arrachant et en le cachant à chaque fête d'Halloween,

Robert Johnson a dû sauver un très grand nombre de vies. Et maintenant, il va nous montrer le chemin à suivre pour rentrer chez nous. »

Elle pointa son index droit devant elle, et tous deux virent l'homme au costume noir enfoncer le poteau dans un tas de terre remuée, sur le bas-côté, à la jonction de deux routes. Quand il l'eut positionné bien à la verticale, il le secoua sur lui-même pour mieux l'enfoncer. Annabel effleura l'accélérateur et le van s'approcha doucement du carrefour. Lorsqu'ils furent assez près pour déchiffrer les indications du poteau, ils virent l'homme pointer l'un des panneaux blancs, celui qui indiquait la route de droite. En lettres noires était écrit : « CHEZ VOUS ».

Annabel lui fit un appel de phares en guise de remerciement et initia son virage à droite. En passant devant le *bluesman*, Sanchez lui adressa un salut de la main plein de remords, pour lui demander pardon de l'avoir précipité par mégarde dans la faille du hall de réception. Johnson lui rendit son salut, et souleva son chapeau pour lui faire comprendre qu'il ne lui en voulait pas. Et sur ce dernier geste, il disparut dans la nuit.

Le van fila dans les ténèbres pendant encore une heure, et la Dame Mystique finit par se garer devant le premier motel qu'ils rencontrèrent hors du Cimetière du Diable. Sanchez allait enfin poser sa tête lourde de fatigue sur un coussin, dans un lieu sûr et paisible.

Et il ne serait plus obligé d'entendre Janis Joplin hurler : « Défonce-moi la chatte, mon salaud ! »

64

Sanchez n'aurait pas pu rêver mieux qu'un petit déjeuner dans un motel. Il avait perdu ses bagages et sa veste, restés à l'Hôtel Pasadena. Le bâtiment tout entier ayant sombré dans les profondeurs de l'enfer, il était plus que probable que le diable et ses âmes damnées devaient se pavaner en ce moment même avec sur le dos les plus belles chemises hawaïennes de Sanchez. Aussi dut-il se contenter de remettre la seule qu'il lui restait, la rouge, même si elle était un peu collante et plus très fraîche. Le fait de renfiler son short lui posa beaucoup moins de problèmes : même en temps normal, il avait l'habitude de le porter plusieurs semaines d'affilée.

Il était assis à une table du resto du motel, près de la vitrine, dégustant un de ses petits déjeuners préférés, et rinçant ses bouchées par d'occasionnelles gorgées de café brûlant. Il repensait à tout ce qui s'était passé la veille dans le Cimetière du Diable. Face à lui, assis à la même table, se trouvait son pote Elvis. En tout cas, Sanchez se plaisait à le considérer comme un pote. Il y avait cependant de fortes chances pour que, de retour à Santa Mondega, ils se perdent un peu de vue, à moins qu'Elvis ne passe boire des coups au Tapioca. *Mais, eh, c'est pas si grave*, pensa Sanchez. *On a quand même appris à mieux se connaître pendant les événements d'hier.*

Tout comme Sanchez, Elvis portait les mêmes fringues que la veille. Mais contrairement au barman, il avait l'air aussi cool que d'habitude, réussissant par son seul charisme à conférer à ses sapes un aspect moins négligé que celles de Sanchez. Ses cheveux étaient toujours impeccablement peignés, malgré une nuit de baise furieuse avec Janis. *Par contre, il a l'air crevé*, se dit Sanchez. *On dirait qu'il va piquer du nez d'une seconde à l'autre.* Le King portait comme toujours ses fameuses lunettes noires, et s'appuyait confortablement contre le dossier en vinyle rouge de sa banquette, les jambes étirées, les pieds touchant le bas de la banquette de Sanchez.

Pour tout petit déjeuner, il avait dans son assiette un cheeseburger auquel il n'avait pas encore touché, ainsi qu'un verre de jus d'orange.

« Quelle putain de journée ça a été, hier, hein, Sanchez ? commenta-t-il.

— Ouais. Pas vraiment ma définition d'un bon moment. Je crois que l'année prochaine, je resterai à Santa Mondega pour Halloween. Tout compte fait, ce sera vachement plus sûr.

— Ouais, mec. Bonne idée. »

Sanchez avala son dernier bout de saucisse et s'essuya la bouche avec une serviette en papier, avant de saisir sa tasse à café.

« Tu vas la revoir, cette Janis, j'imagine ? demanda-t-il à Elvis qui, à travers la vitrine, regardait quelque chose sur le parking.

« — Ouais, peut-être bien. Elle est assez cool. Mais je vais te dire un truc, Sanchez : tu devrais t'occuper sérieusement de cette Annabel. Elle t'a dans la peau, mon pote.

— Ouais, c'est sûr, elle m'a dans la peau, maugréa Sanchez. C'est juste dommage qu'elle soit toute fripée, sa peau à elle. »

Elvis eut un petit rire poli, les yeux toujours rivés au parking. Il haussa alors un sourcil, que Sanchez vit surgir derrière ses lunettes noires.

« Qu'est-ce qui se passe, mec ? demanda-t-il.

— Yo, Sanchez, dit Elvis dans un demi-murmure, afin que personne à portée de voix ne puisse l'entendre. Jette un œil à la caisse noire, dehors. »

En faisant couiner le vinyle de sa banquette, San-chez fit pivoter son conséquent derrière et regarda à travers la vitrine. Sur le parking, face à l'une des chambres du motel, se trouvait une Pontiac Firebird noire. Et, chose étrange, elle remuait très violemment.

« Tu crois qu'il se passe quoi ? » lâcha Sanchez.

Elvis afficha un large sourire. « J'crois, dit-il d'une voix traînante, ouaip, j'crois bien que quelqu'un est en train de se faire baiser. »

65

Pour Angus l'Invincible, la nuit passée avait été celle de tous les échecs. À la suite des événements chaotiques de la veille, il n'avait pas empoché un seul *cent* des milliers de dollars qu'il espérait gagner. Il avait dûment abattu le sosie de Judy Garland, mais cela ne lui avait pas rapporté un rond. Et, en plus, il n'avait pas réussi à récupérer ses 20 000 dollars auprès de Sanchez.

Lorsque, la veille, il s'était pointé à la réception du Safari Motel, il avait fait preuve d'une hâte qui confinait à l'amateurisme. À l'exception d'un seul pistolet, il avait laissé le peu d'effets qu'il lui restait (parmi lesquels une boîte de cartouches et ses chargeurs de rechange) dans la Pontiac Firebird noire qu'il venait d'acquérir, et qu'il avait garée à la va-vite devant sa chambre. En temps normal, ce n'était déjà pas la chose la plus intelligente à faire, mais c'était particulièrement stupide avec une voiture dépourvue de vitre du côté conducteur, brisée, du reste, par ses soins. Le fait était que cette fête d'Halloween avait été si mouvementée et si décevante, du début jusqu'à la fin, que, arrivé au motel, son seul désir avait été de passer une bonne nuit de sommeil. À présent qu'il s'était reposé, il était pleinement opérationnel.

La chambre de motel dans laquelle il s'était écroulé de fatigue était assez basique, mais c'était sûrement bien mieux que de passer la nuit en enfer, ou dans l'estomac d'un zombie, ce qui, l'un dans l'autre, devait revenir à peu près au même. Il sortit de la chambre et inspira une profonde bouffée d'air matinal. C'était bon de se savoir vivant après tout ce qui s'était passé. C'était quand même ça de gagné.

À cet instant précis, Angus aperçut quelque chose, peut-être le signe que la chance se décidait enfin à lui sourire. À l'autre bout du parking se trouvait le restaurant du motel. Assis à une table contre la vitrine, en train de se repaître de saucisses, se tenait ce putain de Sanchez Garcia. Et il avait juste en face de lui son pote, ce con d'Elvis. Ces deux enculés étaient peut-être encore en possession des 20 000 dollars d'Angus. Dans le pire des cas, s'ils ne les avaient plus, ça valait quand même le coup de les buter.

Angus referma discrètement la porte de sa chambre derrière lui afin de ne pas attirer l'attention. Tout ce qu'il avait à faire, c'était de piocher deux des chargeurs qu'il avait stupidement laissés dans la voiture la veille au soir. Et après ça, il finirait le boulot en enterrant ces deux enfoirés dans le désert. La profondeur était sans importance. De toute façon, ce serait eux qui creuseraient.

Ce matin était étonnamment frais, comparé à la chaleur qui avait régné la veille. La nuit avait laissé sur le pare-brise une fine couche de givre. En s'approchant de la portière côté conducteur, Angus regarda à la dérobée le soleil qui commençait à peine à s'élever au-dessus de l'horizon. Lorsqu'il se trouvait aussi bas, ses rayons étaient particulièrement aveuglants, et Angus se félicita du fait que les vitres fussent teintées.

Il ouvrit la portière et sentit sur la poignée la légère morsure du givre. Il porta la main droite à sa bouche et souffla sur ses doigts pour les réchauffer. Il ne fallait surtout pas laisser le froid les engourdir, car, sous peu, ils devraient appuyer sur la détente du pistolet avec rapidité et efficacité. Angus jeta un nouveau coup d'œil en direction du resto. Sanchez et Elvis ne semblaient pas avoir remarqué sa présence. Il entra dans la voiture sans lâcher des yeux le visage replet de Sanchez, toujours occupé à bouffer son petit déjeuner. *Ce fils de pute de voleur va regretter d'avoir joué au con avec Angus l'Invincible.*

Le siège en cuir était glacé : Angus frissonna en s'asseyant, et referma aussitôt la portière. Les yeux toujours rivés à ses deux futures victimes, il tendit la main à l'aveuglette en direction de la boîte à gants, où il avait rangé cartouches et chargeurs la veille au soir. Ses doigts frôlèrent alors quelque chose sur le siège passager. Il tourna instantanément la tête pour voir ce dont il s'agissait, et, instinctivement, eut un mouvement de recul. Avachi à côté de lui, à la place du passager, se trouvait un cadavre.

Judy Garland.

La jeune femme qu'il avait abattue la veille à l'hôtel, avant de prendre la fuite. Et qu'est-ce qu'elle puait. Le devant de sa robe bleue et blanche était presque noir de sang séché. Son visage était terrifiant, ses yeux étaient ouverts, révulsés. Ses cheveux étaient en bataille, raidis par endroits par le sang coagulé, ses nattes n'étaient plus qu'un vague souvenir. La mort avait retroussé ses lèvres en un rictus terrible qui ressemblait à s'y méprendre à un sourire sardonique.

Putain ! pensa Angus. *Comment est-ce que le corps de cette conne a atterri dans ma caisse ?* À peine s'était-il posé cette question que son sang se figea dans ses veines. Un simple coup d'œil au rétroviseur lui donna la réponse.

Le regardant droit dans les yeux, une silhouette sombre était assise sur la banquette arrière, la tête recouverte d'une capuche.

FIN (peut-être...)

Les aventures du Bourbon Kid dans Le Livre de Poche

Le Livre sans nom   nº 32271

Santa Mondega, une ville d'Amérique du Sud oubliée du reste du monde, où sommeillent de terribles secrets… Un serial killer assassine ceux qui ont eu la malchance de lire un énigmatique livre sans nom… La seule victime encore vivante du tueur se réveille, amnésique, après cinq ans de coma. Deux flics très spéciaux, des barons du crime, des moines férus d'arts martiaux, une pierre précieuse à la valeur inestimable, quelques clins d'œil à *Seven* et à *The Ring*… et voilà le thriller le plus rock'n roll de l'année ! Diffusé anonymement sur Internet en 2007, ce texte jubilatoire est vite devenu culte. Après sa publication en Angleterre et aux États-Unis, il a connu un succès fulgurant.

L'Œil de la Lune   nº 32431

Personne n'a oublié le Bourbon Kid, mystérieux tueur en série aux innombrables victimes. Ni les lecteurs du *Livre sans nom* ni les habitants de Santa Mondega, l'étrange cité d'Amérique du Sud où dorment de terribles secrets. Alors que la ville s'apprête à fêter Halloween, le Bourbon Kid devient la proie d'une brigade très spéciale, une proie qu'il ne faut pas rater sous peine d'une impitoyable vengeance. Si vous ajoutez à cela la disparition de la momie du musée municipal et le kidnapping d'un patient très particulier de l'hôpital psychiatrique, vous comprendrez que la nuit d'Halloween à Santa Mondega risque, cette année, de marquer les esprits… Avec *L'Œil de la Lune*, l'auteur du *Livre sans nom*, toujours aussi anonyme et déjanté, revient sur les lieux du crime pour un nouvel opus de cette saga survoltée et jubilatoire.

*Du même auteur
aux éditions Sonatine :*

LE LIVRE SANS NOM, 2010.

L'ŒIL DE LA LUNE, 2011.

LE LIVRE DE LA MORT, 2012.

Composition réalisée par FACOMPO (Lisieux)

Achevé d'imprimer en avril 2012 en France par
CPI BRODARD ET TAUPIN
La Flèche (Sarthe)
N° d'impression : 68728
Dépôt légal 1re publication : mai 2012
LIBRAIRIE GÉNÉRALE FRANÇAISE
31, rue de Fleurus – 75278 Paris Cedex 06

31/5212/1